經學研究叢書・經學史研究叢刊

北京讀經說記

喬秀岩　著

出版說明

　　本書收錄二〇〇四年至二〇一二年之間，作者在北京所撰（含合撰）經學史相關文稿共十七篇，依寫作時間順序編排。各篇發表情況如下：

第一篇〈古籍整理的存真標準〉。

　　未發表演講稿。2004 年冬，演講於白石橋北圖善本部。

第二篇〈版本的缺環或歷史概念的形成〉。

　　2005 年報告於清華大學召開的「首屆中國經學學術研討會」，發表在《中國典籍與文化》2005 年第 4 期（總第 55 期）。

第三篇〈《周禮正義》的非經學性質〉。

　　2005 年報告於杭州召開的「紀念《周禮正義》出版百年暨陸宗達先生百年誕辰學術研討會」，收錄在 2007 年百花洲文藝出版社出版《孫詒讓研究論文集》。

第四篇〈經疏與律疏〉。

　　2005 年報告於台灣中研院文哲所召開的「隋唐五代經學國際研討會」，收錄在 2009 年文哲所出版《隋唐五代經學研討會論文集》。

第五篇〈《禮記》版本雜識〉。

　　發表在 2006 年《北京大學學報（哲學社會科學版）》第 43 卷第 5 期。

第六篇〈書評：汪少華《中國古車輿名物考辨》〉。

　　發表在 2011 年商務印書館出版《中國學術》第 29 輯。

第七篇〈古籍整理的理論與實踐〉。

　　2007 年報告於文哲所「儒家經典之形成」計劃演講會，發表在 2009 年中國國家圖書館出版社出版《版本目錄學研究》第一輯。

第八篇〈《魏晉禮制與經學》論讚〉。

  2010 年北京大學出版社出版《儒家典籍與思想研究》第二輯刊登古橋紀宏撰〈魏晉禮制與經

  學〉，今摘錄其中作者所加論贊兩段。

第九篇〈閒聊啖、趙、陸春秋學〉。

  未發表講義。2007 年報告於北京大學歷史學系「經學史散論」課。

第十篇〈論鄭王禮說異同〉。

  2007 年報告於臺灣政治大學召開的「第五屆中國經學國際研討會」，發表在 2008 年北京大學

  出版社出版《北大史學》第 13 輯。2009 年政治大學中文系出版《第五屆中國經學國際學術研

  討會論文集》亦見收錄。

第十一篇〈論鄭何注《論語》異趣〉。

  未發表論文。2008 年報告於文哲所召開的「魏晉南北朝經學國際研討會」。有白石將人先生日

  譯稿，發表在野閒文史先生主編《東洋古典學研究》第 27 集（2009 年）。另有壓縮改編稿《鄭

  何注論語的比較分析》一篇，發表在《北京大學學報（哲學社會科學版）》第 46 卷第 2 期。

第十二篇〈《毛詩正義》的歷程〉。

  李霖先生與作者合撰影印南宋刊單疏本《毛詩正義》〈出版說明〉，發表在 2012 年人民文學出

  版社出版影印本卷首，又刊登在同年北京大學出版社出版《國際漢學研究通訊》第四輯。今摘

  錄其第一部分。

第十三篇〈鄭學第一原理〉。

  2012 年報告於清華大學召開的「禮學國際學術研討會」，發表在 2012 年華東師範大學出版社

  出版《古典學》第一輯。

第十四篇〈圖書館古籍的永恆與瞬間〉。

  發表在 2012 年北京大學圖書館編印《圖書館的瞬間與永恆——北京大學圖書館建館 110 周年

  紀念文集》，又轉載於《北京大學校報》第 1298 期（2012 年 11 月 4 日）第三版。

第十五篇〈文獻學的具體與概念〉。

  發表在 2013 年北京大學出版社出版《版本目錄學研究》第四輯。

第十六篇〈如何理解晉代廟制爭議〉。

發表在 2013 年香港《能仁學報》第 13 期「禮學專號」。

第十七篇〈嘉定南康軍刊本《儀禮經傳通解》之補修情況〉。

發表在《中國典籍與文化》2013 年第 2 期（總第 85 期）。

十七篇體例各異，內容精粗不齊，又有不少重複。第十五篇表述筆者讀書的宗旨，建議讀者先翻，測試合不合口味。第十一、第十三兩篇最重要，懇求讀者仔細閱覽，讀後訐病在所甘受。其餘諸篇則請隨意。

目　　次

古籍整理的存真標準

一　古籍複製的存真標準

　　現存南宋初期刊本當中，有不少已被認定為北宋刊本的覆刻本。據版本研究者介紹，這些南宋覆刻本的風格與北宋原刊本基本類似，所以很多南宋覆刻本過去被誤認為北宋本，可是若能同時拿出來對照看，哪一種是原刻本，哪一種是覆刻本，往往立竿見影，因為北宋原刊本的文字接近手寫楷體，圓潤遒勁，而南宋覆刻本的筆劃則趨於單純化，線條直線化，差異明顯。由於現存北宋刊本數量非常有限，因此現在能夠直接對照北宋原刊本和南宋覆刻本的，只有《通典》等極少數，可是通過這些典型例子，我們可以認識到原刊本與覆刻本各自不同的特點，依此類推，有助於辨別原刊本和覆刻本。

　　實際上，在南宋以後到民國時期的整個雕板印書的歷史過程中，覆刻本（為行文方便，本文對覆刻本、影刻本、摹刻本、仿刻本等詞彙的不同含意不加以分別，一概用「覆刻本」，是廣義的概念。）種類和數量之多應該遠遠超過原刊本，也超過我們的想像。隨著圖書館事業和版本學研究的發展，我們認識到的覆刻本種類越來越多，現在應該考慮過去只認為是一種版本的，其實可能包括很多種覆刻本在內，歷史上好像曾經存在過大量的覆刻本，還沒有被我們認知。這裏隨便舉一個覆刻本的例子，看看這種覆刻本與原刊本多麼像。〔圖版一〕是金鶚《求古錄禮說》的原刊本，〔圖版二〕是覆刻本（卷三第九葉）。因為是清代中期學者的著作，時代近，原刊本刊行以及製造覆刻本的經過可以瞭解得很清楚。據有關記載，原刊本刻成不久，原版即被毀，印本流傳甚少，所以有覆刻之舉，時間相差只有二十幾年。製作覆刻本的時候，

原刊本已經較難找到，可是二十幾年前的普通刻本，雖然內容重要，自然沒有什麼文物價值。但我們對照兩個版本看，覆刻本複製得非常逼真，幾乎看不出什麼不同來，只有如最後一行第五個字「心」原刻本往上鈎的末筆拉得很長而覆刻本短等細微差異，並沒有字體風格方面的不同。這裏自然也要考慮到原刊本雖然用些古字，但筆劃線條已經標準化，所以二十幾年後的刻字工仿刻起來也很順手，不像北宋本接近手寫楷體，對刻工要求較高。雖然如此，這種覆刻本本來沒有必要做到以假亂真，可是做出來的結果卻與原刊本一模一樣，這一點值得我們注意。另外也應該指出，第四行第六個字原刊本有誤，覆刻本已經改正過來了。覆刻本對這些校改的地方，另編一篇《校勘記》附在書後，可見他們編輯態度的認真。這就是說，覆刻本在文字筆劃方面刻得毫毛不爽的同時，對原刊本中的錯訛字也進行了積極的校改。其實，南宋初期覆刻北宋本也有很多校改的地方，雖然沒有任何說明。從文字校改這一點看，可以認為他們製作覆刻本的目的並不在單純地保存原刊本的原始面貌，這跟照相是不一樣的。

　　與上述南宋覆刻北宋本、《求古錄禮說》等不同，有些複製本是認定古版本的文物價值，刻意仿製的。明末清初的藏書家毛晉（汲古閣即其藏書處）做過多種影宋鈔本，是完全摹寫宋版書，後來的藏書家都非常重視這些「毛鈔本」，認為僅下宋版一疇。〔圖版三〕是比毛晉稍晚的錢曾命人製作的影宋鈔本《集韻》。幸好它的底本現在還存在，幾年前也有影印本出版〔圖版四〕，可以比較。可以看出，影鈔本字體風格與底本基本一致，因為筆寫與刀刻畢竟不同，不能說完全一樣，也應該說可以傳神。不僅如此，底本是後印本，很多地方漫漶不清，但影鈔本字劃完整，比底本更乾淨。錢曾有「佞宋」之稱，對宋版書嗜愛如命。他留下的影鈔本仿佛體現著他對宋版書的癡情。

　　影宋鈔本價值很高，可是影鈔本只有一本，遠沒有覆刻本的影響大。

製作覆刻本最著名的是黃丕烈，他也鍾愛宋版本，乾脆自號「佞宋主人」。他在嘉慶年間編刻的《士禮居叢書》包括幾種覆宋刻本，刻印極講究，後世的評價也很高，其中好幾種書至同治年間都被覆刻，清末民國間也有幾種整套叢書的影印本。且看其中《儀禮》的編刻情況。《儀禮》是覆刻宋嚴州本，後來嚴州本原本亡逸，現在無法核對。可是據黃氏自己的介紹，他在刻意保存嚴州本原貌的同時，也進行了必要的校訂工作。書前的《精校重雕緣起》說：

> 今以陸、賈、李、張四家之書校此本刊行之。不盡改其字於十七篇內者，存嚴刻之舊面目也。必為校語以附後者，猶忠甫「識誤」之意也。

書後附錄《續校》的識語說：

> 余於是刊，悉存嚴本面目。其中訛闕斷壞之字，間據陸、賈、張、李四家書是正完補，即《校語》有未盡舉出之字，多見芸臺侍郎《儀禮校勘記》及段若膺《儀禮漢讀考》中，讀者自能得之。

據此可知底本也有漫漶不清以及訛誤之處，他對此進行了精細的校勘工作，但正文部分沒有完全校改，注意保留了底本的原貌。

黃氏做過的影刻本也有完全保留原樣，沒有做過校改的。〔圖版五〕是黃氏覆刻錢曾影鈔宋本《孟子音義》，書耳部分「虞山錢遵王述古堂藏書」與〔圖版三〕的錢氏影鈔《集韻》一模一樣，可見黃氏的覆刻非常傳神。黃氏在《跋》中說：

余偶得影宋鈔本，為虞山錢遵王述古堂藏書，即以付梓。其用為
校勘者，復假香嚴書屋藏本，系汲古閣影宋鈔，與此同出一源。
卷中有一二誤字，兩本多同，當是宋刊原有，且文義顯然，讀者
自辨，弗敢改易，致失其真。

據知，他在覆刻之前還是進行過比較仔細的校勘。可是校勘的結果認為那
些錯訛字應該是宋刊本本來具有，並不是由影鈔造成的，而且依據文義內
容很容易看出是什麼字的錯訛，不會讓讀者迷惑或誤解，所以決定不校
改，完全按照底本覆刻。《孟子音義》篇幅很小，也應該是讓他選擇這種
處理方法的一個原因。

　　黃丕烈等人注意保留底本的面目，可是並不是機械地去複製古版本，
而是經過精詳的校勘，該改補的改補，不必改動的不改動，考慮得很周到。
流傳到後世的宋版書往往是後印本，很多地方漫漶不清，像〔圖版四〕的
《集韻》那樣。製作覆刻本的時候，先就原本製作影鈔本，再把影鈔本作
為底稿進行雕板。影鈔不可能把那些版面的磨損狀況如實地表達出來，覆
刻本也不可能把這些原本難看的地方直接提供給讀者。筆劃不完整的要補
完整，有些不應有的錯訛字也該改掉。但有些錯訛字是宋版原有的，而且
容易辨識或者另有校記可以讓讀者知道，不進行校改，保留原貌，並不影
響覆刻本的價值。

　　〔圖版六〕是嘉慶十一年張敦仁覆刻的宋本《禮記》，是清代最有名
的覆宋刻本之一。主持覆刻工程的是顧千里，顧氏也曾為黃丕烈主持覆
刻。底本為宋撫州本，現歸北圖典藏，十幾年前也有影印本〔圖版七〕，
我們可以對照來看。覆刻本的筆劃比原本細，而且綫條明顯單純化，直線
化，大概是因為以影鈔本做覆刻底稿，受到不可避免的技術限制。雖然如
此，版式特點、文字筆劃結構等，仍然忠實於底本。另外值得注意的是，

原本有眉批、標點，被覆刻本統統刪去。有人認為這些眉批也出自宋代人手筆，（2013年補注：北京大學出版社2012年出版《儒家典籍與思想研究第四輯》收錄廖明飛〈撫本《禮記》金履祥批點小識〉可參。）如果是的話，自然也很有價值，可是覆刻本不考慮保留這些。似乎可以認為他們覆刻的目的在於恢復宋版的本來面貌，並不在保存這一傳本的現實狀態。

　　光緒九年莫祥芝覆刻宋本《毛詩要義》，是據兩種影鈔宋刊本以及幾種鈔本校勘編訂的。實際承擔編刊工作的學者蕭穆留下一篇文章，透露具體校訂工作的情況。他說，影宋鈔本文字脫訛甚多，而且兩種影鈔本脫訛情況基本一致，可以推測宋版原來就有那麼多訛脫字。這種情況與上面介紹的《孟子音義》類似。於是蕭穆說：

> 其脫訛不可讀者，亦就原書所引古書善本及阮芸臺相國《校勘記》稍為改正，不過十之二三，恐大失魏公之舊也。

他說魏了翁的原書大概就有那麼多脫訛，如果改正了反而失去原書的面目，可是完全不改動底本也顯得太亂，有些地方簡直沒法閱讀，只好對一部分訛脫進行校改，大部分仍舊。這種處理方法與上面介紹的《儀禮》的情況類似，只是隨意性好像比黃丕烈他們更大一些。既然是覆刻本，自然要儘量保存底本的原貌，但與此同時也不得不考慮文本的可閱讀性。文字錯訛若很嚴重，沒法閱讀，只能校改。只有像《孟子音義》那樣文義淺顯，即使有錯訛讀者也不難發現，才可以不改動底本。可見覆刻本的編者們首先對文本進行詳細認真的校勘，然後考慮各種因素，編訂雕板底稿。

　　到了清末民國時期，已經有照相製版技術，古籍善本書可以影印，不須再用木板摹刻了。照相影印可以做到毫髮畢現，不僅比雕板影刻簡便省事，也可以避免覆刻失去原本風韻的缺點。假使毛晉、錢曾那些人在當時

能用上照相機，無疑會欣喜若狂；黃丕烈他們能用上影印技術，也應該製作過大量的影印本。照相影印技術具有劃時代意義，它的出現似乎意味著木板摹刻技術將被淘汰，但歷史的發展卻並不是那麼簡單。〔圖版八〕是《方言》的三種複製本。一種是傅增湘製作的珂羅版影印本，一種是傅增湘製作的覆刻本，一種是《四部叢刊》影印本。顯而易見，所據底本是同一個宋版《方言》，這一宋版原本現在也歸北圖典藏。傅增湘於民國元年（1912）購得原本，繆荃孫見到後勸他複製，於是傅氏「先浼綏經同年寄日本小林氏製珂羅版百部，旋又屬藝風督陶子麟精摹付刊」。就是說，先做珂羅版一百套，又做了覆刻本。實際上，不僅傅氏如此，其他如潘明訓複製宋版《禮記正義》，董康（即上引傅氏語中的「綏經」）複製宋版《周禮注疏》等，都是珂羅版與覆刻本同時並做。既然有珂羅版，他們為什麼還要做覆刻本？對這個問題最簡單的答案是技術上的原因。珂羅版是效果最精美的影印技術，但要印得效果最好，必須依賴熟練工人的技術，所以傅氏也要托董康讓日本的專業技師製作。而且珂羅版不適合大量印刷，一個版片印到一百張，如要繼續印刷需要清洗保養版面，由於版面經不起反復的磨擦，最大印數不超過三百乃至五百張（技術介紹據《中國印刷近代史（初稿）》）。傅氏印的就是一百部，據說潘氏的珂羅版《禮記正義》也是一百部，傅氏對珂羅版《周易正義（單疏本）》也說「數百年孤行之秘笈化為百本」，可見珂羅版的印數是一百部，至少是當時人們較普遍的概念。（2013 年補注：董康影印《劉夢得集》亦云「屬小林氏用佳紙精製百部」。）所以若希望善本古籍廣泛流傳，只做珂羅版自然不夠用，必須再做雕板印本以應廣大讀者的需求。這是技術方面的原因。可是通過上面對清代複製古籍情況的簡單介紹，我們也可以看到照相影印本還不能滿足他們對覆刻本的要求。清代覆刻本的目標並不只是製作底本的複印本，而是要提供適合學者閱讀的精良版本，要製作比底本更好、更理想的新版本。從這個角度來看的話，《方言》的珂羅版

確實還有遺憾。這個宋本也是經過長期刷印、版面開始漫漶的後印本，很多地方字劃模糊不清，再加上後來保存不好，有些地方有蛀蝕殘破，很不完美。習慣於看黃丕烈等複製的精美古籍版本的人，心中自然會興起要把它做成更完美的覆刻本的願望。於是有傅氏的覆刻本。對照〔圖版八〕的珂羅版與覆刻本，覆刻本的字劃比原本細，線條單純化、直線化，情況與上面介紹的《禮記》類似。只是《禮記》的底本是早印本，字劃清晰，保存也完好，沒有缺損，所以不存在校訂補缺的問題。《方言》底本條件不好，所以覆刻本進行了校補，可是就在校補這個環節上他們沒有做好，又留下了遺憾。就是說，覆刻本校勘不精，校補往往補得不對。〔圖版八〕的最後一行有注，珂羅版作「言無所聞，常□□也」，兩個字已經殘損，參考其他版本推測應該是「聳耳」，然而覆刻本補上「聳聹」兩個字，並將「常」誤「當」，結果文義不通了。覆刻本對底本的文字進行校訂，是為了提高文本的品質，底本的闕字要補，訛字要改。可是一不小心，往往會補錯改錯，反不如底本。所以說，他們要製作比底本更完美的覆刻本，這種初衷無疑是美好的，可是做出來的結果是否理想，還需要具體討論。

　　《四部叢刊》是由張元濟主持，從民國八年（1919）開始編製，至民國十一年（1922）完成出版的大型古籍影印叢刊。由於收錄重要古籍的最好版本，而且用簡便的形式、低廉的價格出版，普及最廣，影響最大。他們用的是石印技術，成本低，也適合大量印製，但是不能表現顏色濃淡的變化，只能印出黑是黑，白是白，效果比珂羅版差遠了。不僅如此，他們在影印之前，對底本進行校勘，也作過「描潤」，在這一點上跟珂羅版影印本有本質上的區別（雖然珂羅版影印本也經常有描改）。對照〔圖版八〕的珂羅版與《四部叢刊》本可以看到，《叢刊》本對底本漫漶不清楚的筆劃進行描畫，補上闕字，做得乾淨漂亮。就上述底本缺損、覆刻本補字的部分看，《叢刊》本的文字居然與覆刻本一致，珂羅版「常」字雖然不清楚仍然是「常」

字，覆刻本訛作「當」，《叢刊》本因襲了覆刻本的訛字。傅增湘他們一方面製作珂羅版影印本，追求保存底本的原來面貌，一方面又製作覆刻本，想要提供比底本更完美的版本。現在《四部叢刊》將這兩方面的追求合為一體，用影印的方法來保存底本的風韻，同時用「描潤」的方法想要把影印本變成完美的新版本。換句話說，《叢刊》本在外在形式上採用照相影印，是繼承製作珂羅版的精神，在版本內容方面採用「描潤」的方法，是繼承製作覆刻本的精神。這樣來看，《叢刊》本《方言》的文字有因襲覆刻本錯訛的地方，頗有象徵意義。

　　《四部叢刊》對底本進行校改，這一點就在當時也有不少人提出異議。因為這樣作的結果，《四部叢刊》的文字不知道是宋版原貌還是出於現代人的校改，不能做為版本根據。宋版原來是「常□□也」，可是《四部叢刊》的讀者會誤以為宋版就作「當聋睟也」，確實是個問題。對此從來就有兩種不同的觀點。一種觀點認為，影印本應該保存底本的原貌，無論是文字錯訛還是漫漶不清處，都不應該作任何加工，否則沒有影印的意義。另一種觀點認為，既然知道是明顯的錯訛字，改是應該的，字劃不清楚影響閱讀，對底版進行描潤也是必要的。兩種意見互相矛盾，至今還偶爾會看到有些人在爭論。可是我們在上面已經看到，這兩方面的要求，本來可以分別由珂羅版影印本和精校覆刻本來滿足的。現在《四部叢刊》合兩者為一體，從文字內容方面來講，實際上也是一種變形的覆刻本，所以我們也不必求備，只要認識清楚《叢刊》本與底本不一樣就好。至於校改得好不好，對不對，自然可以討論，就像討論覆刻本一樣。

　　《四部叢刊》的《方言》是比較失敗的。失敗不在於改動文字本身，而在於校勘不精審，輕信傅氏覆刻本。其實，做為一種變形的覆刻本，如果校勘精審，也不失為一種精美的新版本，它的外貌與底本一模一樣，只能是優點，不能算缺點。後來張元濟他們於民國十九年 (1930) 年至二十五

年（1936）之間陸續出版的百衲本《二十四史》就是用與《四部叢刊》同樣的方式取得輝煌成功的典範之作。關於張元濟其人以及百衲本《二十四史》已經有很多論述，這裏不贅述，只介紹一個例子。〔圖版九〕有百衲本《史記》、日本影印宋本《史記》以及張氏的《校勘記》。百衲本這部分的底本現在也歸北圖典藏，日本影印本是同一版本的不同印本，不妨作對照之資。這是第一卷第二十七頁的末兩行和第二十八頁的首兩行。宋本在改頁的地方誤重「百」字，而百衲本沒有重字。檢核《校勘記》可以確定百衲本的底本也跟日本影印本一樣誤重「百」字，張氏他們看出是錯誤，所以刪掉一個「百」字。刪一個字也不能留出空白，所以將以下的字都往上挪，調整字距。他們調整的結果做到天衣無縫，不留刪改的痕跡，幹得實在太漂亮。可以看到他們要求的標準很高，態度極認真，描潤技術也很高超，他們為此確實傾注了大量的精力。當然這也不過是外在方面的問題，百衲本成功的根本原因自然在他們校勘的精審。

　　這樣的影印方法似乎是張元濟他們的特殊方式，除了他們之外，民國後期仍然有人製作雕板覆刻本。〔圖版十、十一〕是董康據宋版《周禮注疏》製作的珂羅版影印本和覆刻本。他在覆刻本的〈跋〉中說：

> 此書開雕於丙子春（民國二十五年1936），殺青於庚辰嘉平（二十九年1940），閱時五年，靡資三萬有奇。以浙中殷某、池某、王某，河北高某、張某諸君醵資居其強半，餘則斥賣舊藏珍笈若干種，以足成之。助余校勘者，則同邑陶某、閩中黃某也。

顯然，他投入這麼大的精力和財力是為了覆刻本，而不是為了珂羅版。看珂羅版可知底本也是後印本，有漫漶殘缺的部分。然而他做出來的覆刻本雕刻印製精美絕倫，遠在張刻《禮記》、傅刻《方言》之上。遺憾的是，

剛好在編刻這本書期間董康出任華北偽政權的職務，犯下政治上的大錯誤，於一九四七年病死獄中（董氏履歷據蘇精先生《近代藏書三十家》。2013 年補注：董康最後病死家中，見 2009 年北京中華書局出版《近代藏書三十家（增訂本）》）。而且其後隨著社會的巨變，研讀愛好這種古籍的人少之又少，研究者重視客觀材料，經過校訂的覆刻本被認為沒有資料價值，這種版本已經沒有人再關注它了。

（2013 年補注：近二十年古籍買賣價騰貴，董康刻書頗受收藏家青睞。）但我個人認為，他這部覆刻本《周禮注疏》可以視為雕板覆刻歷史上的最後一個傑作。它連同百衲本《二十四史》等，都是他們熱愛古籍的見證，至今仍然散發著不可抵擋的魅力。

（2013 年補注：宋人校訂古籍，必待刻版為定本，見平岡武夫〈村本文庫藏王校本《白氏長慶集》——走向宋刊本〉（漢譯文本見北京大學出版社 2013 年出版《版本目錄學研究》第四輯）。直至清代、近代，人們都不滿足於活字本、影印本，希望用刻版的形式將重要文獻固定下來，以求傳之久遠。例如李兆洛身後弟子們整理遺稿的情況，見《續修四庫》影印《養一齋文集》諸跋。又如民國四年葉德輝排印《通歷》，有識語云「取活字排印二百部，以備讀史者之參稽，異時再付梓人，流傳當益久遠」。民國十四年陶珙朱墨套色石版影印錢穀手抄《游志續編》，識語云「原本紙黃墨黯，影石不能無豪髮之憾，模寫鋟梓，俟諸異日」。）

六七十年代的影印本也有經過較精詳的校勘的。如中華書局一九六五年影印出版的《四庫全書總目提要》、一九七七年影印出版的《文選》，都對正文加斷句，書後附《校記》。這些《校記》雖然都比較簡單，可是對讀者確實提供了很大的方便。至於一九九二年影印出版的《五音集韻》、二〇〇〇年影印出版的《古今韻會舉要》，書後都附有甯忌浮先生的《校訂記》，具有很高的研究價值。這不妨說是一種獨立的研究著作，已經超出出版編輯工作的範疇。有些影印本也對正文進行過校改。如中華書局影印的《十三經注疏》一九七九年的《影印說明》說「改正文字訛脫及剪貼錯誤三百餘處」，可是不說明更具體的情況，而且後來多次重印好像也有所校改，只能認為是比較簡單而且比較隨便的改動，不能跟百衲本《二十

四史》等相比。至若一九八二年影印本《經籍籑詁》的校改，簡直是多此一舉，反而影響了影印本的價值。《經籍籑詁》不僅對我們查看古代訓詁資料有用，也是對清代後期以後的學術有過廣泛影響的歷史文獻，很多學者的論著裏面都可以看到因襲《經籍籑詁》錯誤的地方。現在把這些錯誤校改了，我們等於失去線索，無法知道那些學者的錯誤的來源。

近年來更多的影印本是不經過校改，直接把原樣複製出來的。《古逸叢書三編》、《存目叢書》、《續修四庫全書》等，基本上都是保留原貌為基本原則，不校勘，也不校改。最近開始出版的《再造善本》同時收錄同一種書的不同版本，是影印古籍叢刊的創例，值得注意。今據《一期選目》看，如《漢書》有宋版四種、元版一種，《後漢書》有宋版六種、元版一種，令人驚歎。每一種版本都有不可替代的歷史價值，所以一種文獻各不相同的歷史面貌都需要如實地保存，這種科學、客觀的思想到此已經被推到極點。可是我們也不能不知道，《再造善本》是以珍貴版本的保存傳世為首要目的，所以對版本學、文獻學的研究有非常重大的資料價值是一方面，另一方面，沒有考慮閱讀的要求，所以沒經過校勘，整理工作一概不涉及內容，而且售價極高，不用說個人，連圖書館都要猶豫購買，只能做為專業研究者的研究參考資料。

我個人覺得像《再造善本》那種影印本好像是機器做出來的，感覺不到任何人的氣息。毛晉、錢曾、黃丕烈、顧千里、蕭穆、傅增湘、張元濟、董康那些人做過的影鈔本、覆刻本、影印本都包含著他們對古籍文化的熱情。那些書上的每一個字，甚至每一個筆劃，都凝聚著他們細心的考慮和思念。想想看，現在的出版社以那麼快的速度影印出版大量的影印本，編輯也好編委也好，有沒有人對內容進行過校勘？我懷疑在很多情況下，連通讀一遍的人也沒有。但是書畢竟是要閱讀的，不能像考古文物那樣只考慮科學、客觀的保存樣本。例如《漢書》這一部書的概念並不等同於五種

不同的版本故紙堆，而是有內容的文本概念，所以宋版也是《漢書》，點校排印本也是《漢書》。面對這樣科學、客觀地保存歷史原貌的好幾種影印本，我們不能說古籍整理工作已經圓滿成功。連「《漢書》是什麼？」這樣最起碼的問題，我們還沒有準備答案呢。真正的古籍整理工作，要在這些機械複製的影印本出完之後，才會開始。我們要用自己的眼睛和腦子去閱讀、校勘這些古籍。

二　校勘學與經學的存真標準

　　底本一般都不免有訛誤脫闕，對此應該保存原貌？還是校改訂補？保存原貌是追求客觀地保留底本現實的外在形式狀態，校改訂補是追求版本文字內容的理想狀態。然而校改錯訛字就意味著失去原貌，外在形式的真貌和文字內容的純真之間只能選其一，這是製作覆刻本需要權衡考慮的問題。那麼，文字內容怎麼知道有錯訛？怎麼知道這個字錯，那個字才正確？這是屬於校勘學、經學等領域的問題。

　　阮元的《十三經注疏校勘記》可算是清代校勘學的代表著作。在《十三經注疏校勘記》之前，日本的《七經孟子考文》傳入中國，先被收入《四庫全書》，後又被阮元覆刻出版。阮元他們在看到《七經孟子考文》的重要價值的同時，對它也感到不滿。因為《七經孟子考文》較詳細地記錄各種珍貴版本的文字異同，但沒有對這些異文進行衡量，判斷是非。《十三經注疏校勘記》不僅羅列各種版本的異文，還對這些異文進行考證，提出自己的觀點。這就是這兩種同類著作最大的不同。對於《七經孟子考文》的作者來說，中國古籍畢竟是外國文獻，進行對校，記錄異文是可以做到的，可是判斷是非就不太敢做。《十三經注疏校勘記》的編者們都是讀這些經學文獻長大的，對這些書的內容都有自己的理解，看到異文不能不想哪個對哪個不對，判斷是非又是不能不做的。

　　同樣參與《十三經注疏校勘記》編撰工作的兩個學者之間，卻發生了有關校勘方法的衝突。這就是校勘學史上有名的段顧之爭。關於這個問題已經有很多論述，這裡不便詳論。要很概括地說明兩者的異趣，應該可以這麼說：段玉裁想要整理出經書的理想文本，顧千里只想要整理經書的歷史面貌。段玉裁寫過〈與諸同志書論校勘之難〉，是校勘學史上最有名的一篇文章。其中有一句名言是：

　　　　校書之難，非照本改字，不訛不漏之難也，定其是非之難。是非有二，曰底本之是非，曰立說之是非。必先定其底本之是非，而後可斷其立說之是非。

還有一句更有名的是：

　　　　校經之法，必以賈還賈，以孔還孔，以陸還陸，以杜還杜，以鄭還鄭，各得其底本，而後判其義理之是非，而後經之底本可定，而後經之義理可以徐定。

「以賈還賈，以孔還孔」是很正確的校勘學思想，其實類似的說法也見於顧千里寫給段玉裁的信中，可以說是他們的共識。大道理雖然沒有異議，至於具體操作，兩者的處理方法卻完全不同，校勘意見往往形成針鋒相對的矛盾。〈與諸同志書論校勘之難〉舉五個例子，說明歷代的注釋家所據的文本並不正確，校訂經文時不能牽涉注釋而誤。段玉裁論述的重點在判定「義理之是非」，校訂「經之底本」。他的「以賈還賈，以孔還孔」，實際意思是說賈、孔等人的見解往往不正確，他們所據的文本並不可靠，所以要注意剔掉賈、孔他們對經文附加的因素，不要讓他們的因素來擾亂經

文的真正面貌。他說「還賈」、「還孔」只表示他自己不要賈的、孔的,「還」
倒沒有真正「還」到,所以他對賈、孔的學說並沒有深入的研究。賈、孔
等古代的注釋都是時間較早而且歷代備受尊重的,可是段玉裁敢說不正
確。他所認為的正確經文文本,往往沒有任何版本根據,而是根據「義理」
來推定出來的。可是義理的推定難免有較大的隨意性,所以後世的學者對
段玉裁的評價雖然很高,但也總少不了「武斷」兩個字。顧千里則注意版
本(這裡說「版本」也是廣義的)根據,賈、孔所看到的文本算是最古老的版本,
所以他研究分析賈、孔的見解,推定他們所據的文本,以此為最好最可靠
的經文文本。

　　上面介紹過黃丕烈覆刻《孟子音義》的情況。這個覆刻本出來後,段
玉裁給黃丕烈寫信,批評裏面錯訛字沒有改正。例如〔圖版五〕倒數第四
行「倍之」注作「丁云:義當作借,古字借用耳」,段玉裁說「借」是「俗」
之誤。段氏在這樣指出多處訛字之後,總結說:

> 凡宋版古書信其是處則從之,信其非處則改之,其疑而不定者則
> 姑存以俟之。不得勿論其是非,不敢改易一字,意欲存其真,適
> 滋後來之惑也。

段氏說「借」是「俗」之誤,固然對,可是「借」和「倍」之間本來沒有
通假的可能性,而且黃氏刻本「借」的右下部分實際上作「月」,不是「日」,
這其實不是「借」字,不難看出本來應該是「俗」字,筆劃稍訛,以致不
成字。所以按照上面介紹的黃氏的標準,這種地方「文義顯然,讀者自辨」,
沒有必要校改。黃氏故意沒有改字,可是段氏好像根本不想理解黃氏的思
想似的,執意要求改正錯字。段氏有一種狂熱的精神。

　　世稱「戴段二王」,戴震、段玉裁、王念孫、王引之好像是一個學派。

其實每個學者的學術思想不可能都完全一樣，用學派的概念來概括一批學者，往往讓我們忽略其中很多值得重視的差異。例如戴震經過考證，認定《堯典》「光被四表」的「光」原來應該是「橫」，一訛為古音相同的「桄」，再脫偏旁而為「光」。王引之指出，「光」的意思應該理解為「橫」，沒有錯，可是要說經文原來作「橫」，沒有任何版本根據，反而有諸多證據都顯示經文原來就是「光」，「光」「橫」相通，不能改「光」為「橫」。顧千里和段玉裁之間有關校勘方法的矛盾，在本質上與戴震和王引之之間的異趣相一致（關於這個問題，請參倪其心老師〈「不校校之」與「校而不改」〉見新版《校勘學大綱》附錄）。王引之對段玉裁也有不滿，除了《經義述聞》屢見批駁段氏的說法外，在寫給友人的信中也曾批評段氏《詩經小學》。王引之與顧千里恰好是同年出生，是段玉裁的學生輩，而且與段玉裁的關係都很密切，可是他們不能不反對段玉裁的校勘方法，這是非常值得重視的學術轉變。

段玉裁在本質上是一個經學家。他非常尊崇《十三經》和《說文》，對《十三經》中的各種經書和《說文》進行綜合性研究，想要建立一個諧和完美的經學體系。他無憑無據地設想一個完美的經書體系，相信經書原來是完美無誤，只是因為後人誤解或者不理解，文本被竄改，所以要復原那最完美的經書體系。經過研究，他發現很多有關經書和古代語言的規律，認為完美理想的經書應該符合這種規律。實際上，他發現的規律包含著較大的主觀因素，而且歷史形成的古代文獻不可能處處符合一般性規律。我們應該瞭解，段玉裁是有理想的。他一輩子做了一個經學夢，想要編製一套理想經書，並為之傾注了畢生的精力。可惜年輕人很冷靜，很清醒，王引之、顧千里都不能共有段玉裁的夢想。王引之是這麼說的：

> 吾治經，于大道不敢承，獨好小學。

他說自己不懂經學的大道理，意在拒絕主觀不科學的經學觀念，言辭雖然謙虛，實際上很自信。王引之又說：

> 吾用小學校經，有所改，有所不改。假借之法由來舊矣，其本字什八可求，什二不可求，必求本字以改，則考文之聖之任也，吾不改。

段玉裁結合《說文》來考訂經書文字，經注文的假借字問題是他的校訂工作的最大重點。現在讓王引之說，這是「考文之聖」才能勝任的工作，實際上誰都不可能真正做到。王引之的觀點無疑很科學，很正確。可是這麼一說，等於否定段玉裁一輩子汲汲追求的夢想。

《衛風・淇奧》「猗重較兮」，《釋文》：「猗，於綺反，依也」，《正義》：「倚此重較之車」。段玉裁認為《釋文》說「依也」，與《說文》「倚，依也」符合，所以「猗」應該是「倚」字之訛。如果經文作「猗」，在毛傳、鄭箋都沒有「猗，倚也」等訓詁的情況下，《釋文》、《正義》應該不會自己擅自破讀。既然《釋文》、《正義》都理解為「倚」「依」，經文應該就是「倚」。這是段氏結合《說文》，依據通假字訓詁的規律，校訂經文文字。段氏《詩經小學》在論述這樣的考據內容後，又寫了如下一段文字：

> 庚子正月定此條，二月內閱《文選・西京賦》「戴翠帽倚金較」，李善注引《毛詩》「倚重較兮」。汲古閣初刻不誤，上元錢士謐校本乃於版上更為「猗」字，遂滅其證據。於此見校書之宜審慎也。

特別注明時間，可見段氏對這條考證很有感慨。他在《文選》注中找到一個版本根據，可是只有初刻本作「倚」，後來的校本已被改作「猗」，

所以說「校書宜審慎」，利用版本應該很小心，告戒自己，也告戒後人。可是應該承認段玉裁對版本、文獻的態度十分天真，他的校勘在像顧千里那樣的學者看來，簡直是兒戲。首先，在段氏以前，臧琳的《經義雜記》已經指出《文選》注作「倚」，與《說文》合。可是臧琳綜合考慮《釋文》、《正義》、《唐石經》、《說文系傳》、《群經音辨》等，認為還是作「猗」字更可信。實際上，宋代尤袤刊本《文選》注作「猗」，不作「倚」，所以《文選》注作「倚」的前提本身並不可靠。（2013年補注：敦煌出土唐抄李注（P.2528）作「猗」。）再說，古書引文往往改動文字，就算李善引文作「倚」，也不能證明李善看到的《毛詩》原文也作「倚」。既然《唐石經》以下諸版本都作「猗」，《釋文》也作「猗」，《正義》引經文也作「猗」，沒有理由要改作「倚」。惟一作「倚」的版本是《考文》所引「古本」，應該是涉《正義》「倚此重較之車」的解釋而誤的例外。至於毛傳、鄭箋沒有破讀訓詁，是因為在當時這種通假不釋自明，所以《車攻》「兩驂不猗」傳、箋也都沒有訓詁。只有《節南山》「有實其猗」的鄭箋說「猗，倚也」，是因為毛傳說「猗，長也」，鄭箋的解釋不一樣，所以才這樣說的。以上說明「猗」字不應該改「倚」的理由，基本上是介紹《毛詩注疏校勘記》的說法。《校勘記》最後總結說：「凡昔人引書或改或不改，非有成例。用之資證則可，若以為典要則其失多矣。」好像在教訓段玉裁似的。《毛詩注疏校勘記》的編寫過程雖然較複雜，具體情況很難說清楚，但是很多地方都像這樣在暗駁段說，而且顯示很深的文獻學造詣，所以主體部分應該可以認為是顧千里的手筆。據說段玉裁看到《毛詩校勘記》原稿後非常生氣，是很容易理解的（有關《毛詩校勘記》與段顧矛盾的問題，當另寫專文討論。）。顧千里的校勘方法無疑比段玉裁更科學，更正確，這一點段玉裁也不能不承認。可是承認顧千里的校勘方法，就意味著要否定自己對理想文本的追求，這又是段氏所不能接受的。所以，他只好生悶氣。

非常有趣的現象是，段玉裁到晚年愈來愈傾向宋學。他在臨死前一年八十歲時給陳壽祺寫的信中說：

> 今日大病在棄洛、閩、關中之學不講，謂之庸腐，而立身苟簡，氣節敗，政事蕪，天下皆君子而無真君子，未必非表率之過也。故專言漢學，不治宋學，乃真人心世道之憂，而況所謂漢學者如同畫餅乎。（按：此書附見《左海文集》，《經韻樓集補編》失收。段氏原跡影印件見臺灣《故宮季刊》第十三期三號蘇瑩輝論文。筆者讀吉田純先生論文始知之，謹識。）

他在七十九歲時寫給陳氏的前一封信中介紹托信帶去的江沅，將他與顧千里並稱為「蘇之二俊」，可見他雖然曾生過顧千里的氣，而且詬罵得很厲害，可到晚年還是承認顧千里的能力。他重視宋學，實際上是重視宋學所體現的傳統倫理道德（錢穆《近三百年學術史》引及段氏此書，以為段氏不排宋，與戴震不同。至《學術思想史論叢》立新說，謂段氏至最晚年篤信戴說，卻不言及此書）。王引之的小學、顧千里的版本學都比段玉裁更精審，可是他們對經學已經不像段氏那樣抱有特殊的熱情或者幻想。段玉裁面對著學術的專業技術化，感到自己追求的經學夢不被再繼承下去，於是只好逃避現實，依賴傳統倫理道德做為自己精神的歸宿。段玉裁的死可以視為傳統經學自我解體的開始。（以上有關段玉裁學術的基本觀點已見於吉田純先生論文。）（2013 年補注：日本創文社於 2006 年出版吉田先生論文《清代考證學の群像》，未見有漢譯本。）

校勘學史的論述一般都要介紹段玉裁的〈與諸同志書論校勘之難〉，以「以賈還賈，以孔還孔」做為校勘學的重要原則。戴、段、二王是理校派，顧千里等是對校派，也是比較普遍的看法。實際上，段玉裁是個經學家，有特殊的經學目的，特殊的校勘方法，後來的校勘實踐和校勘學理論是沿著顧千里、王引之的路子繼續發展的。近代以來，校勘事業取得了豐

富的成果，百衲本《二十四史》、中華書局點校本《二十四史》等都具有代表性。近十幾年來校勘學又有了新的發展，如陳橋驛先生整理《水經注》，先點校出版殿本《水經注》，然後再出版《水經注校釋》。先整理點校殿本，是因為殿本的校勘水準很高，而且後來幾乎所有關於《水經注》的研究都以殿本為基礎，但是殿本也有不同的版本，所以有必要整理出殿本的定本，為今後的研究提供可靠的基礎。《水經注校釋》則是他自己校勘研究的成果。陳先生是酈學專家，對《水經注》的方方面面都很熟悉，所以看到殿本有殿本的價值和用處。對版本的認識越深刻，越知道每一種版本的不同價值，有些最重要的版本並不能用更正確的新版本來代替。

戰國、秦漢簡帛文獻的大量出現也促使我們改變對古籍的認識。就經書而言，後來的版本都以宋版為祖本，除了有文字訛誤以外，基本內容沒有太大變化。所以校勘的一個重要目標是剔除後來的訛誤，恢復宋版原來的文字。宋版的經文部分以唐石經為祖本，另外分析注疏、《釋文》也可以部分推定唐初文本的情況。顧千里他們用來校勘經注文的根據基本上到此為止，沒有更早的資料。有些學者也曾利用漢碑等資料討論經文，可是這些材料畢竟有限，利用也只能是部分的。至於像段玉裁用「義理」來推論經文最原始的文本，實際上只存在於他的理論體系裡，並不是歷史存在。如今出土的簡帛文獻裡，包括經書以及有關的文獻，一下子讓我們直接看到漢代或更早時期的文本。面對這些新發現文本，簡帛文獻的研究者固然參考傳世文本來進行釋讀或整理，可是傳世文獻的研究者很難直接根據簡帛經書來校訂傳世經書的文本。因為差距太大，不能把簡帛經書與傳世版本等同並列，只能認為是另類的東西。簡帛是簡帛，宋本是宋本，都是歷史存在，並不存在惟一正確的文本，也是一種客觀合理的態度。李零老師的《孫子古本研究》是《孫子》文本研究的專著，也是一種《孫子》文本彙編。書中點校整理銀雀山漢簡本、敦煌晉寫本、唐以前古書引文、

唐代類書引文、《長短經》引文、其他唐代古書引文、《太平御覽》引文、宋本各種不同的文本，分別整理，不匯合這些文本校訂出一個定本。他在書前〈說明〉裡說：「這裡我們提供的只是一種加工程度很低的原始材料，目的就是為了給讀者做進一步研究準備一個比較可靠的基礎。」科學、客觀地保存不同歷史面貌的資料，不過是今後研究的材料準備。有了這種材料以後，真正的校勘研究才會開始。

相比之下，宋代以後的古籍由於可以參考利用的文獻較多，已經有不少相當完美的整理成果。如一九八七年中華書局出版的《唐語林校證》對有關各種文獻進行全面的研究，不僅提供經過校勘的優良文本，還能夠讓讀者瞭解到《唐語林》文本的來龍去脈，看到古籍文本傳承過程中的生動變化，充滿著文獻學的魅力。因為出版時間較早，我個人印象很深刻，特此介紹，其他類似重要的成果所在多有，茲不一一介紹。當然，宋代以後的古籍也有資料欠缺，無法完全恢復原書全貌者。對這種古籍，最近的點校整理多傾向于保存現有資料的原始面貌，不進行積極的編訂加工。例如二○○○年中華書局出版的《麟臺故事校證》分「輯本」、「殘本」兩部分，分別整理《四庫全書》輯《永樂大典》本和《四部叢刊》影印影宋鈔本，雖然兩種版本有互見重複的條目，並不合併重編。保存原始資料，以便研究者參考利用，其用意與《孫子古本研究》相同。

三 古籍研究的前景

古籍複製事業發展到現在，出現大量的機械複印善本書，校勘研究變成我們讀者的光榮任務。點校排印本的校勘整理也以客觀排比為主，閱讀研究留給我們讀者去做。那麼，我們該如何閱讀，如何校勘？

過去的經學家追求恢復理想的經書文本，可是王引之、顧千里已經知道這種追求近乎幻想，不能客觀。近代學者顧頡剛等要擺脫經學，探索上

古史的真相。可是他們把目標放在上古史，急於知道上古的真實，所以進行辨偽論證時，往往忽視作為證據的文獻的歷史性。他們根據後世的文獻記載，加以邏輯推論，斷定另一種文獻記載為偽。傳世文獻既然可能是偽，那就先要對這些文獻進行充分的歷史研究，然後才可以對這些文獻的性質有較清楚的認識，進而利用其中的記載來進行可靠的推論。他們對文獻的態度未免太天真，很像上面介紹的段玉裁。顧頡剛的辨偽學方法也與段玉裁的「以賈還賈，以孔還孔」類似。他們都專注上古，忽視後世，不知道我們要瞭解上古的真實，只能一個一個地研究歷代文獻，堆砌可靠的文獻材料，一步一步地往上爬，能夠一下子跳上上古世界的只有聖人。

　　我個人認為我們今後對古籍的閱讀、校勘、研究，應該往獲得歷史、動態認識的方向發展。上古史可以研究，可是與其直接探索上古的真相，不如研究後來歷代學者對上古的看法來得有意思。就經學而言，不要再追求經書的原本及原義，而要探討歷代學者的文本及理解。周予同先生曾說，研究經學史是為了批判經學。我們現在已經沒有必要跟經學鬥，可是更有必要研究經學史、學術史。因為我們的傳統文化就是兩千年來歷代學者的精神努力的總和，經書本身只起到過媒介作用。為了繼承傳統文化，再進一步豐富我們自己的文化，不能不研究經學史、學術史。就古籍一般而言，不要一味地追求惟一正確的文本，而要探討文本的歷史變化以及與有關其他古籍文本之間的關係，就像《唐語林校證》做過的那樣。一部古籍流傳到現在都有它自己複雜的經歷。作者撰稿時間有時很長，也許曾經幾易其稿，流傳過程中經過很多人傳抄，有的經過後人重編，加注，錯訛變化隨時發生，也會有人進行校勘，每次編刊、覆刻都會產生某些變化等等。一部古籍的內涵就是包括這種種複雜的歷史變化。作者可能抄襲、引用過前人的文章，而且引用時也有誤解、歪曲的可能性，也許他在暗地裏批評別人的觀點，有些觀點在當時是很新穎的創見，有些說法在當時已經

陳腐，某些語言在當時可能有特殊的含意，後人也有引用他的文章的，引用時也會誤解、歪曲等等，這部古籍與當時的語言、其他的古籍都有各種各樣的關聯。語言有系統性特點，古籍世界也有系統性特點。單獨看一部古籍，不看其他有關古籍的話，不可能真正瞭解它的內涵。

　　無論對任何事情，人總會想像應該有一個真實和很多假像。可是古籍是歷史的產物，也是社會的產物。歷史、社會都是千變萬化、極其複雜的。若對這樣的問題，只承認一個真實，將其他現象排斥為假像的話，那將是多麼單薄貧乏的精神！但反過來如果說世界的存在、現象包括無可窮盡的變化，因而否定任何概括性認識的話，等於放棄思惟。所以我主張追求對古籍的歷史的、動態的認識，也希望更多人閱讀各種古籍，研究學術史、經學史。

十八宿也孟子言星辰之遠苟求其故千歲之日至可
坐而致推日至用列宿而不用五星趙岐注云星辰日
月之會可知此星辰亦爲二十八宿也周禮有二十八
星堯典鳥火虛昴皆言星是二十八宿可稱星矣若五
星得專辰之稱若惟亦是二十八宿得專辰之稱若惟
心房淮南子云辰星正四時常以春分効奎婁注云効見也
夏至効井鬼秋分効角亢冬至効牽牛出以辰戌入以
丑未一時不出其時不和故亦星得專辰名也左傳云
昭元年商邱主辰又云昭十七年火出于夏爲三月三月爲建
辰之月故心星得專辰名也辰爲大火大火心星也初學記引夏

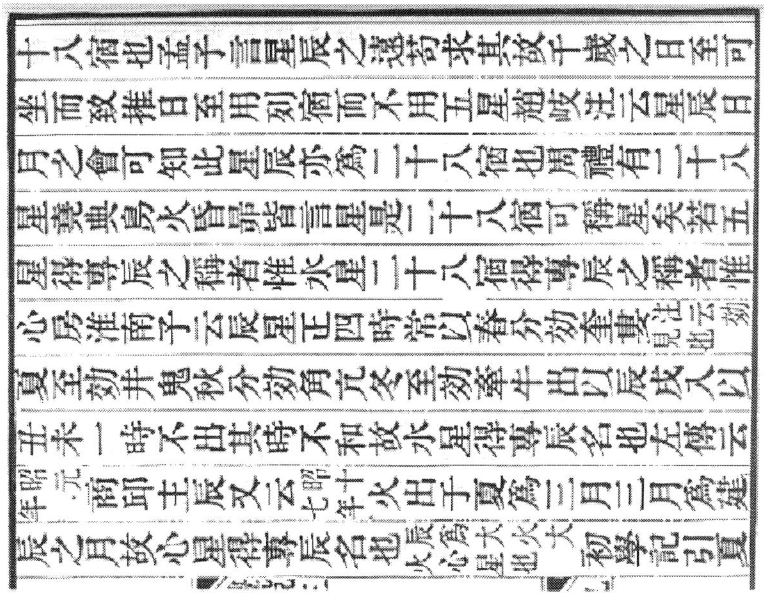

圖版一：道光三十年（1850）刻本《求古錄禮說》
（《孔子文化大全》影印本）

十八宿也孟子言星辰之遠苟求其故千歲之日至可
坐而致推日至用列宿而不用五星趙岐注云星辰日
月之會可知此星辰亦爲二十八宿也周禮有二十八
星堯典鳥火虛昴皆言星是二十八宿可稱星矣若五
星得專辰之稱若惟亦是二十八宿得專辰之稱若惟
心房淮南子云辰星正四時常以春分効奎婁注云効見也
夏至効井鬼秋分効角亢冬至効牽牛出以辰戌入以
丑未一時不出其時不和故亦星得專辰名也左傳云
昭元年商邱主辰又云昭十七年火出于夏爲三月三月爲建
辰之月故心星得專辰名也辰爲大火大火心星也初學記引夏
禮說二
九

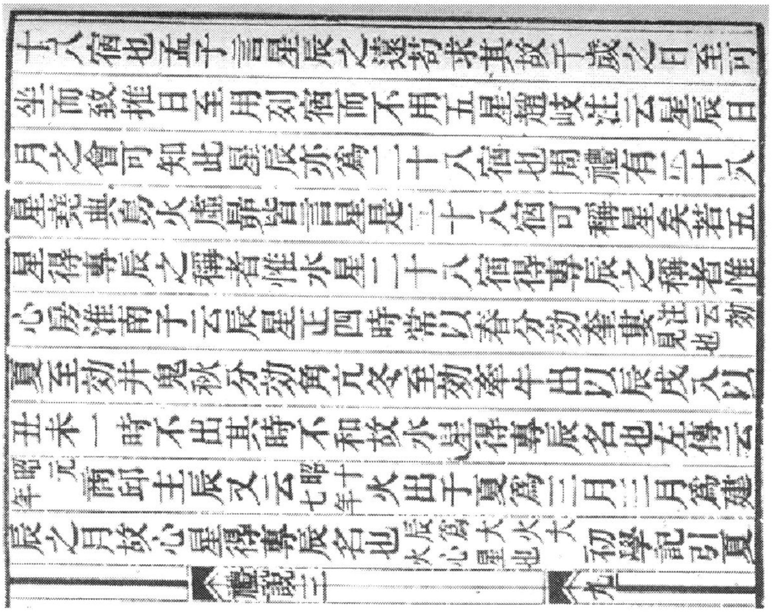

圖版二：光緒二年（1876）覆刻本《求古錄禮說》
（《續修四庫全書》影印本）

圖版三：錢曾影宋抄本《集韻》（上海古籍出版社影印本）

集韻平聲一　二

支第五 章移切與脂之通
脂第六 蒸夷切
之第七 眞而切
微第八 無非切獨用
魚第九 牛居切獨用

一○東 都籠切許愼說文動也从木官溥說从日在木中一曰春方也又姓文二十五 凍 說文水出發鳩山入於河爾雅暴雨謂之凍郭璞曰今江東呼夏月暴雨爲凍雨引楚辭使凍雨兮灑塵一曰瀧凍沾漬 涷 雨也 菄 菄風艸名嶺南平澤有之莖高三二尺先春而生 ⿱東䖵 蛞⿱東䖵科斗通作東 蝀 爾雅螮蝀虹也 鯟 魚名似鯉 鶇 鶇鶝鳥名美形皃一曰鶝名或書作⿱鳥東 䍶 ⿰犭東 山海經泰戲之山有獸狀如羊一角一目目在耳後其名䍶或从犬 倲 倲 儱倲劣也或作倲 徚 徚然行皃 崠 山名一曰山脊 埬 上埬地名 ⿰食東 東郡館名 ⿰鬼東 鬼名一曰醜皃 錬 方言輨軑趙魏之間曰錬鏅 ⿸疒東 吳俗謂惡氣所傷爲⿸疒東病 ⿰日東 地名 ⿰壴東 ⿰壴東⿰壴東鼓聲 ⿰馬東 馬名 ⿱髟東 ⿱髟東鬆⿱髟叟皃 ⿰女東 國名 ⿰忄東 愚皃 ○通 他東切說文達也亦州名又姓文二十五 熥 以火煖物 樋 木名 蓪 藥名博雅附支蓪艸 ⿱⺮通 竹名 俑 說文痛也 侗 說文大皃引詩神罔時侗一曰侗未成器之人 恫 痌 恿 說文痛也一曰呻吟或作痌恿 曈 曈曨日欲明 ⿰豸同 狪 狪 獸名山海經泰山有獸狀如豚而有珠其鳴自呼或从犬从豸 潼 水名

虞山錢遵王述古堂藏書

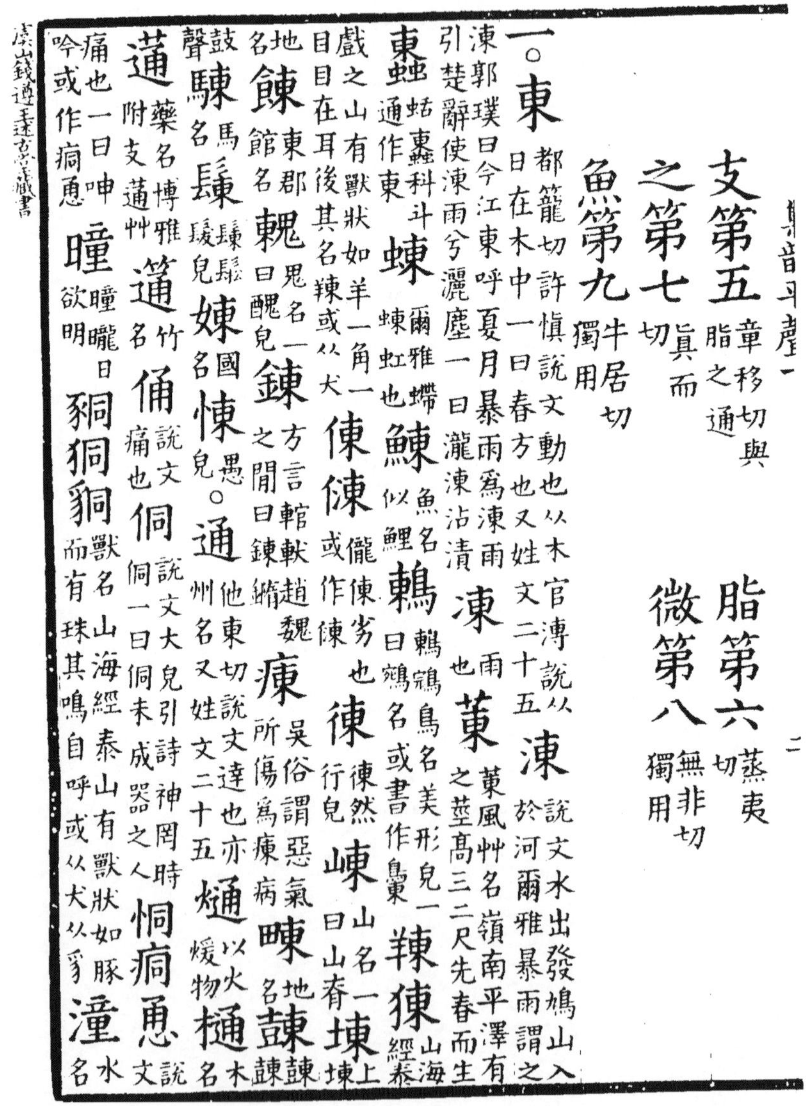

圖版四：宋版《集韻》（《常熟翁氏世藏古籍善本叢書》影印本）

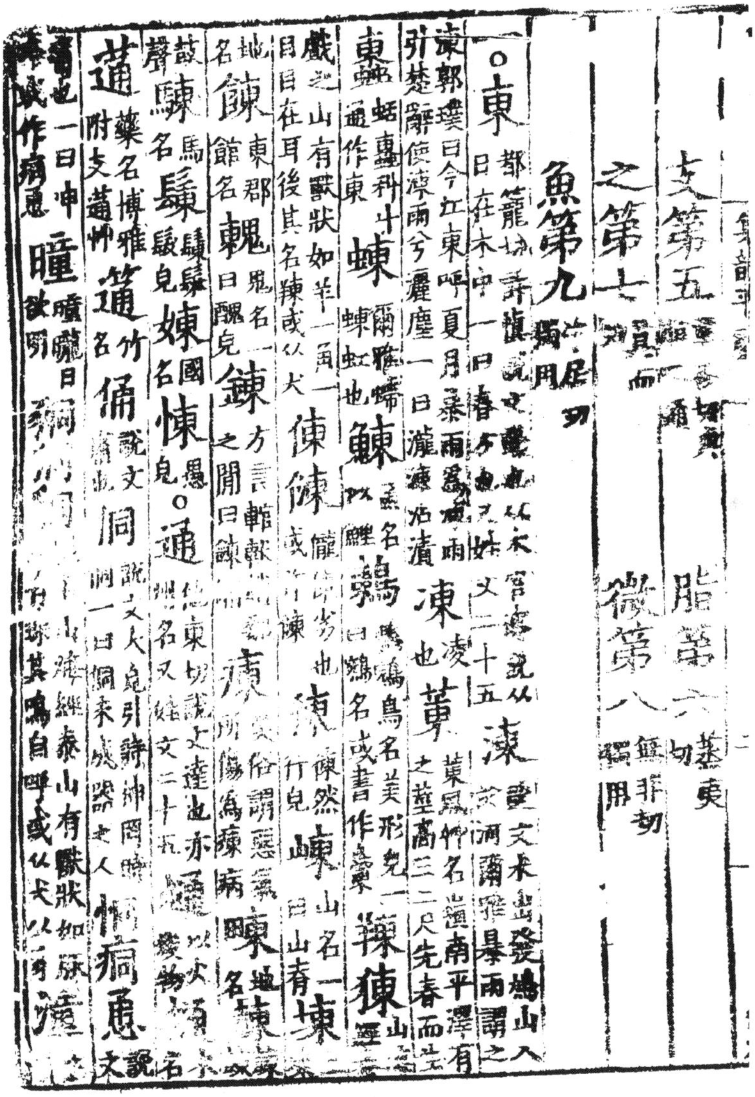

圖版五：黃丕烈覆刻錢曾影宋鈔本《孟子音義》（《吉石盦叢書》影印本）

之朧切 衹 士庚切與毗同 衣褐 於既切下同 捆屨 丁音閫案許叔重曰捆織也埤倉曰捆斂也從
扌從木者誤也張作梱音同 叩椓 丁音卓擊也從扌旁豖 陳相 丁云去平並通 饔飧 音雍
音孫 當身 丁去聲 粗布 音麤後注同 之與 音餘下為與同 舍皆 丁音赦止也 路
也 丁張並云路與露同 羸路 力為切字亦作羸郎果切 食人 音嗣 食於人 如字 氾
濫 音泛 偪 音逼 瀹濟漯 丁云上音藥中子禮切下他合切作濕誤也 呱 音孤 使
契 音薛 放勳 方往切 日 丁音馹或作日誤 勞之來之 丁云並去聲 不
與焉 丁音豫亦如字 倍之 丁云義當作借古字借用耳下子倍同 治任 丁而針切云治任謂治擔
任之具 強 其丈切 暴之 蒲木切 皜 音杲 質放 丁方往切倣像似 鴃舌 丁音
決又古役切 鳴鴃 丁云毛詩作古役切 大古 音泰 閟宮 丁音祕清淨之宮謂姜嫄之廟 膺
擊 丁本作應云案古訓應訓當此注訓擊蓋以當對是擊敵之義故轉訓耳 懲艾 丁廢切 市賈 音嫁

虞山錢遵王述古堂藏書

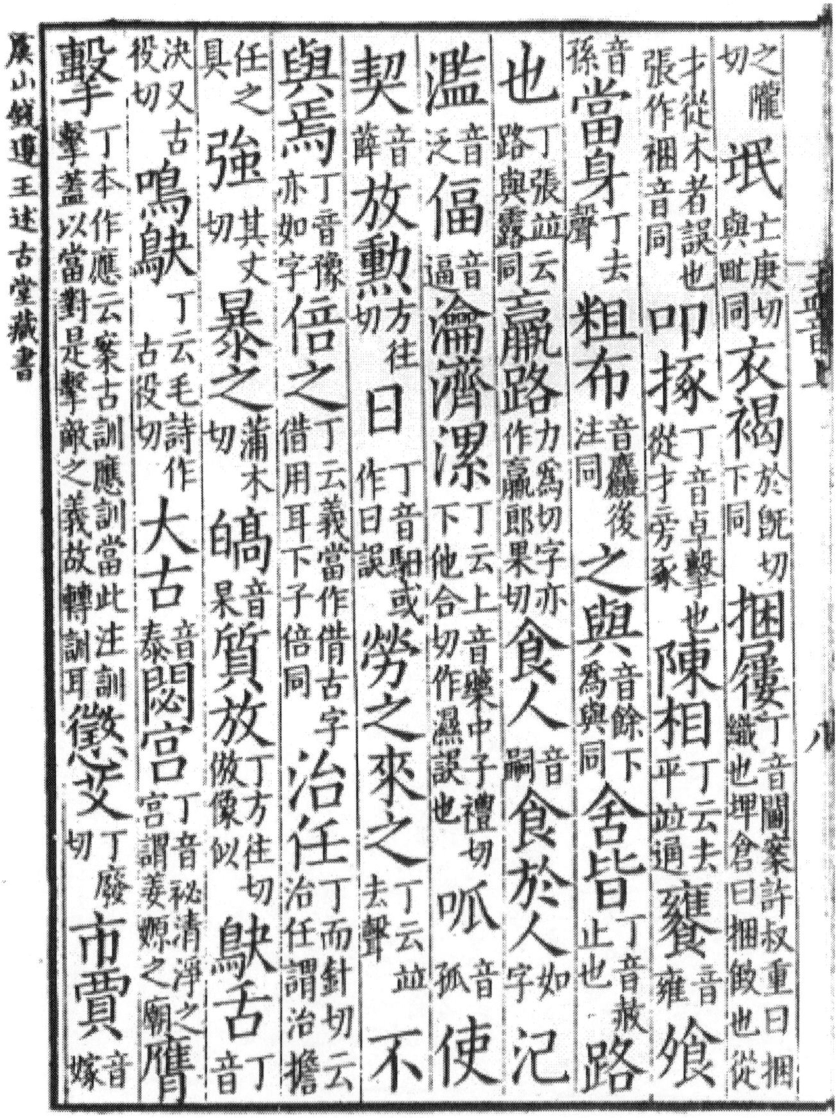

圖版六：清嘉慶十一年覆刻宋撫州本《禮記》

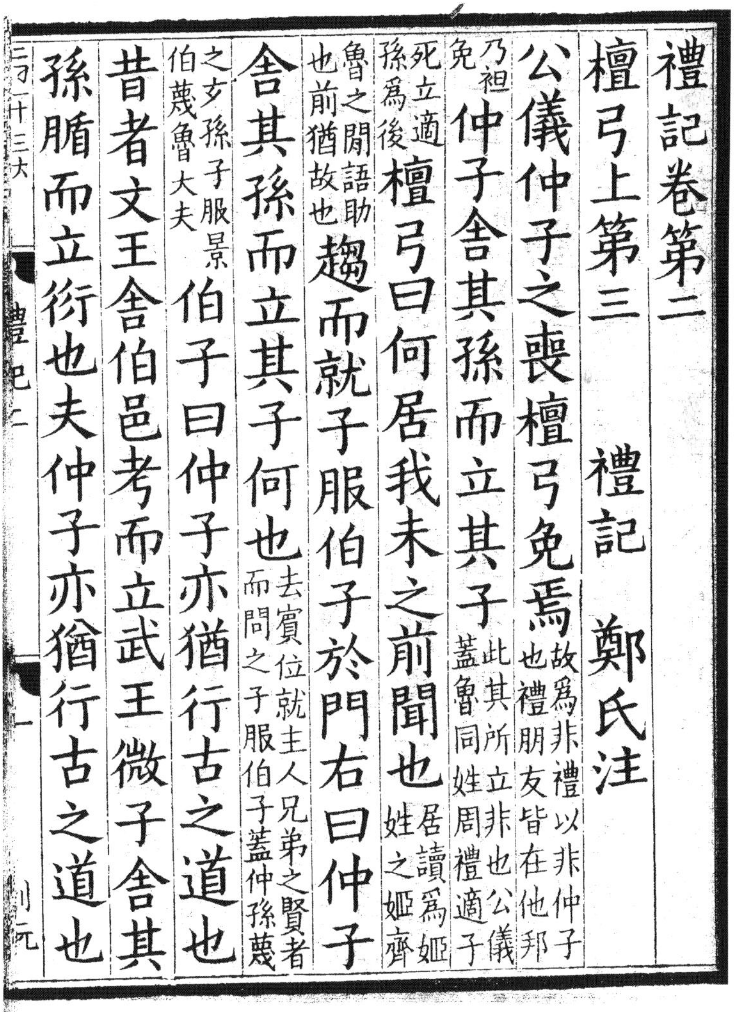

禮記卷第二

檀弓上第三　禮記　鄭氏注

公儀仲子之喪，檀弓免焉。（故爲非禮以非仲子也，禮朋友皆在他邦乃祖免）仲子舍其孫而立其子。（蓋魯同姓，周禮適子死，立適孫爲後，此其所立非也，公儀仲子）檀弓曰：「何居？我未之前聞也。」（居讀爲姬姓之姬齊魯之閒語助也，前猶故也）趨而就子服伯子於門右曰：（去實位就主人，兄弟之賢者而問之，子服伯子蓋仲孫蔑）「仲子舍其孫而立其子，何也？」（之女孫，子服景伯蔑魯大夫）伯子曰：「仲子亦猶行古之道也。昔者文王舍伯邑考而立武王，微子舍其孫腯而立衍也。夫仲子亦猶行古之道也。」

圖版七：宋撫州本《禮記》（《古逸叢書三編》影印本）

檀弓上下篇多
記喪禮疑此字
記喪禮及其兩
泮之華及其兩
人而記
立孫

何居猶書
云何其

禮記卷第二

檀弓上第三　禮記　鄭氏注

公儀仲子之喪，檀弓免焉故為非禮以非仲子也禮朋友皆在他邦

乃袒仲子舍其孫而立其子，蓋此所立非也公儀魯同姓周禮適子居讀為姬姓之姪齊

死立適孫為後檀弓曰，何居我未之前聞也姓之姪齊孫為後

魯之間語助也前猶故也姓之姪齊

趨而就子服伯子於門右，曰仲子去賓位就主人兄弟之賢者而問之

舍其孫而立其子何也而問之子服伯子蓋仲孫蔑

昔者文王舍伯邑考而立武王，微子舍其之玄孫子服景伯蔑魯大夫

伯子曰仲子亦猶行古之道也

孫腯而立衍也，夫仲子亦猶行古之道也

三〇二十三大

圖版八：宋版《方言》複製本三種

《四部叢刊》石印本	傅氏覆刻本	傅氏珂羅版影印本

《四部叢刊》石印本

聳睅聾聲也半聾梁益之間謂之睉[言胎睅煩]
秦晉之間聽而不聰聞而不達謂之睉生而
聾陳楚江淮之間謂之聳[當睉睅也]言無所聞荊揚之
[音宰]

傅氏覆刻本

聳睅聾聲也半聾梁益之間謂之睉[言胎睅煩]
秦晉之間聽而不聰聞而不達謂之睉生而
聾陳楚江淮之間謂之聳[當睉睅也]言無所聞荊揚之
[音宰]

傅氏珂羅版影印本

聳睅聾聲也半聾梁益之間謂之睉[言胎睅煩]
秦晉之間聽而不聰聞而不達謂之睉生而
聾陳楚江淮之間謂之聳[當睉睅也]言無所聞荊揚之
[音宰]

圖版九：《史記》第一卷

百衲本校勘記

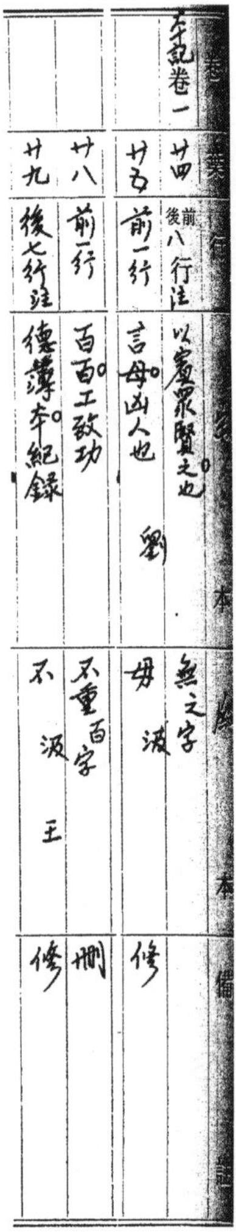

史記卷一

廿四	前後八行注	以處衆賢之也 劉	無之字	
廿五	前一行	言毋凶人也	毋 波	修
廿八	前一行	百工致功	不重百字	刪
廿九	後七行注	德譔本紀錄	不 汲 王	修

日本影印宋本

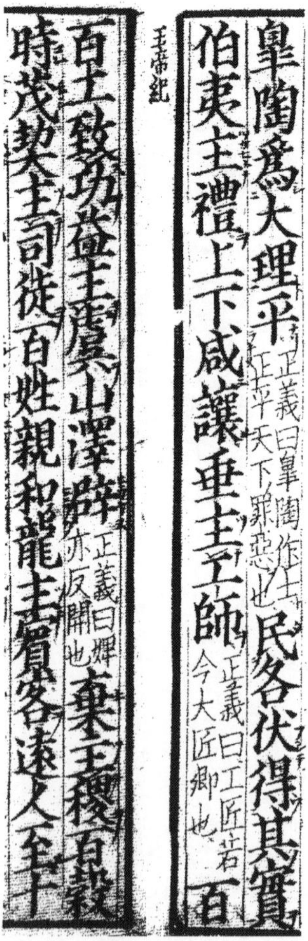

皐陶爲大理平正義曰皐陶作士正平天下罪惡也民各伏得其實
伯夷主禮上下咸讓垂主工師正義曰工匠若今大匠卿也百

五帝紀

工致功益主虞山澤辟正義曰婢亦反闢也棄主稷百穀
時茂契主司徒百姓親和龍主賓客遠人至十

百衲本

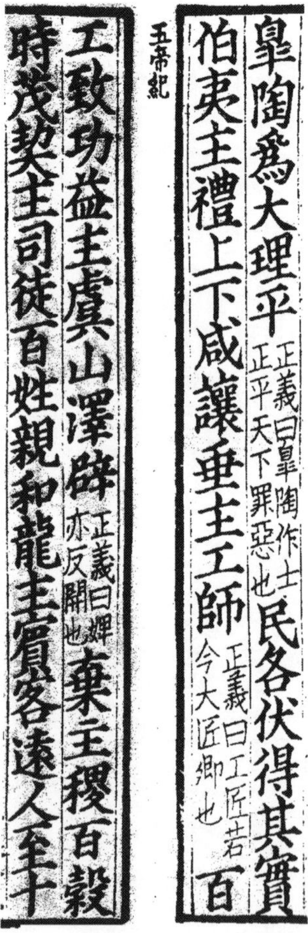

皐陶爲大理平正義曰皐陶作士正平天下罪惡也民各伏得其實
伯夷主禮上下咸讓垂主工師正義曰工匠若今大匠卿也百

五帝紀

工致功益主虞山澤辟正義曰婢亦反闢也棄主稷百穀
時茂契主司徒百姓親和龍主賓客遠人至十

圖版十：董氏珂羅版影印宋本《周禮注疏》

圖版十一：董氏覆刻宋本《周禮注疏》

周禮疏卷第一

天官冢宰第一

天官冢宰鄭目錄云象天所立之官冢宰者官也天者統理萬物天子立冢宰使掌邦治亦所以惣御衆官使不失職不言司者大宰惣御衆官不主一官之事也

釋曰鄭玄象天者周天有三百六十餘度天官亦惣攝三百六十官故云象天也云官者亦是管攝為號故題曰天官也鄭又云冢大宰官者下注對大宰則云冢者大之上此不對大宰故云冢大也宰者調和膳羞之名此冢宰亦能調和衆官故號大宰之官鄭又云不言司者大宰惣御衆官不至一官之事者此官不言司對司徒司馬司寇司空皆云司以其至一官不兼群職故言司此天官則兼攝群職故不言司也若然則春官亦不言司者以其祭祀鬼神鬼神非人所王故亦不言司也其地官鄭云象地所立之官彼言象地實王地事此天官言天直取惣攝為言全無天事天事並入於春官者言象天自取惣攝為名象地自取掌物為號各取一邊為義理無嫌也　第一者

版本的缺環或歷史概念的形成

一 世界書局版《四書五經》的底本

　　傳統文化的核心是經學，我們學習傳統文化就離不開《十三經注疏》。元明以後，《四書集注》、《五經》宋元人注盛行，官方指定為標準注本，影響深遠。近代以來所謂科學的文獻研究認為自己的路數與清代「漢學」接近，漢唐注疏成為最重要的研究材料，宋元人注對研究唐以前的歷史似乎沒有參考價值。研究宋元以後歷史的學者，都有專門的研究範圍和研究方法，除了研究思想史的學者外，往往認為《四書五經》思想迂腐，無益於研究。實際上，明清一直到民國，幾乎所有知識分子的知識結構都以《四書五經》為基礎，就是清代「漢學」家也不例外。要理解宋元以後知識分子參與過的各種文化、政治活動，要了解清代「漢學」家的思路，我們都需要參照《四書五經》的文化體系。我們的傳統文化并不局限於唐以前的歷史文化，而是歷宋元明清一脈相承一直到民國、當代。為了學習傳統文化，《四書五經》宋元人注的重要性并不小於《十三經注疏》。

　　《十三經注疏》有中華書局以及臺灣藝文印書館的影印本在不斷重印，上海古籍、江蘇廣陵、浙江古籍也出過影印本，近年來大陸和臺灣都有點校本問世，可以看出出版部門的高度重視和讀者的大量需求。相比之下，《四書五經》雖也不算冷門，中國書店的影印本印數可觀，巴蜀書社也出過精巧可愛的影印巾箱本，但較之《十三經注疏》，則還是處境冷寂。中國書店影印本據我手頭的一九九四年印本，除了版權頁上方有「據世界書局影印本影印」十個字外，對所據版本沒有任何說明。不注重出版說明是中國書店的一貫作風，如他們影印的《說文解字》，一九九二年印本版

權頁上方有「據商務印書館版本影印」十個字，還能知道它的底本是商務印書館影印藤花榭本，而一九九七年的印本連這十個字的說明都不見了。《四書五經》版權頁上的十字說明也很難保證哪一天不忽然消失。就是這樣連版本來歷都不太清楚的中國書店版《四書五經》，竟是今天我們可以方便利用的惟一版本。除了《四書集注》已經有中華書局《新編諸子集成》點校本外，朱氏《易本義》、蔡氏《書集傳》、朱氏《詩集傳》、陳氏《禮記集說》等宋元人注本目前都沒有單行本，巴蜀書社的巾箱本也早已脫銷，一般的學者要讀這些書，祇有買中國書店版《四書五經》。至於《春秋》，中國書店《四書五經》所收的是《三傳》彙編本，不是《胡傳》。要看《胡傳》，就要看巴蜀書社的巾箱本。（2013 年補注：今有 2010 年浙江古籍出版社出版校點本《胡傳》。）過去最普及、最常見的《四書五經》宋元人注本，現在的版本情況就是這樣的蕭條，不能不讓人想到社會以及人們思想的變化對版本的消長有直接的影響。

　　一套《四書五經》新注，《春秋》自當是《胡氏傳》，而中國書店《四書五經》的《春秋》卻不取《胡傳》，而用《三傳》彙編本，自亂體例，且此彙編本編例不清楚，卷首一大堆資料，正文加案語，都不明來歷，令人感覺十分奇怪。大約十年前在某歷史文獻方面的雜誌上看過一篇文章，專門討論這個問題，通過分析具體內容，說明這種彙編本的來源，功力很深，指出並點破人們隱約感覺到但沒有認識清楚的重要問題，感覺非常新鮮。可惜當時對新注、對《春秋》興趣不大，後來竟忘記這篇文章登在甚麼刊物上，找過幾次都沒有找着。直到最近有朋友贈送新出的劉家和先生論文集《史學、經學與思想》，其中驚喜地看到那篇論文〈《春秋三傳》與其底本《欽定春秋傳說彙纂》〉。在此簡單介紹劉先生的研究結論如下：中國書店《四書五經》的底本於一九三六年由世界書局出版，編者為「國學整理社」，書脊題「宋元人注」。其中《春秋三傳》備錄《三傳》之外，又

引後儒議論，還有評議《三傳》及後儒議論的案語，這些內容都是從《欽定春秋傳說彙纂》來的。但《春秋三傳》與《彙纂》也並不完全一樣。《春秋三傳》的卷首部分對《彙纂》有所取捨，另外增添《名號歸一圖》等內容。《彙纂》對《三傳》有所刪節，而《春秋三傳》備錄《三傳》全文。《春秋三傳》書末附錄《三傳釋文音義》，為《彙纂》所無。國學整理社對《彙纂》進行這些調整，有些做得合理，有些做得粗糙。如宣公四年的案語批評《左傳》「弒君稱君，君無道也」的觀點，並說「刪而不錄」，《彙纂》不載這部分《左傳》文句。今《春秋三傳》備載《傳》文，仍留「刪而不錄」的案語，是驢唇不對馬嘴。《春秋三傳》的書脊題「宋元人注」顯然也是文不對題。以上是劉先生的觀點。論文集《史學、經學與思想》中有好幾篇《春秋》學方面的論文，無不顯示劉先生對《春秋》學的深湛體會，這種學問絕非我等祇知皮毛的年輕學者所敢望其項背。若不是劉先生這樣飽學之士，不會去閱讀《彙纂》那樣「過時」的書，發現《春秋三傳》的來源。

嘆服之餘，再拿中國書店的《四書五經》漫不經心地翻看，突然發現劉先生忽略了一個外在問題，即這種《四書五經》的底本是木版雕刻本。經過縮印和影印，乍看不知甚麼版本，但《五經》部分的文字有點類似於中華書局影印的《十三經注疏》。中華書局影印的《十三經注疏》也是以世界書局縮印本為底本，縮印的底本是阮元刻本的覆刻本。《四書五經》的字體接近現在所謂的宋體，而不夠規範，且有圈發與文字筆畫成一體，可以肯定這不是鉛字，而是木版刻字。《四書》部分的文字風格接近現在電腦字庫所謂的楷體，也不像活字。考慮到國學整理社當年自己編撰的《諸子集成》用仿宋活字排印，如果他們自己編撰《春秋三傳》，也應該用鉛字排版，不會自己木版雕刻，更不會自己彫版以後再進行十分麻煩的縮拼整理。

當年世界書局縮印的古籍有阮刻《十三經注疏》、胡刻《文選》、胡刻
《資治通鑑》等，所選底本都是當時評價較高、學術界最通用的標準版本，
所以至今仍被影印使用。現在中華書局版《十三經注疏》、中州古籍版《文
選》、上海古籍版《通鑑》的影印本，都以世界書局縮印本為底本。雖然
世界書局使用的不是阮元、胡克家的原刻本，而是後來的覆刻本，但與原
刻本的差異不是很大，至少版式完全一致，文字風格基本一致。世界書局
在縮印時，按照開本大小，採用了不同的縮拼方式。《十三經注疏》、《資
治通鑑》用十六開大本，所以一頁分上中下三欄，每一欄收原書大約一點
五頁。《文選》用三十二開本，所以不分欄，一行直下，一行收原書大約
兩行。《四書五經》是三十二開不分欄的形式，情況應該與《文選》相同。

於是我們幾乎可以推斷當年國學整理社編的這套《四書五經》應該是
以當時學術界評價較高、被認為較有代表性的一種清代後期刻本為底本，
《春秋三傳》也不是他們自己參考《彙纂》編訂的。《四書》部分和《五
經》部分之間在行格、文字風格上有明顯的差別，因此可以考慮它的底本
并不一定是一套《四書五經》，也許是一套《四書》和一套《五經》，而《春
秋三傳》與其他四經應該是一套。要找符合這樣條件的刻本，首先可以參
考的是《書目答問》。通過《書目答問》我們可以了解到清末最常見、學
術界評價較高的版本有哪些。以下摘錄《書目答問》的有關部分：

明監本宋元人注《五經》　　明經廠本，揚州鮑氏刻本，南昌萬氏刻本，又
江寧局本，又崇道堂本，又武昌局本。

《易》宋朱子《本義》四卷。宋程子《傳》四卷。江寧本《本
義》，依朱子原本十二卷，兼刻程《傳》，他本無。《書》宋蔡沈《集傳》
六卷。《詩》朱子《集傳》八卷。《春秋》舊用宋胡安國《傳》，
乾隆間廢，改用《左傳》杜注三十卷。江寧本《左傳》有姚培謙《補

注》。鮑本合刻《三傳》，附《春秋傳說彙纂》。《禮記》元陳澔《集說》十卷。

明洪武定制，試士經義，用注疏及此數本。《春秋》兼用左、公、穀、胡、張洽五傳。永樂《五經大全》成書後，即專用此本。國子監雕版，因至今沿稱監本。今明監本希見，姑以舊名統攝之。

《四書章句集注》十九卷。明經廠大字本，揚州鮑刻本，南昌萬刻本，武昌局本，皆合《五經》刻。

以上正經、正注合刻本

繙刻宋淳祐大字本《四書集注》二十六卷。國朝刻本。

璜川吳氏仿宋本《四書集注》二十六卷，附考四卷。吳志忠校。嘉慶辛未刻本。

以上正經、正注分刻本　注疏乃欽定頒發學官者，宋元注乃沿明制通行者。

《四書》文必用朱注，《五經》文及經解，古注仍可採用。不知古注者，不得為經學。

既然提到經廠本，順便參看陶湘《清代殿板書目》。此目過去流傳不廣，所幸今有《新世紀萬有文庫》橫排簡體本，雖則難看，尚可徵引。

雍正朝

《四書集注》十九卷

《周易本義》四卷

《書經》蔡氏集傳六卷

《詩經》朱子集傳八卷

《春秋》胡氏傳二十卷

《禮記》陳氏集說十卷

　　右《四書五經讀本》六十七卷，頒國子監及八旗官學、各直
　　省學院。凡坊本刻均以此為程式，世稱「監本」。《春秋》猶
　　用《胡傳》。高宗中年，場屋除四傳合題之制，專用《左氏傳》，
　　《翻譯春秋》即用《左氏傳》。道光二年，《欽定春秋左氏傳
　　讀本》頒行天下，《胡氏傳》不廢而廢。

據《書目答問》可知，明代監本有宋元人注《五經》，《春秋》用《胡傳》。
而「胡安國《傳》乾隆間廢，改用《左傳》杜注」，說明《春秋》學的環
境發生了一次大變革。改用杜注，而沿用舊名「宋元人注」，所以出現名
不副實的情況。另外，揚州鮑氏刻本「宋元人注」《五經》的《春秋》既
非《胡傳》，亦非《左傳》杜注，而是「合刻《三傳》，附《春秋傳說彙纂》」，
也是對《胡傳》被廢用的一種反應。通過劉先生的研究，我們已經知道世
界書局版《四書五經》的《春秋三傳》是備錄《三傳》再加上《春秋傳說
彙纂》引用的先儒議論以及案語的。顯而易見，所謂「揚州鮑氏刻本」的
情況符合世界書局縮印的《四書五經》。

　　「揚州鮑氏刻本」，《中國叢書綜錄》著錄為「《四書五經讀本》嘉慶
十年揚州鮑氏檺園刊本」，其中《春秋》十六卷，卷首一卷，附《陸氏三
傳釋文音義》十六卷，編輯者姓名不詳。這些條件完全符合世界書局本的
底本。據《叢書綜錄》「收藏情況表」，祇有上海圖書館收藏這種《四書五
經讀本》，可是北京圖書館的聯網目錄上有兩種鮑氏《四書五經》版本，
除了嘉慶十年刻本外，還有同治三年覆刻本。北京大學圖書館的聯網目錄
上查不到鮑氏《四書五經》，卻有單種《春秋三傳》，而且嘉慶本、同治本
各一部，版本與北京圖書館藏本一樣，另外還有一套沒有說明版本的《五
經四書》，《五經》部分其實也是嘉慶鮑氏本。以下介紹這兩種版本的概況。

　　嘉慶十年刻本《四書五經》，北京圖書館藏本雖然是足本全套，書上都不見「四書五經」或「四書五經讀本」的書名。第一冊的封面寫「嘉慶十年冬至榮版／監本四書／寧化伊秉綬題」，以下各種中間書名部分分別寫「易經」、「書經」、「詩經」、「禮記」、「春秋三傳」，左右兩邊的文字都一樣，這應該是認定刊刻時間的依據。這套《四書五經》沒有任何編刊說明，沒有序跋題記，沒有凡例，祇在各種末尾有小字刊記「榷園客隱檢校／江寧王景桓董工」。想來這種版本是供學生誦習用的課本，懷疑本來就沒有類似出版說明的內容，并不是後來的缺失。雖然沒有說明，口耳相傳，大家都知道是揚州鮑氏的版本。近有《揚州刻書考》一書提道：「榷園，清代揚州鮑氏家園，位於廣儲門內。嘉慶閒，儀徵書院山長王鈇夫寓此較久。園主人鮑氏生平不詳。」此刻行格九行十七字，一仍殿本，（我未見殿本，此據《清代內府刻本目錄解題》。）祇有《周易》卷首部分是十一行二十三字，《春秋》卷首部分是十一行二十二字。同治三年刻本是嘉慶十年刻本的覆刻本，封面簡化，單寫「四書」、「周易」等，牌記寫「同治三年仲夏／浙江撫署榮行」，就是認定刊刻時間的依據。儘管筆畫往往稍微簡化，還有《詩經傳序》的「淳熙四年」避諱作「涫」等小差異，不能否認也是相當精緻的覆刻本，字體筆畫基本保持嘉慶本的原貌。至於內容，《五經》部分與中國書店版《四書五經》完全一致，劉先生認為國學整理社做過的整理工作，包括驢唇不對馬嘴等問題，實際上也都見於鮑氏本。雖然還不知道這些整理工作出自何人之手，至少可以肯定這種整理彙編本出現的時間在嘉慶十年以前，而不在民國時期。

　　北京大學圖書館收藏的《春秋三傳》，除了鮑氏嘉慶本、同治本外，還有一種「蓬峰書屋」本。據《臺灣公藏普通綫裝書目書名索引》，臺灣大學有「《五經三傳讀本》（原有「八種」二字，疑誤。）四十四卷，清萬青銓校，清道光至咸豐閒潯陽萬氏蓮峰書屋刊本」，《東京大學東洋文化研究所漢籍

分類目錄》也有「《五經三傳讀本》，清萬青銓輯，咸豐二年潯陽萬氏蓮峰書屋刊本」。東京大學東洋文化研究所的聯網目錄更提供刊行識語的圖片，抄錄如下：「道光甲午，（十四年）銓在南昌學署曾刊《四書》、《正蒙》，以便初學，嗣有長寧之役，未及接刊《五經》。戊申（二十八年）自皖歸里，見《四書》翻刻多訛，乃加套板別之。己酉（二十九年）夏校刊《十三經集字》，以《說文》正畫，《韻目》定音，復經坊肆翻刻，致多訛舛。茲校刊《五經》，以償前願。惟《春秋》則並列《三傳》，敬遵御案而兼錄眾說，便於經傳同讀。與西昌喻廷玉，共擇良工，精繕雕刻，為家塾課本，敬梓先人《箚記》於前。望同志者有以教之。咸豐壬子（二年）潯陽蓬山萬青銓識。」北京大學圖書館的蓬峰書屋本《春秋三傳》就是《五經三傳讀本》之一，刊成年代可以定為咸豐初年。刊行識語特別提到《春秋》「並列《三傳》，敬遵御案而兼錄眾說」，實際上這一版本的內容與鮑氏本基本一樣。祇是將《左傳》改為大字，體例有所改變。至於行格、文字風格，仍然與鮑氏本一致，雖然刻字稍失精審，不如同治本的逼近嘉慶本原貌，而且出現「胡傳」訛作「朝傳」等荒唐錯訛，總體來說，這一版本也屬於鮑氏本的翻刻本。《春秋三傳》封面背面還有廣告辭曰：「竊謂字體正，則書法精而獲選；句讀清，則講義明而入彀。奈坊本類多俗筆，句讀亦少校對，以訛傳訛，習焉不察，既誤於初學，難正於後來。因此前有《四書》、《正蒙》之刻，已被坊肆屢翻，訛舛又甚。茲復校刊六經，敬遵《字典》，參考《說文》，以正字體，詳究講義，以定句讀，為家塾課本，且欲公諸同志，以資參校。但只江西省學古堂甲戌坊、鴻文齋兩處出售，外此又屬翻本，望諸君察之，庶不致誤。蓬山又識。」與刊行識語合觀，不難看出這一版本的性質以及社會意義。內容首《春秋目錄》，次《春秋三傳序》，這兩部分雖然次序不同，版面仍然是覆刻鮑氏本。次《凡例》一葉，為鮑氏本所無，抄錄如下：

凡例

一、每句經文之下，即接《左傳》，次《公》、《穀》，次眾說，而折中御案。其無《左》者，則直接《公》、《穀》。

一、《左傳》之首句與經文同者則刪之，以便經傳同讀。如「三月公及邾儀父盟於蔑」，「秋七月天王使宰咺來歸惠公仲子之賵」之類是也。其或與經文雖同，而有一字之增減者，仍存之。如「元年春王周正月」之類是也。其傳與經句同而傳亦只一句，并未接有下文者，則「左」字下注「句同經」。如隱公六年「冬宋人取長葛」之類是也。

一、有傳無經者，以「附錄」二字別之。其經文無《左》有《公》《穀》者，《公》《穀》接經文之下，而「附錄」後之。

一、《三傳》之經文，其字畫閒有不符者，則宗《左》以歸畫一，經文下注明「《公》作某」、「《穀》作某」。如隱公二年「無駭帥師入極」，「駭，《穀》作侅」；「紀子帛莒子盟于密」，「帛，《公》《穀》作伯」之類是也。

一、經文係兩句，《公》《穀》亦分解，而《左》之文則兩句係一氣讀者，則經文前句注「《左》見下句」，或後句注「《左》見上句」。如隱公五年「九月考仲子之宮」，「初獻六羽」之類是也。至《公》《穀》系分解者，仍接經文分之。

這五條《凡例》中，第一條、第三條、第五條與鮑氏本的體例也一致，而第二條、第四條則蓬峰書屋本獨特的體例。可以看出蓬峰書屋本雖然以鮑氏《三傳》彙編本為底本，但明顯以《左傳》為主。正如劉先生就世界書局本所言，鮑氏本備載《三傳》文，並無刪節。蓬峰書屋本將《左傳》改

為大字，與經文同大，前有經文，後面《左傳》述經文，顯得重複，所以有第二條的體例。第四條引隱公二年「紀子帛莒子盟于密」，《彙纂》及鮑氏本都以《公》《穀》經文為正，經文作「紀子伯」，而注云「伯，《左》作帛」。蓬峰書屋本「宗《左》以歸畫一」，經文作「紀子帛」，注云「帛，《公》《穀》作伯」。《凡例》之後，還有明人萬衣《六經箚記》中有關《春秋》的部分共十二葉，即刊行識語所謂「先人《箚記》」。總之，蓬峰書屋本是鮑氏本咸豐時期的翻刻本，是以應試學生為銷售對像的通俗版本。它的內容與鮑氏本一樣，但是改變鮑氏本《三傳》並列的體裁，而以《左傳》為主，是其特點。

言歸正傳，鮑氏《四書五經》版本的內容以及字體，與中國書店版的《五經》部分完全吻合，無論異體字混用的情況還是筆畫的細微差異，凡是我注意到的特點莫不一致。中國書店版已經通過國學整理社的整理、中國書店的複製，與它的底本之間不免存在一定的差異。另一方面，鮑氏本在我看到過的嘉慶本、同治本、蓬峰書屋本之外，也會存在另外的覆刻本。因此，斷定世界書局本的底本暫時有困難，我們祇好這樣總結：世界書局版《四書五經》其《五經》部分的底本是嘉慶年間揚州鮑氏編刊的《四書五經》，或者是其覆刻本。

鮑氏《四書五經》中《四書》部分的文字風格與《五經》部分一致。中國書店版《四書》部分的文字風格與《五經》部分迥異，可知這部分的底本不是鮑氏《四書五經》。幸好我手頭有臺灣藝文印書館影印的吳志忠編刊《四書集注》，也就是《書目答問》所謂「璜川吳氏仿宋本」，又是中華書局《新編諸子集成》點校本的底本。吳本的行格是半頁九行，每行十七字。中國書店版《四書》部分是一頁十八行，每行三十四字，將吳本的二行拼成一行，三十二開本一頁收吳本兩頁（四半頁）的內容，就會成中國書店版的樣子。就字體而言，中國書店版《四書》部分與藝文影印吳本是

酷似的，甚至每個字的每一筆畫都惟妙惟肖，最精緻的覆刻本也很難做到
這樣的程度。兩種影印本之間，也有兩點明顯的不同。一為句點的位置。
藝文影印吳本的句點大部分在文字右旁偏下的位置，而中國書店版的句點
在文字右下方，比文字筆畫更低。這種差異大概是國學整理社影印前的加
工所致，他們所據底本應該與藝文影印吳本一樣，句點在文字右旁。所以
中國書店版《孟子集注》卷二第十頁第十五行正文「旅」、「莒」以及第九
行注文「育」，第十二行注文「天」「天」、(兩見。)「也」，第十五行注文「發」
字分別都有兩個句點。偏上一個是底本原有的，偏下一個是他們自己加
的。在加工這頁時，他們在字的右下角加句點，卻忘了塗掉底本原有的偏
上的句點，以致出現雙句號現象。第二點不同是避諱字的處理。中國書店
版「丘」「玄」「弘」「曆」「歷」均缺筆，而藝文影印吳本不缺筆。這種差
異大概是藝文印書館影印前的加工所致，他們所據底本應該與中國書店版
一樣，都缺筆。所以藝文版也有漏補的，如《論語集注》卷十第七頁〈堯
曰〉經文「敢用玄牡」補了缺筆，而注「用玄牡」仍然缺筆。〈堯曰〉「天
之曆數」中國書店版的「曆」字去掉「林」頭兩撇作「暦」，而注文「曆
數」更去掉「日」，作「厂」下「林」，可見底本雖對經注偶作不同的處理，
但其缺筆是一樣。如果說國學整理社思想反動，故弄玄虛，自己避清諱，
避諱的方法應該先後一致，不會出現這麼複雜的變化。中國書店版《五經》
部分「丘」字多不缺筆，也與《四書》部分不一致，可見這些缺筆不是國
學整理社所為。總之，藝文影印吳本與中國書店版《四書》部分，所據底
本應當一樣。即使不一樣，那也祇能是極其精緻、以假亂真的覆刻本。兩
種影印本的表面不同是，藝文描補了清諱缺筆，國學整理社除了縮拼外，
對句點的位置進行過調整，如此而已。中國書店、藝文印書館兩種影印本
的底本應該一樣，但那共同的底本是否吳氏原刊本是另外一個問題。像這
樣以校訂精善著稱的仿宋刻本，在同治以後至清末期間大概也出現過幾種

覆刻本。這就有待於版本學家對吳氏《四書》系統各種版本的全面研究。
所以我們暫時祇能認定：中國書店版《四書》部分的底本是嘉慶年間吳氏
父子校刊的《四書集注》，或者是其覆刻本。

　　吳氏刊本的文本經過吳英、吳志忠父子的校勘，與當時流行的《四書
大全》系統的文本不同。中華書局《新編諸子集成》本《四書章句集注》
附錄吳氏〈四書章句集注定本辨〉一文，吳氏在文中舉三個例子說明自己
的考訂方法。中國書店版、藝文版都不收這篇文章，但正文自然都是經過
吳氏考訂的。吳氏的考訂工作至嘉慶十六年纔完成，嘉慶十年的揚州鮑氏
《四書五經》不可能吸收吳氏的校訂成果。實際上，鮑氏本的《四書》部
分就《四書大全》系統的文本。後人對吳氏校訂本的評價極高，到最後
《新編諸子集成》選用吳氏本為底本，已經形成吳氏本獨行天下的局面。
有一點我們應該注意，吳氏刊本出現的時間較晚，乾嘉學者誦習的文本自
然是《四書大全》系統的文本，就算在嘉慶以後，《四書大全》系統的文
本也並沒有馬上被淘汰。吳英自述其校訂工作曰：「斯役也，固幼學壯行
者所不屑為之之事也。鄉使英於屢躓場屋之年，即得所願，則兒（按：指吳
志忠。）當亦相從於青雲之路，求所謂通經致用之學而學焉，又奚暇為此
學？」可見他們對《四書集注》進行校訂研究，在當時屬於特殊的行為。
乾隆年間翟灝校勘《四書》而作《四書考異》，甚負盛名，阮元也將其「條
考」部分收入到《皇清經解》裏。可是翟灝的校勘對像祇限於《四書》經
文，所以「漢學」家也很重視，而吳氏校勘的重點就在朱注上，兩者的工
作不可同日而語。北京大學圖書館也有一套光緒三年江蘇書局彙刊的《四
書五經》，《春秋》用的是《欽定左傳讀本》，即上引陶湘《清代殿板書目》
所說道光二年頒行的書。不用鮑氏《三傳》而換用新頒行的《讀本》，堪
稱善於與時俱進。但他們的《四書》部分仍然是《四書大全》系統的文本，
沒有改用出現時間比《左傳讀本》更早的吳氏校訂本。想來對於志在一舉

成名、「通經致用」的應舉學生，吳氏的校訂工作意義不大。《四書大全》系統的文本即非朱子定本，仍是朱子初本，朝廷也沒有表示廢用，與其招致標新立異之嫌，不如用舊本較為保險。祇有到後來科舉停廢，沒有人為了考試自幼背誦《四書集注》，學者開始用研究的眼光看《四書集注》，自然覺得通俗的《四書大全》系統文本不可取，認為祇有吳氏刊本纔好。實際上，也不是所有人都開始將注意力集中於朱子定本，真正注意吳氏校訂內容的應該祇限於極少數學者，對絕大多數讀者來說，吳氏校訂本與《四書大全》系統文本在實用價值上幾乎沒有任何差別。祇是風氣所趨，大家都覺得《四書大全》系統的版本已經過時，如此而已。國學整理社以「整理」國學自任，不會認同過去為了科考背誦《四書五經》的舊套，縮印揚州鮑氏《四書五經》的《五經》，而《四書》部分換用吳氏刊本，自在情理之中。他們不僅不用《春秋胡傳》，也不用後來較通行的《欽定左傳讀本》，而用鮑氏《三傳》彙編本，也是出於同樣的考慮。

　　明代的《四書五經》，《四書集注》用《四書大全》系統文本，《春秋》用《胡傳》。乾隆以後《胡傳》被廢，以後的《四書五經》刊本改用《左傳》杜注。這樣，已經不是真正的「宋元人注」了。國學整理社沿用「宋元人注」的名稱，是保留乾隆以前的習慣。嘉慶年間，揚州鮑氏利用《欽定彙纂》，並吸收《四庫全書提要》等新成果，新編一種《春秋三傳》；(尚不知是鮑氏新編，還是鮑氏之前已經有如此編撰者。) 稍後吳氏父子對《四書集注》進行較科學的文獻學整理，刊行一種新版本。國學整理社採用的就是鮑氏《四書五經》的《五經》部分以及吳氏校訂的《四書》，分別反映這種新的整理內容，並不代表乾隆以前的傳統內容。但道光以後，未經吳氏校訂的《四書大全》系統《四書》文本仍然盛行，所以同治年間仍然有人覆刻《四書》部分用《四書大全》系統文本的鮑氏《四書五經讀本》；道光二年，《春秋》又出現《欽定左傳讀本》，所以光緒年間又出現《春秋》部分換用《欽定

左傳讀本》、《四書》部分仍用《四書大全》系統文本的新一套《四書五經讀本》。國學整理社要盡量脫離科舉舊習的窠臼，所以不取《四書大全》系統的《四書》版本，不取《胡傳》，也不取《欽定左傳讀本》，而選用鮑氏《四書五經》的《五經》部分和吳氏《四書》部分，搭配成又一種《四書五經讀本》，是嶄新的。可以說國學整理社的《四書五經》反映的是民國時期對《四書五經》的代表性認識，既非明代的《四書五經》，又非清代的《四書五經》，是揉和不同時期的因素而成的。《四書五經》是傳統文化的核心經典，「《四書五經》宋元人注」是明代以來傳統的概念，可是具體內容因時而異。傳統文化就是這樣不斷變化的。

二 殿本《通典》的底本

　　王文錦老師校勘的中華書局版《通典》是近幾十年來最重要的古籍整理成果之一，雖然不斷有人發表修改意見，王老師自己也一再進行補校，但既已取得的貢獻是有目共睹的。而王老師對此並不完全滿意，曾經告訴我希望將來有人重新整理出更好的校點本。他認為中華版以殿本系統的書局本為底本，沒能用北宋本為底本，是一個遺憾。另外，在他校方面再多下工夫，應該能夠校出更多問題。當時沒能用北宋本為底本，是因為日本影印出版北宋本在他們開始進行校點工作之後。中華書局約請多人分卷校點，要求按照王老師訂立的校點凡例去做。事涉多人，不便中途改動工作條例，因而無法改換底本。

　　殿本系統的書局本是流傳最廣、最普及的版本。在影印北宋本沒有出現之前，選擇書局本作為底本，是合理的。可是，校勘的結果顯示，殿本錯誤的情況非常嚴重，雖然改動的結果往往文從字順，但畢竟與北宋本、南宋本不合，而且北宋本、南宋本的文字自有根據，祇能認為殿本憑臆篡改，必須出校改從北宋本。所以王老師說應該用北宋本為底本，再整理一

次。從高起點上開始工作，更容易提高水準。這種判斷無疑是正確的，我也希望將來出現那樣的新校點本。至於「殿本篡改」的說法，有必要具體討論，因為「殿本篡改」往往有所本。

日本影印的北宋本《通典》精裝九本，最後一本是「別卷」，除了對底本缺卷、補抄部分提供南宋版、元版的影印外，還有尾崎康先生的「解題」，對《通典》的各種版本有系統詳細的論述。尾崎先生介紹的《通典》版本，除了北宋、南宋、元版外，還有三種明版、一種朝鮮活字版、殿本系統諸版本以及《增入諸儒議論通典詳節》的各版本。「解題」後面還有〈選舉典〉卷十三至十八共五卷的「對校一覽表」，長達六十頁，詳細表列上述幾種版本的文字異同，讓我們從文字內容方面探討這幾種版本之間的關係。

通觀「對校一覽表」，可以看出北宋本、南宋本、元本屬一類，三種明刻本、朝鮮活字本、殿本屬另一類，同類不同版本之間文字多一致，而兩類之間文字差異較大。這種歸類，與中華版〈點校前言〉有關版本的論述也相符合。中華版〈點校前言〉進一步說到殿本「基本上是據王吳本校刻的，又有許多改動」。由於殿本不是覆刻某一種舊版本，而是經過校勘，擇善而從，又有許多改動的新版本，因此不便確定它的底本為某一種舊版本，祇能說「基本上是據王吳本校刻的」。但從「對校一覽表」看來，三種明刻本之間的關係似較複雜，中華版對殿本主要所據版本的論定，需要重新討論。

用文字異同的情況來討論版本系統，需要慎重考慮每條異文的不同意義。比如說，「對校一覽表」所列出的異文有很多不過是異體字或通用字，一致不一致，偶然的因素很大。還有一些異文是由於校勘而產生，所據底本不同，也會得到相同的校改結果。比如卷十三引漢景帝後元二年詔，其下小字注「限貲十萬乃得為吏」，北宋、南宋、元本以及兩種明刻本、朝

鮮活字本皆作「乃時為吏」，唯獨王吳本與殿本作「乃得為吏」。可是這部分文字出於《漢書》注，祇要覈對《漢書》注，都會校訂作「乃得為吏」，因此這些例子不適合作為討論殿本主要底本的依據。祇有全面進行認真校勘，纔能確切地判斷各種異文的意義，從而推定殿本的主要底本。我現在不具備這種條件，可是仍然可以做簡單的推測。用不同的底本，經過校改，也會變成同樣正確的文本；但同樣的錯誤，通常不可能是校勘的結果，而是因襲舊版本的結果。依據這種原理，我們挑中華版有校記的地方覈對「對校一覽表」，不失為比較簡便的方法，因為中華版有校記，說明那些異文並不是單純的異體字或通用字，而且是殿本的錯誤。結果發現，殿本的錯誤往往與王吳本、李元陽本一致，但也有不少地方祇有李元陽本與殿本錯誤相同，其他諸版本都不一致。舉卷十七為例，中華版有一百一十二條校記，其中有第十五、二一、三二、三四、四〇、八四、八八、八九、九一、九三、一〇二、一〇九條校記的共十二處，祇有李元陽本與殿本同樣錯誤。我們似乎有理由懷疑殿本的主要底本是李元陽本，而不是王吳本。

中華版〈點校前言〉認為殿本的主要底本是王吳本，是因為點校時沒有見過李元陽本。這大概是因為李元陽本每卷後附錄「宋儒議論」，不是純粹的《通典》。其實，李元陽本除了「宋儒議論」部分以外，正文部分並沒有增刪，仍然是完整的《通典》。如果我們從「對校一覽表」中去掉李元陽本的欄位，就會看到大量祇有王吳本與殿本同樣錯誤的情況。所以必須承認，在沒有見到李元陽本的情況下，他們的判斷是合理的。現在我們知道李元陽本了，認定李元陽本為殿本主要的底本乃是合理的推測。但又有誰能保證不存在比李元陽本更接近殿本的版本。如果存在的話，我們的推測又需要修正了。

雖然我們推測殿本的主要底本是李元陽本，而不是王吳本，中華版〈點校前言〉殿本「基本上是據王吳本校刻的，又有許多改動」的判斷，也不

能說完全錯誤。可以說完全錯誤的是，校記中多次出現的「清人擅改」的說法。如〈選舉典〉有四條校記指出「清人擅改」，（卷十四第九十四條，卷十六第二十條、第三十八條，卷十七第十五條。）說殿本妄改文字。實際上，殿本這四處的文字都與李元陽本一致，換言之，擅改的是明人，清人因襲明人的錯誤而已。我們不得不說這四條校記是錯誤的。

過去常說「明人刻書而書亡」，但明版其實不一定都那麼糟糕。現在我們多認為殿本往往擅改文字，其實我們對殿本也並不太了解。王老師他們校勘殿本系統的《通典》，可說是對殿本的文字作過全面深入的研究，但他們也沒有搞清殿本的底本，誤以因襲明本的錯誤歸咎於殿本擅改。前人對明本、今人對殿本，認識上出現偏差，問題的根本在於不了解。看到殿版文字內容問題較多，遂認為是殿本擅改，而不知殿本另有所本，這是祇知其一，不知其二；看到有些明本文字內容問題較多，遂認為明本都不好，忽視明本也有好版本，這是以偏概全；沒摸過明版書，沒讀過殿本，而認為那些都不是好版本，不屑一顧，這是人云亦云。我們可以通過更具體更深入的研究，逐漸糾正這些錯誤的或者膚淺的認識。可是，反過來看問題，我們也不可能要求每一個人對所有明版或殿本一本一本進行深入的研究。既然不能那樣專門研究，不人云亦云，不以偏概全，我們甚至無法認識這些對象。或許可以說，形成這些錯誤或膚淺的認識，是因為我們不太重視這些版本。現在有點校本，有影印宋本，還有多少人關心明版書和殿本？換個角度也許可以說，我們的社會狀況規定了我們對這些歷史事物的認識的深淺。我們不是萬能的，認識能力畢竟有限，某些方面知道的多，其他方面知道的必然要少。每個時代、每個社會關注的重點不一樣，這就產生每個時代、每個社會對同樣事物的不同認識。那些錯誤的或者膚淺的認識，都打上了時代的或者社會的烙印。必須知道，不管在甚麼時代、甚麼社會，人類的認識都免不了這些錯誤和膚淺。

三 問題的提出

上面討論有關版本的兩個問題。但我自己並不是版本學專家，所以我的結論是問題的提出。首先，希望有人對清代《四書》、《五經》的版本做全面的調查，讓我們知道到底存在過那些版本，這些版本的內容如何，互相之間的關係如何，流傳、影響的範圍如何。也希望有人研究《通典》等殿本的底本以及校改問題，讓我們對殿本有更深入、更正確的了解。除了這些具體問題之外，還有一個有關版本的根本問題則是，我們到底能知道甚麼？劉先生沒見過鮑氏《四書五經讀本》，誤以為《春秋三傳》是國學整理社編的；王老師沒有見過李元陽本《通典》，誤以因襲為擅改。他們就是因為少見一種版本，下過錯誤的判斷。我們自當引以為戒，在自己研究的時候，要注意網羅所有相關版本。可是，這一點我們實際上無法完全做到。我們的精力、條件都有限，要看各地圖書館收藏的多種版本，實在不容易，更何況還會有已經失傳、誰也無法看到的版本。人非上帝，沒有人有能力知道歷史上存在過的所有版本。我們能看到的畢竟有限，從而我們的判斷總是包含著錯誤的可能性。

最近偶然有機會重讀程千帆的論文〈張若虛〈春江花月夜〉的被理解和被誤解〉。很久以前讀過的時候，祇覺得他通過描述一篇唐詩由隱而之顯的遭遇，折射出文學思想的長期轉變，饒有趣味。這次重讀，我發現這篇文章真正有價值的是他對歷史認知問題的深層認識。文章末尾這樣寫道：「每一理解的加深，每一誤解的產生和消除，都能找出其客觀的和主觀的因素。認識，是無限的。今後，對於張若虛〈春江花月夜〉的理解將遠比我們現在更深，雖然也許還不免出現新的誤解。」我在上文說過我們的認識能力有限，是就個人或某一歷史階段而言；程先生說認識是無限的，是就人類或整個歷史過程而言。歷史上人們對〈春江花月夜〉的理解

有過逐漸深化的過程，與此同時人們對它也不斷地產生過不同的誤解。不僅過去如此，現在如此，將來也會如此。所以說，認識是無限的。將來的理解總會比現在更深刻，反過來說，現在的理解不是最深刻的，而且永遠不是。在我們的理解越來越深刻的同時，我們也不可避免地不斷地產生新的誤解，而且永遠如此。歷史大概是不斷往前發展，或者至少是螺旋式發展的。但無論甚麼時代，人們對歷史事物的認識總是有局限，永遠不會達到最完美的終點，永遠不會有最後的定論，我們怎麼知道哪一方向纔是前方？實際上，我們根據自己有限的認識，假設一個完美終點或者一個方向，纔能看出歷史發展的脈絡。我們說近代學者對〈春江花月夜〉的認識比明代人更深刻，也是以自己對這首詩的理解為標準從而得出的判斷。人類認識的歷史會永遠發展、不斷變化下去，也沒有固定的發展方向，而我們正是在這個過程當中形成屬於自己的歷史認知。這不是甚麼後現代，而是程老先生在一九八二年的文章中給予我們的啓示。

　　人類的認識是無限的，所以個體的認識祇能是有限的。因為有限，我們應該謙虛，應該謹慎；因為無限，我們的世界纔有無窮的意義。我們研究歷史，是否也要想想我們是怎樣面對無窮的歷史事物以及無窮變化的歷史認識？

《周禮正義》的非經學性質

——參加「紀念《周禮正義》出版百年暨 陸宗達先生百年誕辰學術研討會」的紀念

　　業師王文錦先生點校《周禮正義》,〈前言〉裏特意向讀者推薦洪誠先生〈讀周禮正義〉一文。洪先生文見一九六三年杭州大學語言文學研究室編刊《孫詒讓研究》一書。該書又載沈文倬先生〈孫詒讓周禮學管窺〉及沈鏡如先生〈孫詒讓政治思想述評〉等,都有助於我們加深對《周禮正義》的認識。該書出版後經過四十年,歷史學、考古學的發展以及出土文獻的出現,豐富了我們對先秦史的認識,而經書的「原意」越來越模糊,甚至令人不得不放棄經書「原意」的假設。如今,經書不過是幾經改編的一堆文獻史料,經學的概念本身只有在經學史的語境裏才能成立。我們也只能用經學史的眼光去看待過去的經說。

　　洪先生與陸宗達先生同為黃門高足,在充分吸收前人研究的基礎上,能有所發明,尤其注意各種語言現象,他的著作觀點新穎,論證精審。王師曾受教於陸先生,十分尊重清代至現代前輩學者的經說,他推崇洪先生文,亦屬自然。讀洪先生文,我們嘆服洪先生鑽研經學的精深造詣,對孫氏的成就感到仰之彌高。但洪先生文是寫他自己的研究心得,並非對《周禮正義》的全面評價,我們讀此文也很難了解《周禮正義》到底是甚麼樣一部著作。沈文倬先生為當今禮學大家,不拘經學範疇,有直探先秦歷史真相之勢,方向與洪先生稍異。所以沈先生評論《周禮正義》有「僅僅做了清代《周禮》學的總結工作,而沒有新的開創」,「僅僅只依據舊注來進行,被清代樸學家的考據方法所限制」等語。可見沈先生的治學方法已經

與「清代樸學家的考據方法」截然不同，沈先生應該說是一位歷史學家。

作為學術史的論說，沈先生的論述用自己的學術標準去評論孫詒讓的學術，簡單明瞭。洪先生何嘗不如此，雖然洪先生的標準相對更接近孫詒讓，但洪先生自然也不是經學家。按自己的學術標準來評論歷代的研究，是過去論述學術史最常見的方法。用這種方法論述的學術史，形成單綫發展的軌跡，說得複雜些是螺旋式發展，因為它以現在作為假設的發展終點。不必否認，這種學術史有利於發展現在的學術。一方面可以說明當今學術標準的歷史必然性，另一方面也能從過去成功的以及失敗的事例中汲取教訓。然而，《周禮正義》畢竟是一部經學著作，我們在用訓詁學、文獻學、歷史學等當代學科的學術標準評論《周禮正義》的同時，也應該考慮用孫詒讓當時以及比他稍早時期經學的學術標準去評論它。

孫詒讓治《周禮》積幾十年時間，先後思想未必一致，《周禮正義》規模巨大，也不一定有始終一貫的宗旨。雖然如此，我們也不能不注意光緒二十五年孫氏寫下的〈序〉，因為孫氏在此明確說明自己治《周禮》的用意所在。孫氏說《周禮》包含先王「政教之閎意妙恉」，而此「政教之閎意妙恉」古今不異，中西相通，知此而修政教，可以致富強。沈鏡如先生〈孫詒讓政治思想述評〉一文已經屢引〈周禮正義序〉，用來說明孫氏的政治思想。孫詒讓的另一部著作《周禮政要》似乎就是根據這種政治思想來編寫的。但問題是，這種政治思想與《周禮正義》的內容之間到底有關係沒有？吳廷燮給《續修四庫提要》寫的《周禮正義》提要說：「歷來諸儒重在治經，而是書則欲通之於治國。」但如果說《周禮正義》非治經之書，恐怕沒有人認同。吳氏說「是書欲通之於治國」，只據〈序〉立論，沒有舉出書中內容作為證據。《周禮正義》的讀者恐怕都不會覺得「是書欲通之於治國」。難道可以說〈序〉自是〈序〉，與內容未必相干？

《周禮正義》作為一部經學著作有甚麼特點？洪先生指出孫疏之善有

如下數端：一、無宗派之見。一、博稽約取，義理精純。一、析義精微平實。一、以實物證經。一、依據詳明，不攘人之善。一、全書組織嚴密。這幾點孫氏做得十分出色，成績卓然，洪先生論之甚詳。不過，單就這幾方面的優長，還很難看出孫氏在學術方法上的特點。因為清末民國以來的學者大部分都會承認經學著作的理想應該如此，換言之這幾點是放之四海而皆準的學術標準。《周禮正義‧略例》有幾處批評前人著作的體例，如批評「胡培翬《儀禮正義》、阮福《孝經義疏補》、陳立《公羊傳義疏》並全錄阮《記》」；又如批評「胡氏《儀禮正義》閒襲賈釋，郝懿行《爾雅義疏》亦多沿邵義」。其實這些前人著作的缺憾也是大家公認的，孫氏與前人之間的差異就是優劣程度上的差異，很難說有本質上的不同。「欲通之於治國」的《周禮正義》在學術方法上難道沒有自己的特點？

洪先生指出的六點中，前面三點，即「無宗派之見」、「博稽約取，義理精純」與「析義精微平實」，似乎可以再深入探討。洪先生在《訓詁學》中也有如下論述：「新舊注疏中以孫仲容《周禮正義》文字最為簡練。《周禮正義》卷三十三〈大宗伯〉禘祫與時祭大典，孫氏總結舊說共九四七〇字，其中論二十一家說禘祫之是非僅二八一九字；卷五十〈司巫〉說雩祭用一一五一字。劉寶楠《論語正義‧先進》說明《古論》舞雩一事竟用三三八一字，兩疏繁簡精粗，懸殊至此。」《論語正義》往往大段引錄先儒成說，議論多涉枝節，不得要領。洪先生不僅說「繁簡」，也說到「精粗」，不是沒有理由的。但像禘祫之說，經學史上聚訟之府，孫氏分析與鄭玄不同義者二十一家，一一說明各家要旨，總共才二八一九字，並用「以上諸說，歧迕雜出，無所折衷」這樣一句話來總結，的確簡練。這種簡練之筆，到處可見。隨手舉例如卷一〈天官序〉「惟王建國」注「周公居攝而作六典之職」，涉及到武王崩、周公攝政等年份問題，古文、今文，鄭玄、偽孔，異說紛雜，也是經學史上一宗公案。對此，孫氏大段引用〈明堂位〉

孔疏，隨後加以極簡要的分析和結論。孔疏對鄭、孔異同有詳細具體的說明，所以孫氏引此一段來代替自己的分析介紹，不像《論語正義》引用近儒議論，愈說愈繁。通過這些例子，可見孫氏不僅「無宗派之見」，更無意於參與經學史上的各種爭論。孫氏對歷代經學家的各種學說固然十分熟悉，所以列舉各家說法頗詳備，而且分析概括得非常透徹，做到「博稽約取」，「析義精微」。但是《周禮正義》整理舊說，只羅列各家要旨，辨別是非而已，並沒有詳細討論各家的長短，所以才能夠如此「簡練」。因此可以想到，《周禮正義》的宗旨在闡明「周代法制」、「周制漢詁」（〈略例〉）、「古義古制」（〈序〉），而討論歷代各家經說並非孫氏重點所在。大概因為孫氏有這樣一個明確方向，所以才能夠擺脫歷來經學家的窠臼，將經學史上紛繁難治的問題分析整理得清清楚楚。以探明「古義古制」為宗旨，客觀地分析整理歷代經說，始終保持旁觀者的清醒，不讓自己裹挾到那些經學爭論當中去。這或許是孫氏與其他諸多經學家不同的特點。

黃以周《禮書通故》可與《周禮正義》媲美，學者多謂兩書都是集清代禮學之大成的巨構。這種評價恐怕不錯，《周禮正義》也經常引用黃以周的觀點。可是，這兩部書給讀者的感覺迥乎有別。簡言之，《周禮正義》精審，《禮書通故》深奧。這裡面自然也有外在的因素，即體例的不同給我們帶來不同的感覺。《周禮正義》是疏體，順著經注文進行說解，而《禮書通故》體例仿效《白虎通》，每一條討論獨立的經學問題，無上下文可參考。又，《周禮正義·略例》說「舉證古書，咸楬篇目，以示審塙」，也和《禮書通故》完全相反。《禮書通故》每條標引鄭玄、孔穎達諸儒說，一概不注明何書何篇；論說中引用前儒議論，其中引古書，每刪篇名。如王念孫引《賈子·道術篇》，《禮書通故》引用王說，則刪掉「道術篇」三字。孫氏反之，如惠士奇引《荀子》，沒說哪一篇，《周禮正義》引用惠說，則補上「王霸」二字等等。孫氏補篇名偶爾也有錯誤，如金鶚引僖公八年

《穀梁疏》文，單稱「穀梁疏」，《周禮正義》引用王說，補作「《穀梁》僖三年疏」，「八」誤「三」。可以說，孫氏也沒有做到百分之百的「審愼」。但重要的是孫、黃兩氏基本態度的不同。黃氏認為，研究經學者自會知道這些說法見何書何篇，何必一一寫出來，「塵穢簡牘」（《周禮正義・略例》語）；孫氏則認為必須一一寫出來，便於檢覈，才能取信於廣大讀者，這才是「審愼」之道。應該看到孫氏的書已經不再局限在經學家的圈子裏面了。

　　《禮書通故》與《周禮正義》的不同絕不僅僅在上述外在形式方面，他們的經說本身也有明顯的異趣。如〈郊特牲〉「社祭土而主陰氣也，君南鄉于北墉下，答陰之義」，南面而稱「答陰」，其義可疑，歷代學者各有解說。《禮書通故》以群神祀位皆南面，社主亦當南面，認為君「答陰」自當北面。於是說《記》文宜「君南」連讀，「鄉于北墉下」連讀。黃氏以自己的經學理論體系為根據，不惜歪曲語法，任意改移句讀，不免令人訝異。其實《禮書通故》一書中，這種巧說並不少見。如《周禮・膳夫》「王日一舉，鼎十有二，物皆有俎」，似是三牲具備的大牢，而〈玉藻〉說「天子日少牢，朔月大牢」，則相為矛盾。金鶚解釋說，言「舉」不一定是大牢，少牢、特牲都可以說「舉」，所以《周禮》與〈玉藻〉不矛盾。但「鼎十有二，物皆有俎」仍像是大牢，所以懷疑《周禮》本來作「鼎十有二，物皆有俎，王日一舉」，今本誤倒。《禮書通故》則以為《周禮》之「日」　即旬，是十日，與《禮記》之「日」指一日不同，故牲數不同，並不矛盾。依其說，經文文字不需改動，但以「日少牢」為一日，「日一舉」為十日，雖說他有他的根據，畢竟是驚俗駭眾之論。《周禮正義》引用金氏「舉」不必大牢之說，不錄其今本誤倒之說，更不提及黃說。總而言之，《周禮正義》著實做到「析義平實」，絕不羼雜黃氏那樣的牽強巧說。

　　假設歷代經學家都像孫氏那樣追求「析義平實」，經學的歷史該老早結束，不會延續兩千年這麼久。反過來說，過去的經學家從來沒有徹底施

行「析義平實」的標準，至少未能一如孫氏。同樣是集清代禮學大成的《禮書通故》仍然包含那麼多乖違常情的觀點，到底為甚麼？筆者認為過去的經學始終沒有脫離某種主觀性，每一個經學家都按照自己的思想去解釋經書，從來沒有試圖純粹客觀地探討經書的原始意義。這中間的主觀因素，自然因時因人而異。以黃以周為例，他首先相信經書的經典意義，相信各種經書之間不會存在無法解釋的矛盾。並且他在吸收前人豐富的經學研究成果的基礎上，已經形成自己一套經學理論體系。他讀經書，總要拿自己的理論體系來相印證。如果有不符合，不是理論有問題，就是對經書的理解有問題。理論有問題，自當調整理論，但如果理論無法再調整的話，只有改變對經書的理解了。他的經學研究實際上是這樣不斷完善理論體系的思想行為，《禮書通故》呈現給我們的也是他經過長年研究調整完善的經學理論體系。何止黃氏，其實過去大部分經學家都可以如此觀。例如段玉裁，後人對他的評論總少不了「武斷」兩個字，其實那些「武斷」的背後都有他的理論體系存在。段玉裁拿理論體系與傳統文本衡量，往往選擇讓後者屈從前者。只是後人不懂得欣賞他的理論體系，所以這些地方只能認為是缺點。然而孫詒讓就和他們不同，對這種理論體系絲毫沒有興趣，《周禮正義》對待前儒的經說，只看具體觀點的合不合理，態度非常客觀、清醒。筆者認為經學的歷史到孫詒讓已告終結，或者說經學從此蛻化。

孫氏也不是沒有主觀片面的觀點。正如很多人指出，他相信《周禮》為周公之書。(2013 年補注：孫氏對《周禮》作者問題的看法并不單純，可參葉純芳《孫詒讓《周禮》學研究》第七章（東吳大學 2006 年博士論文）。)《周禮正義》說：「此經建立六典，洪纖畢貫，精意妙旨，彌綸天地，其為西周政典，焯然無疑。」上四句與下二句之間，顯然沒有邏輯上的因果關係。他也說「《毛詩傳》及《司馬法》與此經同者最多，其它文制契合經傳者尤眾，難以悉數」等等，是他有自己的根據和判斷，並不是盲目信從傳說。但也不能否定在這一問題

上，他的判斷並不夠詳審。筆者認為這是一個特殊問題，應該結合〈周禮正義序〉以及他的政治思想來看。他認為中國要富強，必須在政教兩方面進行改革，而此時要參考的是《周禮》，並不是西方的思想，因為百王不易的大道理，中西、古今沒有差別。他在帝國主義的肆虐面前，主張保華攘夷，《周禮》作為民族經典，自然不會去懷疑其價值的。（孫氏思想曾經過由「周經漢注，無益時需」到「匯外於中，以一尊而容異」的轉變，以及「中華儒者，猶復紳佩而談詩書，雍容而講禮讓」等激昂文字，參詳沈鏡如先生文。）

　　以上，筆者簡述自己對《周禮正義》極其膚淺的印象。《周禮正義》是歷代研究《周禮》的最高成就，今後恐怕也不會出現超越它的著作。不過，說高說低，標準尺度何在？比如《禮書通故》與《周禮正義》這兩部著作，我們就無法拿一個標準去衡量其間的高低，因為兩書性質不同。《禮書通故》是傳統經學的傑作，我們讀它，必須注意黃以周精心構造的經學理論體系。孫詒讓自己並沒有刻意構造自己的經學理論體系，但也沒有完全脫離過去經學學說的傳統，《周禮正義》的成就在於客觀地整理總結歷代《周禮》學說。所以《周禮正義》與過去的經學著作有本質上的不同，同時仍然沒有完全脫離傳統經學的範疇。這種學術特點，與他接近民族資本改良派的政治面貌非常相稱。

經疏與律疏

一　義疏學與《律疏》

　　南北朝經學義疏的講述者或撰作者大多是專門學者，並不是公卿大夫，也不是朝臣官僚。南北朝後期史籍所見義疏學者，南則集中在建康一地，其講談之美惡，貴族之間口耳相傳；北則分散各地，設講壇，聚徒弟，鄉里間自成評價。因此，無論南北，義疏的學術內容與當時政治社會較少關聯，形成純學術性、為義疏而義疏的專門學術。學術獨立發展的結果往往是畸形膨脹，乖戾該學科的初衷。顏之推對當時義疏學者的批評最生動，也最有名。《顏氏家訓・勉學篇》云：「率多田野間人，相與專固，無所堪能，問一言輒酬數百，責其指歸，或無要會。」又云：「俗間儒士，不涉羣書，經緯之外，義疏而已。」到隋代，顏之推以及劉炫、劉焯等人對這種已經墮落為邏輯遊戲的義疏學進行批評，劉炫、劉焯自己撰義疏，逐一駁斥前人義疏中的荒謬觀點，《孝經述議》殘卷最能說明這種情況。唐初孔穎達等繼承顏之推、劉炫等的批評態度，徹底刪除南北朝舊義疏中不近人情、近乎荒誕的內容，同時也不採用劉炫等過於偏激的反對意見，折衷編成《五經正義》。總而言之，南北朝義疏學是特殊歷史背景下的特殊學術形態，專以經注文字為研究對象，而以通理為宗旨。按照義疏學家的說法，「注者，注義於經下，若水之注物」（《儀禮》「鄭氏注」疏），注與經文是不可分割的一體。而義疏的主要任務即在似有關聯但又不相同、甚至互相矛盾的各處經注文之間，疏通邏輯，解釋其間的關係。可以說義疏學有自己獨特的學術方法，與其他時期的經學著作有本質上的區別。如果簡單地認為義疏是對經并注的注解，未免太過膚淺。然而與《五經正義》一樣

由唐朝撰定而且幾乎同時頒行的《律疏》卻說：「近代以來，兼經注而明
之則謂之為義疏。」若如此說，則《史記索隱》、《正義》兼《史記》并《集
解》而明之者，亦屬義疏之流。《史記索隱》、《正義》時代稍晚，而且性
質相差較遠，但《律疏》與《五經正義》關係尤密切，研究《五經正義》
的學術特點，不能不對《律疏》也做些探討。

二　《律疏》的外在形式

劉俊文先生《敦煌吐魯番唐代法制文書考釋》（1989 年北京中華書局出版）
收錄六種唐鈔《律疏》殘卷，為我們了解《律疏》較原始的體裁提供方便。
其中除伯 3690 稍有不同外，伯 3593、河字十七號、73TAM532、斯 6138
及李氏舊藏本共五種，書寫格式基本一致。今以河字十七號中卷二「除名」
一條為例，說明情況。……表示省略。

　　　諸犯十惡、故殺人、反逆緣坐，

　　　議曰：……

　　　注云：本應緣坐，老、疾免者亦同。

　　　議曰：……

　　　問曰：……

　　　答曰：……

　　　又云：獄成者，雖會赦，猶除名。注云：獄成，謂贓
　　　狀露驗，及尚書省斷訖未奏者。

　　　議曰：……

　　　又云：即監臨主守，於所監守內犯姦、盜、略人，
　　　若受財而枉法者，亦除名。注云：姦，謂犯良人。
　　　盜及枉法，謂贓一疋者。獄成會赦者，免所居

官。

議曰：……

問曰：……

答曰：……

注云：會降者，同免官法。

議曰：……

又云：其雜犯死罪，即在禁身死，若免死別配

及背死逃亡者，並除名；注云：皆謂本犯合死

而獄成者。

議曰：……

又云：會降者，聽從當、贖法。

議曰：……

問曰：……

答曰：……

又問：……

答曰：……

唐鈔本與宋元以降刻本相較，可以指出三點形式上的不同。首先，《律疏》將此條律文分為五段，逐段疏解。疏解之前具錄各段《律》文，唐鈔本標引第二段以下《律》文則冠以「又云」。刻本有固定的行格，律文頂格，疏文低格，眉目清楚，不容混淆，故不用「又云」。而鈔本沒有一定之規格，一行字數可多可少，若無標識，極易與上段疏文相混。「又云」二字的有無或可謂鈔本與刻本不同流傳形式所致。第二點不同是刻本有注文重出的現象。《律疏》對注文，或與律文一併為疏解，或單獨疏解注文。唐鈔本於前者則《律》文下直接寫注文，加「注云」二字為識，後者則注文

與《律》文分開，單獨標寫，冠以「注云」二字。刻本對後者重出注文，即除了單獨標寫注文之外，《律》文下也錄注文。直接寫在《律》文下的注文，刻本用小字以區別，不用「注云」二字。如此處理的結果，只要尋頂格部分看，可以讀到完整的《律》文與注文。反言之，唐鈔本《律疏》雖然具載所有《律》文及注文，但畢竟是義疏，以《律》原文的獨立存在為前提，若不先熟讀整條《律》文及注，無法理解《律疏》。例如此條第一段「諸犯十惡、故殺人、反逆緣坐」，只言罪犯的種類，實際上是第二段「獄成者，雖會赦，猶除名」的主語。《律疏》在第一段注「本應緣坐，老、疾免者亦同」的疏解中，就已經討論「除名」的問題。當知《律疏》備引律文及注文，首要目的在於明確疏解對象的範圍。如此看來，第一點差異也有更重要的意義。唐鈔本標引《律》文稱「又云」，則所錄《律》文為《律疏》所引，并非獨立在《律疏》之外。刻本頂格錄《律》文，無「又云」字眼，則儼然不屬《律疏》內部。第三點不同是刻本在「議曰」上加一個「疏」的標識。這就是說，凡在此「疏」字標識以下為《律疏》，以上為《律》文并注，非疏文。可以說編者欲使刻本帶有注疏彙本的性質。總之，唐鈔本標引的《律》文在《律疏》之內，刻本載錄的《律》文在《律疏》之外，唐鈔本的形式可以比擬於經疏的單疏本，刻本的形式可以比擬於經疏的注疏彙刻本。

三 《律疏》的疏解方法

　　《律疏》三十卷，而《律》本十二篇十二卷。《律疏》對十二篇的篇題都有疏解，包括該篇律法的因革源流、篇名的訓釋以及篇次的意義。說解篇次，由來已久。《易》有《序卦》，趙岐作《孟子篇敍》以言「七篇所以相次敍之意」。至南北朝義疏，則其說甚繁，《論語義疏》可為代表。《論語》篇次本無義意，而皇侃每為巧說，必言其理。劉炫極力反對巧說附會，

但《孝經述議》仍為篇次之說。可以說這是經書疏解的一種習慣。《律》非經典，而是當朝編訂施行的法典，編者安排篇次自有用意。所以李悝著《法經》，「以為王者之政，莫急於盜賊，故其律始於〈盜賊〉」，曹魏《新律》序云「舊律〈具律〉在第六，罪條例既不在始，又不在終，非篇章之義，故集罪例以為〈刑名〉，冠於律首」，張裴注晉《律》亦云「律始於〈刑名〉者，所以定罪制也，終於〈諸侯〉者，所以畢其政也」（引文均見《晉書·刑法志》）。《律疏》於每篇篇首輒言篇次之旨，如〈名例〉云：「命名即刑應，比例即事表，故以〈名例〉為首篇。」〈衛禁〉云：「敬上防非，於事尤重，故次〈名例〉之下，居諸篇之首。」又如〈捕亡〉云：「此篇以上，質定刑名。若有逃亡，恐其滋蔓，故須捕繫，以實疏網，故次〈雜律〉之下。」《律疏》與《律》同出唐廷，這些解釋應該認為正得編《律》之本意。但《律》十二篇並非每篇都有編次必然之理。所以如〈戶婚〉云：「既論職司事訖，即戶口、婚姻，故次〈職制〉之下。」〈廄庫〉云：「戶事既終，廄庫為次，故在〈戶婚〉之下。」《律疏》只言篇次之事，不言其理。又如〈詐偽〉云「鬥訟之後，須防詐偽，故次〈鬥訟〉之下。」雖言「之後」，言「須」，其實亦無必然之理。總之，《律疏》說解篇次是律學發展的自然結果，但也不必否認當時經學義疏注釋習慣的影響。皇侃《禮記疏》每為科段之說，不惜附會巧說，必言先後章句編次之理。孔穎達編《禮記正義》即以皇侃《禮記疏》為藍本，而謹慎排除繁論空理之說。《律疏》的說解，務求平實，言篇次而不涉玄虛，自然與孔穎達等的態度一致。

　　經學義疏於每章疏解開首處說明該章經文的大旨。《律疏》除了十二篇篇首之外，每條疏文都沒有綜述一條宗旨的說明。可見《律疏》不將《律》當作經典，疏解重實在，不事文飾。讀《律疏》者莫不先熟讀《律》正文，《律》文所論何事，不言可知，不必多添文章，徒煩耳目。若有關於整條內容的補充討論，《律疏》用問答的形式，放在末尾。如上引卷二「除名」

一條，最後一組問答所提問題是：「加役流以下五流，犯者除名、配流如
法。未知會赦及降，若為處分？」這是因為〈名例律〉還有一條規定說「其
加役流、反逆緣坐流、子孫犯過失流、不孝流及會赦猶流者，各不得減贖，
除名、配流如法」，而此「除名」條沒有提到這些五流罪人，所以提出問
題，自行解釋。這組問答的意義在於補救「除名」整條《律》文的簡略，
自然不是專就「會降者，聽從當、贖法」一段文句而發的。

　　律學與經學的不同，在其現實性、實踐性。律文「篇少則文荒，文荒
則事寡，事寡則罪漏」（曹魏《新律》序，見《晉書・刑法志》），反之則「簡書愈繁，
官方愈偽，法令滋章，巧飾彌多」（杜預語，見《晉書・杜預傳》）。於是杜預提出
如下原則：

　　　　法者，蓋繩墨之斷例，非窮理盡性之書也。故文約而例直，聽省
　　　　而禁簡。例直易見，禁簡難犯。易見則人知所避，難犯則幾於刑
　　　　厝。刑之本在於簡直，故必審名分。審名分者，必忍小理。古之
　　　　刑書，銘之鍾鼎，鑄之金石，所以遠塞異端，使無淫巧也。今所
　　　　注皆網羅法意，格之以名分。使用之者執名例以審趣舍，伸繩墨
　　　　之直，去析薪之理也。（奏《律注》語，見《晉書・杜預傳》）

曹魏《新律》意圖整理龐雜混亂的漢律，也有「文約而例通」（曹魏《新律》
序）的想法，但未能成功。杜預參與編訂的晉《新律》才做到「蠲其苛穢，
存其清約」（《晉書・刑法志》）。杜預強調「例之直」，其實「例直」則理通，
他反對的是不顧名分大義、乖離人情現實的「小理」。這裡不難看到杜預
治律的背景以及基本思想，與他治《春秋》的情況非常類似。漢儒治《春
秋》，苟有異文，輒立義例，其說龐雜而多牽強。杜預著《釋例》，排斥漢
儒義例之虛誕，重新審定不乖常情的凡例。〈春秋經傳集解序〉云：「或曰：

《春秋》以錯文見義，若如所論，則經當有事同文異而無其義也。先儒所傳，皆不其然。答曰：《春秋》雖以一字為褒貶，然皆須數句以成言，非如八卦之爻，可錯綜為六十四也。故當依《傳》以為斷。」其言與奏《律注》語趣意正同，可以互證。南北朝義疏追求通理，失於虛誕，繁而寡要，隋代劉炫、劉焯批駁南北朝義疏，所用精神正與杜預相同，故《五經正義》常見「無義例」之語。《律疏》亦有說明「事同文異而無其義」的疏解，如〈名例律〉「老小及疾有犯」條《律疏》（卷四）云：「問曰：上條『贖』章稱『犯流罪以下聽贖』，此條及『官當』條即言『收贖』。未知『聽』之與『收』有何差異？答曰：……此是隨文設語，更無別例。」這種疏解的目的在於不讓讀者疑惑，並且防止穿鑿。

　　晉《律》頒行後經四百年，唐《律》內容未必優勝（參考章太炎〈五朝法律索隱〉，見《太炎文錄初編》），但編例應該比較成熟，而且所用語言亦非古語，了解文義並不困難。因此《律疏》的重點不在疏釋《律》之文義，而在說明運用《律》文時需要了解的問題，包括某一律條與其他相關律條之間的關係，界定所涉事物的範圍等。也因此，《律疏》的疏解內容平實，論述簡單明確，沒有漢律的伸張「小理」，也沒有南北朝經疏的玩弄邏輯。《律疏》說解不同律條之間的關係，上引卷二「除名」條最後一組問答就是其例。界定所涉事物的範圍，則如「除名」條「即監臨主守，於所監守內犯姦、盜、略人，若受財而枉法者，亦除名」下《律疏》云：「律文但稱『略人』，即不限將為良賤。」這是因為略人將為良賤，有不同的處罰，此「除名」條只言「略人」，所以說明此不分將為良賤，以防產生歧義。又如〈名例律〉「除名官當敘法」條「諸除名者，六載之後聽敘，依出身法」，《律疏》（卷三）云：「稱六載聽敘者，『年』之與『載』，異代別名。假有元年犯罪，至六年之後，七年正月始有敘法。其間雖有閏月，但據『載』言之，不以稱『年』要以三百六十日為限（「要」或當為「耑」之訛，存疑。2013 年補注：此當讀「不

以『稱年者以三百六十日』為限」,「要」當作「者」,可無疑義。筆者下文明引「稱年者以三百六十日」為《律》之正文,而此曾疑「要」或為「耊」之訛,可謂失之眉睫。)。」又「免所居官及官當者,期年之後,降先品一等敘」,《律疏》云:「稱『期』者,匝四時曰期,從敕出解官日,至來年滿三百六十日也。稱『年』者,以三百六十日;稱『載』者,取其三載、六載之後,不計日月。」這裡《律疏》先說明「年」、「載」不過異代別名,本無殊異,但《律》中有不同的用法,所以特別加以說明。其中「稱『年』者,以三百六十日」一句,為〈名例律〉中《律》條正文(「稱日年及眾謀」條,見《律疏》卷六),此亦可見《律疏》疏解始終以《律》之正文為指歸。

　　《律》之正文本非古語,然其中詞語自有歷史淵源,所以《律疏》偶有訓詁釋義之說。今觀其訓詁,與傳統訓詁截然不同,頗可注意。如〈戶婚律〉「部內田疇荒蕪」條《律疏》(卷十三)云:「稱『疇』者,言田之疇類。或云:『疇,地畔也。』」案:「田疇荒蕪」一句出〈周語〉,韋昭注云:「穀地為田,麻地為疇。」〈月令・季夏〉「可以糞田疇」,孔疏引蔡邕亦云:「穀田曰田,麻田曰疇。」這是「田疇」之定訓,而《律疏》不依用。所以如此者,《律》言「田疇」泛指農田,不限穀田之與麻田。《律疏》以為「田」字可依常義理解,就是農田,而更言「疇」者,當無別義,所以一則說「田之疇類」,又引或說「疇,地畔也」。其意實謂「疇」字無關重要,「田疇」即田。又如首篇標題「名例第一」,《律疏》云:「第者,訓居,訓次,則次第之義,可得言矣。」案之經疏,「堯典第一」孔疏云:「第訓為次也。」「關雎詁訓傳第一」孔疏云:「《說文》云:『第,次也。』」「天官冢宰第一」賈疏云:「第,次也。」「曲禮上第一」孔疏云:「《小爾雅》云:『第,次也。』」「經傳集解隱公第一」孔疏云:「《字書》云:『第,次也。』」所據有所不同,但莫不訓次,是為定訓。《律疏》獨言「訓居」,與經疏傳統不合,亦不知何所因承。〈名例律〉「笞刑」條《律疏》(卷一)云:「笞者,

擊也，又訓為恥。言人有小愆，法須懲戒，故加捶撻以恥之。」笞訓擊為
常訓，訓恥則未知何所因承。總之，《律疏》的訓詁特點可謂是其現實實
用主義的反映。

《律疏》雖然有現實實用主義特點，但也不完全忽視歷史。每篇篇首
的《律疏》，除了說明篇次之外，也介紹該篇的歷史沿革。《律疏》對五刑、
十惡等基本律條，也進行歷史性說解。《律疏》(卷一) 於「笞刑」條云「其
所由來尚矣」，「杖刑」條云「源其濫觴，所從來遠矣」，「徒刑」條云「蓋
始於周」，「流刑」條云「蓋始於唐虞」，「死刑」條云「斬自軒轅，絞興周
代」。這些說解的用意似乎是通過說明歷史淵源，加強五刑的權威性和合
理性。另外，五刑各條的《律疏》多引用緯書、《家語》等，也有陰陽五
行說，與其他部分印象迥異。這一方面自然會有加強權威性的意義，但另
一方面還要考慮其中應有因襲。五刑由來既久，歷代律學者為章句、注釋，
想必多所論說。《唐律》本《開皇律》，《開皇律》多採《北齊律》，而緯書、
《家語》、陰陽五行說又皆盛行於北方。則《律疏》中這些內容蓋多出於
舊律注釋。

綜上所論，《律疏》疏解有明顯的現實實用色彩，符合律學的實踐性
本質特點。與經學義疏相較，《律疏》以《律》正文為指歸，疏解文句時
常暗據《律》文，注意不同《律》條之間的關係等，類似於經學義疏。但
在本質上，《律疏》缺乏解釋理論方面的特點，不像經學義疏那樣追求邏
輯完美，雖然稱「疏」，從解釋內容上與「章句」無異。這就難怪《律疏》
說「兼經注而明之則謂之為義疏」，只作表面形式上的說明。

四 社會基礎與哲學根據

上文曾言南北朝為經學義疏者大多專門學者，當時有社會環境讓他們
為學術而學術，為義疏而義疏。劉炫、劉焯閉門讀書，自學成才，所以能

夠盡情抨擊畸形膨脹的舊義疏。大凡一種學術一旦開始獨立發展，學術自成規矩，勢必脫離原本，越走越遠。漢代章句之末流，說「曰若稽古」三萬言，南北朝義疏之末流，「仲尼居」即須兩紙疏義，錢穆所謂「博士餘影」，「先後同揆」（〈兩漢博士家法考〉，見《兩漢經學今古文平議》）者也。程朱經學本來簡要，至明代不勝其繁，亦同此理。學說蕃繁，乃學術發展的自然結果，繁說細論未嘗不是學術本身所需求。而這種發展的前提，則是學術獨立的社會環境。南北朝各自形成學術圈，有專門的學者羣體，在其範圍內共同默認的學術前提上，發展各有特色的義疏學，產生大量的專門理論。關鍵是，只有這種社會環境，才能產生專門高深的理論，而且這種深奧的理論，一旦離開所屬環境，往往只能被視為繁而寡要的邏輯遊戲。隋朝統一南北，義疏學失去舊有的社會環境，忽視學術前提而單獨看舊義疏，只見牽強虛浮，不見其高深奧妙。於是劉炫、顏師古、孔穎達等人整理舊說，刪舊說之玄虛，準之以常情，最後折衷為《五經正義》。之後，唐代無專門研究義疏學的社會環境，無專門經學家，探研通理的舊義疏學就此衰滅。反觀律學，正如瞿同祖所說：「漢以後便鮮有專門研究法律的法學家，法典的擬訂並不出於法律家的手筆。」（1981 年北京中華書局出版重訂本《中國法律與中國社會》第六章第三節）因此律學縱有「科網本密」、「言數益繁」（《晉書‧刑法志》語）的趨勢，卻沒有產生類似經學義疏的深奧理論。直至隋代，編訂律典的宗旨即在「刑網簡要，疏而不失」（《隋書‧刑法志》評《開皇律》語），初無學術理論方面的問題。可以推想，編訂《律疏》不在於闡釋甚麼理論，而在於平實簡明地解決具體問題。

　　《五經正義》與《律疏》幾乎同時出現，而且都以簡明為宗旨。然而簡明沒有理論標準，一以常情為依據。例如《詩‧公劉序》孔疏云：「《外傳》稱后稷勤周十五世而興，〈周本紀〉亦以稷至文王為十五世。計虞及夏、殷、周有千二百歲，每世在位皆八十許年乃可充數耳。命之長短，古

今一也。而使十五世君在位皆八十許載，子必將老始生，不近人情之甚。以理推之，實難據信。」是據人之常情而懷疑經典文字，與舊義疏學以經典文字為出發點，追求其間完美的邏輯解釋，完全不同。《律疏》的疏文自稱「議曰」，而不稱「解曰」(《公羊疏》)、「釋曰」(《周禮、儀禮疏》、《穀梁疏》)，正好說明《律疏》的重點不在解釋文本。而其補充議述《律》義時，固以不乖常情為本。例如〈名例律〉「老小及疾有犯」條《律疏》云：「其毆父母，雖小及疾可矜，敢毆者乃為惡逆。或愚癡而犯，或情惡故為，於律雖得勿論，準禮仍為不孝。」案：《四庫提要》云「唐律一準乎禮」，瞿同祖論魏晉以來「以禮入法」的問題甚詳。但「禮」的範圍極為廣泛，如《魏律》以「八議」入律，《晉律》以「五服」入律，《北周律》流刑分「衛服」二千五百里至「蕃服」四千五百里五等，皆原本《三禮》經文。而此「老小及疾有犯」條《律疏》言「準禮」，則非謂《三禮》經注，亦非禮教、禮儀，而是泛言道德規範而已。《唐律》因襲《隋律》，繼承接受「八議」、「五服」入律，而不取五等流刑，因為四千五百里分五服不過是《周禮》的理想制度，並不現實。可見《唐律》與《律疏》在四百年來律學理論發展與經驗積累的基礎上，以常情常理為重要標準，整理出平常實在的律法體系。雖然如此，這裡有一個哲學根據問題。在舊義疏的繁雜虛華面前，在律學著作的滋蔓傾向面前，刪繁就簡、整理折衷是必要的，而且能夠大快人心。但是簡化整理工程完成以後，青山夷為平地，不免會出現理論的空虛、哲學的缺位。《五經正義》在排除異常，《律疏》也在強調平常。一方面，這或許代表社會的成熟，說明已經形成全國共同的道德標準。我們也可以聯想這段時期啓蒙、書儀一類著作的迅猛發展。但另一方面也不能否認，讀《五經正義》、《律疏》，感覺不到生機，令人鬱悶。既無追求理想的眩惑魅力，又無探索理論的智力刺激。平常穩妥，現實普通，卻找不到更深層的哲學根據，讀者會感到莫名的不安。這種思想狀況或許可以說

是中唐以後經學、儒學新發展的背景。

後記

　　今人律學著作無不強調律之儒家化、律禮關係，然其說皆不出瞿同祖所論範圍。最近出版祝總斌老師《材不材齋文集──祝總斌學術研究論文集》上下編（三秦出版社 2006 年 1 月出版），上編《中國古代史研究》收錄〈略論晉律之「儒家化」〉一文（2013 年補注：此文亦見 2009 年北京中華書局出版《材不材齋史學叢稿》），分析「儒家化」具體內容，探討秦漢以來社會結構變化，說明魏晉律「儒家化」的歷史意義，精辟透徹，令人耳目一新。深覺討論思想潮流之歷史演變，必須熟讀史書，若僅就律學、經學等專門內容之一斑，談論思想潮流，只得非妄即謬。

　　然中唐以後思想潮流，先提出「道」的理想概念，隨後「道」的內涵逐漸豐富具體，然後開始探索其中之「理」，似乎符合思維發展的規律。唐代前期《五經正義》的成立及《文選》學的盛行，都意味著南北朝義疏學、文學已經失去繼續發展的可能性，讀《律疏》也感覺不到學術的脈搏。學術仍在，甚至在表面上整理完美，卻已失去活力，猶如龐大的屍體，這是我個人淺薄的印象。因而想到中唐以後思想問題時，自然產生聯想，如上文所論。自知不免謬妄，惟望方家明論釋惑。

《禮記》版本雜識

　　二〇〇六年春學期，與諸生講習《禮記》，以業師王文錦先生《禮記譯解》為讀本。備課參考《古逸叢書三編》影印撫州公使庫本、臺灣影印民國影余仁仲本、《四部叢刊》影印纂圖互注本及彭元瑞《石經考文提要》、阮元《校勘記》、張敦仁《撫本考異》等，就《禮記》版本問題稍有所識。迄今學界似無系統梳理《禮記》版本之作，因草就此文，聊備讀《禮記》者參考。

一　唐石經

　　經書版本始於五代，經文以《唐石經》為本，《唐石經》可謂後世經書版本之始祖（參《經義考》卷二百九十三）。一九九七年中華書局影印皕忍堂刻本，流傳最廣。皕忍堂本據稱出陶湘手（見魏隱如《中國古籍印刷史》第十六章。2013年補注：陳乃乾有〈近代兩大藏書家〉一文云「曹錕翻刻開成石經本《十三經》，即是蘭泉一手經理，曹氏失敗時，心緒煩亂」云云。陳文初刊於一九四六年一月二十五日《民國日報》《覺悟》副刊，今據二〇〇九年國家圖書館出版社（北京）出版《陳乃乾文集》。又，刻本卷首有序，為中華書局影印本所刪掉），摹刻精美，學者稱便。然《唐石經》屢經改補，流傳拓本文字每異，歷代學者所見各不相同，情況複雜。如唐代始刻改刻之異，阮元《校勘記》注意甚少，而《撫本考異》多為補充，以示其間取捨判斷之意義。皕忍堂本所據並非唐宋舊拓，且僅憑此一民國刻本，絕不能瞭解始刻以來文字變化之種種現象。目前尚無全面整理《唐石經》之著作，利用《唐石經》只能多方參考歷代學者所作記錄（戴震、錢大昕、王昶、嚴可均等校錄《唐石經》者甚多，不備舉），至於皕忍堂本僅備參考而已。

二 撫州公使庫本

嘉慶二十五年顧千里跋撫州公使庫本《禮記釋文》云：

> 南宋槧本《禮記》鄭氏注六冊，明嘉靖時上海顧從德汝修所藏，
> 後百餘年入崑山徐健庵司寇傳是樓，兩家皆有圖記。乾隆年間余
> 從兄抱沖收得之，其於宋屬何刻未有明文也。有借校者臆斷為毛
> 誼父所謂舊監本，而同時相傳皆沿彼稱矣。抱沖續又收得單行《釋
> 文》兩種，一《禮記》，一《左傳》，亦皆南宋槧本，《禮記釋文》
> 即此也。與《禮記》版式、行字以至工匠、記數，罔不相同，而
> 名銜、年月在焉。余於是始定《禮記》之即淳熙四年撫州公使庫
> 刻也。(見《思適齋書跋》卷一)

《撫本考異》卷尾出「撫州公使庫新刊注禮記二十卷並釋文四卷」，云：

> 案：或目此為「宋監本」，最誤。蓋不知此一葉元連之耳。今訂正。
> 凡此撫本與宋監本，有同有異，略見毛居正《六經正誤》中，茲
> 於其異者未悉出，因毛所舉大概皆監之誤，而此多不誤故也。

嘉慶十一年顧氏跋撫州公使庫本《禮記》亦云：

> 末有名銜一紙，裝匠誤分入《釋文》首。不知者輒認以為舊監本，
> 非也。(顧氏手跡見《古逸叢書三編》影印本，其文亦見《思適齋書跋》卷一)

據此知撫州公使庫本《禮記》後附《釋文》，淳熙四年撫州公使庫刊行名

銜裝訂在《釋文》卷首，而經注正文與《釋文》分別流傳，因此學者不知此宋本《禮記》為何時何地所刊。顧之逵（字抱沖）先後收得正文與《釋文》，始知為淳熙四年撫州公使庫本。後又分散，正文歸海源閣，《釋文》歸鐵琴銅劍樓。如今延津劍合，正文、《釋文》均歸北京圖書館（此本流傳可參《冀淑英文集》等），而《古逸叢書三編》影印本僅收正文，遺落《釋文》，令人遺憾且不解。（《古逸叢書三編》「出版說明」云：「遍查此書，這紙裝錯位置的銜名卻怎麼也不見了。」既云在《釋文》卷首，何謂「遍查此書」？又，日本東京大學東洋文化研究所網頁可查閱其所藏撫本《禮記釋文》全部書影，但其本補抄甚多，當不如北圖藏本。2013 年補注：北圖藏《禮記釋文》今有《再造善本》影印本。東洋文化研究所所藏《禮記釋文》之詳情，請參華喆〈趙燁行實與撫本《禮記釋文》簡介〉，見二〇一〇年中國國家圖書館出版社出版《版本目錄學研究》第二輯。）

顧千里謂「有借校者臆斷為毛誼父所謂舊監本，而同時相傳皆沿彼稱矣」，又謂「或目此為宋監本，最誤」，又謂「不知者輒認以為舊監本，非也」，皆據段玉裁及《校勘記》編者洪震煊等而言。《校勘記》卷首《引據各本目錄》「經注本」無撫州本，「《釋文》」始見「撫州公使庫本」。然《校勘記》中每引「宋監本」，按其文字，知即撫州本。又檢《校勘記》，於〈中庸〉、〈緇衣〉、〈鄉飲酒義〉、〈射義〉皆引「段玉裁校云宋監本作如何」，〈檀弓上〉引段玉裁〈且字考〉有「南宋《禮記》監本」語（《經韻樓集》所收〈且字考〉不言「南宋《禮記》監本」）。是段玉裁曾校撫州本，因不見刊行名銜，遂目為「宋監本」；洪震煊編《校勘記》，參用段玉裁校本，亦因襲「宋監本」之稱。今既知此本有撫州公使庫刊行題記，則其非監本，初不足辨。然細察毛居正《六經正誤》摘錄當時監本之訛字，知撫本與監本之間仍有某種淵源關係。如〈曲禮上〉注「齊謂祭祀時」，毛引監本「祭」訛「察」，撫本不誤。案：毛所舉監本訛誤多無謂如此，撫本不誤，乃屬正常。又注「睨晲也」，毛引監本「晲」字右旁訛「兮」，撫本同。案：如此字形小訛相同，非偶然可致，撫本當與毛引監本同出一源。又，撫本經文與《唐石經》最

近。然則段玉裁等目撫本為宋監本，誤則誤矣，但其推測失之不甚遠。蓋撫本原出北宋監本，底本尚佳，校勘精良，故訛誤較少；毛所見南宋監本，幾經改版，校勘失審，故多訛誤。如今《唐石經》不得善本，且無鄭注，南宋監本亦不可得見，則此撫州本可謂「《唐石經》──宋監本系統」現存最精良完整之善本。

此本雖稱初刻初印本，書中有數處剜改痕跡。《撫本考異》據字數推測，認為剜改前之文字為傳統文本，淵源有自，而撫本校刊者據別本加以改動。如〈曾子問〉「殷人既葬而致事」，撫州本下有「周人卒哭而致事」七字，孫志祖、段玉裁以有此七字者為正，《撫本考異》云：「以行字計算，剜改添入也，初刻無之。唐石本及各本皆與初刻同。……興國本改注為經，而撫本乃依之剜添，失之矣。」段玉裁駁《撫本考異》而云：「計其字數，去此七字則此行空二寸許，決不然也。」（段玉裁〈周人卒哭而致事經注考〉，見《經韻樓集》）今檢《古逸叢書三編》影印本，知撫本此處連三行重刻剜改，而此三行行字皆不同常規，是三行之內剜添七字。段玉裁謂不得在一行之內增加七字，是誤會顧氏之意。

張敦仁覆刻撫州本影響甚大，而無近代影印本。《古逸叢書三編》影印本缺《釋文》，且已不易購得。希望出現附《釋文》之平裝影印本，以供學者校讀研究之用。

三　越刊八行本

越刊八行本為注疏匯刊之始，《禮記》有紹熙三年（1192）黃唐題識，尤可珍重。潘明訓影刻本流傳較廣，而文字未必盡如原本，當以珂羅版影印本為據。當撰《校勘記》時，諸儒不得親見八行原本，據以校勘者，所謂「惠棟校宋本」及《七經孟子考文》引「宋板」而已。「惠棟校宋本」

及《七經孟子考文》引「宋板」偶有不符者，或為所據原本先後印本修版之不同（可參《寶禮堂宋本書錄》），或為校錄、傳抄之訛誤（如〈檀弓上〉注「曾子言非禮祖而讀眠」《校勘記》云：「《考文》之宋板即惠棟所校之宋本，今惠校作『祖』，《考文》作『袒』，疑『祖』誤也。」）惠校所據實非潘氏舊藏本（說詳汪紹楹〈阮氏重刻宋本十三經注疏考〉），《七經孟子考文》所據日本足利學校藏本亦無影印本，版本實情無由驗證。但小小異同仍不足以疑其非出八行真本。（2013 年補注：筆者正在編輯影印八行本，並收足利本與潘氏珂羅版，近期由北京大學出版社出版。又，常盤井賢十撰《宋本禮記疏校記》1937 年出版，可參。）

今就《校勘記》所引八行本文字核校撫本，知八行本經注與撫本大多一致。其偶有不同者，《撫本考異》云：「凡彼（案：謂《七經孟子考文》）所據宋板與此（案：謂撫本）歧者每誤。」其實亦有撫本誤而八行本不誤者，如〈曲禮上〉注「定，安其牀衽也」，《七經孟子考文》引宋板如此，撫本「定安」二字倒，《校勘記》、《撫本考異》並謂「定安」為是。要之，八行本文字可考者，有惠棟校宋本、《七經孟子考文》引宋板與潘氏舊藏本，三者之間不無異同，而基本一致；八行本經注文字與撫本之間亦不無異同，而大抵相同。

四　余仁仲本

彭元瑞《石經考文提要》校《禮記》經文，曾用余仁仲本。《天祿琳琅書目後編》著錄者即彭元瑞所見本，《後編》條錄余仁仲本經文之優於監本者，全出《石經考文提要》。然天祿琳琅本後不見藏書家著錄，蓋已亡佚（2013 年補注：此本卷一至九在上海圖書館，卷十至二十在北京圖書館，參張麗娟先生《宋代經書注疏刊刻研究》、劉薔先生《天祿琳琅研究》，兩書均由北京大學出版社出版。）；《校勘記》、《撫本考異》皆不引余仁仲本，可見流傳之稀罕。民國二十六年來青閣影印余仁仲本，附王蔭嘉、王欣夫跋及《余本岳本對校簡記》。此本完好無

損，後經周叔弢收藏，今歸北京圖書館。來青閣影印本今亦不易得，幸有
臺灣學海出版社影印本，仍可購得。

　　余仁仲刻《公羊》在紹熙二年（1191），刻《穀梁》在紹熙四年（可參《書
林清話》及張政烺〈讀《相臺書塾刊正九經三傳沿革例》〉。2013 年補注：又請參考張麗娟學姐〈南
宋建安余仁仲刻《春秋穀梁傳》考〉，見 2009 年中國國家圖書館出版社出版《版本目錄學研究》第一
輯），則其刻《禮記》當與八行本（紹熙三年）幾乎同時，上去撫州本（淳熙四
年，1177）亦不足二十年。然其經注文字與撫本、八行本大異，而十行本與
此大同。就《校勘記》十行以下諸本與撫本、八行本相歧之處（「十行以下諸
本」謂十行及閩、監、毛本等，撫本即所謂「宋監本」，八行本則「惠棟校宋本」或《考文》引宋板），
核校余本，則余本與十行本，十有九合（十行本自致誤者，上無所承，而下為閩、監、
毛本所因襲。如此則十行以下諸本與撫本、八行本不合，與余本亦不合）。如〈表記〉注「節
以其行一大善者為諡耳」，撫本、八行本如此，而十行本「節」訛「即」，
余本與十行本同。〈昏義〉注「教之者女師也」，撫本、八行本如此，而十
行本涉上文誤衍作「教成之者」，余本與十行本同。〈儒行〉「慎靜尚寬」，
《唐石經》如此，撫本、八行本訛作「而寬」，十行本更作「而尚寬」，余
本與十行本同。〈射義〉「反求諸己而已」，《唐石經》、撫本、八行本涉上
文誤倒作「求反」，十行本作「反求」不誤，余本與十行本同。諸如此類
小小異同，皆余本與十行本同而與撫本、八行本不同，隨翻即得其證，不
勝枚舉。又如〈曲禮上〉「言不惰」注「憂不在私好」，撫本、八行本如此，
而余本下更有「惰不正之言」五字，十行本與余本同（《校勘記》、《撫本考異》
均謂此五字據正義而衍，王欣夫跋余本則以為此五字乃鄭注原文）。凡此種種，皆可證撫本、
八行本為一類，余本、十行本為一類，文本系統判然有別。

　　撫本《釋文》在全書之後，興國于氏本「音義不列於本文下，率隔數
葉始一聚見」（《九經三傳沿革例》語），至余仁仲本乃將《釋文》分系於經注之
下，是余仁仲本之體例特點，且為十行本所因襲。但「《唐石經》——宋

監本系統」文本與《釋文》所據經注文本來源不同，每多歧異，有不可強合者。今余本《釋文》緊接經注之下，則其間齟齬不得不顯。因此余本有依《釋文》改移經注文之例，如〈曲禮上〉注「晉舅犯」，撫本、八行本如此，《釋文》出「咎犯」，云「其九反」，是所據注文不同。而余本改注作「晉咎犯」，並載《釋文》「咎，其九反」。何以必知余本竄改正文，而非所據底本原出《釋文》系統舊本？則余本經注之與《釋文》不合而與「《唐石經》──宋監本系統」相同者，俯拾皆是，尤以「《唐石經》──宋監本系統」文字與《釋文》「本亦作」同者，余本正文皆與「《唐石經》──宋監本系統」同，是余本經注非屬《釋文》系統。又有余本改之不盡者，如〈學記〉「燕譬廢其學」，注「褻師之譬喻」，《唐石經》經文、撫本經注如此，而《釋文》出「燕辟」，云「音譬，注及下『罕辟』同」，是《釋文》本上下皆作「辟」。余本改此經「譬」作「辟」，而注及下經「罕辟」仍作「譬」，是改之不盡者。〈大學〉「人之其所親愛而譬焉」，情況全同。是知余本所據經注文字本不合《釋文》，職因經注文下緊接《釋文》，故有稍改經注以牽合《釋文》之例。《釋文》出經注文字，下有音義，若改《釋文》所出經注文字，則音義遂不可解。因此只得改移經注正文，從便耳。（偶亦有余本改《釋文》以就經注者，如〈曲禮〉「暑毋褰裳」，《釋文》作「鶱」，而余本《釋文》仍作「褰」，是其例。）今更以十行本相校，則凡此等處，正文、《釋文》之改與不改，十行本與余本全同。又案：十行本《釋文》訛字有與余本同者，如《月令・仲夏》《釋文》「句龍，古侯反」，十行本「反」訛「同」，余本同。〈內則〉《釋文》「糟，子曹反，徐徂到反」，十行本「徂」訛「但」，余本同。諸多例證，足以證明十行本經注、《釋文》均與余本同出一源。

　　然則十行本經注、《釋文》文本是否以余本為底本？曰：似是而尚未可必。案：有十行本誤脫文字，適在余本改行處者。如〈檀弓下〉注「多服此者」，十行本誤脫「此」，而余本「此」字恰在行首。〈王制〉「斑白者

不提挈」，十行本誤脫「者」，而余本「者」字恰在行首。又如〈曾子問〉注「內子大夫適妻也」，十行本誤脫「適」，而余本「適」字恰在行底。〈表記〉注「不為回邪之行以要之」，十行本誤脫「以」，而余本「以」字恰在行底。又注「言述行上帝之德」，十行本誤脫「之」，而余本「之」字恰在行底。頗疑此等誤脫，因十行本以余本為底本，而偶忽行首、行底一字，或底本行首、行底有缺損所致。然十行本訛誤極多，情況複雜，僅此數證，尚不得論斷。又案：十行本形訛字，如「少」訛「以」，「其」訛「莫」，「銜」訛「禦」，「貝」訛「具」等，核以余本，則見余本字體極易訛誤，十行本或因余本而訛。然十行宋本今不可得見，此等訛字亦不知為十行宋本始刻之訛，抑為十行補版、重刻之訛。因十行本亦屬建本，字體亦與余本相類，不得據此等形訛遽謂十行本以余本為底本。又案：亦有余本訛誤而十行本不誤者。如〈喪大記〉《釋文》「散，悉但反」，余本「散」誤「去」，十行本不誤。要之，十行宋本之原貌既不可得，種種推測終不得定論。若云十行本經注、《釋文》以余本為底本，尚無確證；若云其底本非余本，亦無依據。不若謂十行本經注、《釋文》文本與余本同出一源，較為穩當。但八行本經注文本與撫本之關係，僅得泛稱同一系統；至十行本經注、《釋文》文本與余本，則關係極近，非八行與撫本之比。

又，此本亦經多處校改，行字不同。如〈曲禮下〉注「眾介北面鏘焉」，撫本及毛居正引監本如此，惠棟校宋本及毛居正引興國于氏本作「蹌焉」，十行以下諸本皆作「鏘鏘焉」。今案余本擠補一字作「鏘鏘焉」，是余本初刻作「鏘焉」或「蹌焉」，校者重字，始與十行以下諸本同。又如〈檀弓上〉注「東西南北，言居無常也」，撫本、《考文》引宋本如此，十行以下諸本作「無常處也」。今案余本擠補作「無常處也」，是余本初刻無「處」字，校者補字，始與十行以下諸本同。《撫本考異》論撫本初刻據傳統文本，剜改據別本校改。余本是否亦如此？例證尚少，亦無別本可參，不可

的知。要之，校改後之余本文本，與十行以下諸本符合，形成一類。

五 纂圖互注本

　　《四部叢刊》影印纂圖互注本，亦洪震煊、顧千里等所未見。雖有李兆洛、吳憲澄跋論其文字之善，但所列此本善處，撫本、余本、岳本亦多不誤，則皆未見此本在諸版本中之地位。案：此本特點在經注、《釋文》之外，增添重言重意。今且不論重言重意，僅就經注、《釋文》文字而論，此本文字與余本幾乎全同。如上節舉例〈表記〉注訛「即」，〈昏義〉注作「教成之者」，〈儒行〉作「而尚寬」，〈射義〉作「反求」，〈學記〉、〈大學〉經注、《釋文》「辟」「譬」互見，〈內則〉《釋文》訛「但」，余本與十行本同，此本莫不皆同。又如〈喪大記〉《釋文》余本訛「去」，十行本作「散」不誤，而此本仍與余本同。又如〈檀弓上〉注「無常處也」，校改後之余本與十行本同，此本亦同（上節亦出〈曲禮〉三例，而此本缺〈曲禮〉，無可對校）。其此本與余本不同者，如上節論〈月令〉《釋文》余本、十行本「反」訛「同」，此本作「反」不誤。又如〈文王世子〉注「前歌後舞」，余本、十行本「舞」訛「武」，此本作「舞」不誤。〈鄉飲酒義〉注「禮者陰也」，余本「者」訛「也」，此本作「者」不誤。是知此本經注、《釋文》與余本幾乎全同，而偶有余本顯訛，此本不誤者。蓋此本為南宋末建本，所據底本當與余本幾同，或即以余本為底本亦未可知。然則，余本、十行本及此本，經注、《釋文》同屬一類，而其間歧異極少。

六 宋刻十行本

　　宋刻十行本《禮記》今不可得見，而乾隆間當有二本，一、彭氏《石經考文提要》引「劉叔剛本」，一、和珅影刻本所據。《毛詩》、《左傳》宋

十行本皆出劉叔剛，和珅影刻本亦有「建安劉叔剛宅鋟梓」木記，故知皆為宋十行本。（2013 年補注：元刻十行本《毛詩注疏》照刻宋版劉叔剛木記，當知僅據劉叔剛木記不足以定其宋刻元刻。）然此二種資料，殊難據以論宋十行本。一則宋刻亦有先後印本之別，後印本經修補，則文字與初刻原版不同（十行宋本及宋本修補等問題，可參汪紹楹〈阮氏重刻宋本十三經注疏考〉及《十三經影譜》等），彭、和所據不知是否初刻原版。二則和氏影刻剜改甚多，已非底本原貌；彭氏條錄眾多版本，校對整理或不免有訛誤。如〈曾子問〉「及反藏諸祖廟」，彭氏引「劉叔剛本」如此，而和氏影刻本「藏」訛「葬」，兩者不同。案：余本、纂圖互注本、阮元所據十行本、閩、監、毛本皆作「葬」，則宋刻十行似亦當作「葬」，疑彭氏記錄有誤。又如〈喪服小記〉「麻同皆兼服之」六字並注六十一字，撫本、余本、纂圖互注本皆有，但阮元所據十行本、閩、監本均脫，和氏影刻本擠補此數十字，重新寫版，是所據底本亦脫，而彭氏謂「劉叔剛本」有此，不得不以為疑。

元刻明修十行本，蓋據宋刻十行本覆刻，雖其缺損、訛誤愈來愈甚，但版面配字當多因仍宋刻十行本之舊。今據《校勘記》檢核阮元覆刻十行本，知其行首、行底常有誤脫、誤重字。如〈內則〉注「脯皆析乾其肉也」，撫本、余本皆如此，阮所據十行本「乾」字至行底，脫「其」字，次行首字為「肉」，閩本以下諸本均脫「其」。〈雜記上〉注「喪大記曰大夫之喪將大斂既鋪絞紟衾君至此君升乃鋪席」，撫本、余本皆如此，阮所據十行本「既鋪絞紟衾」至行底，脫「君至此君升」五字，「乃鋪席」在次行首。〈喪大記〉注「悲哀之至」，撫本、余本皆如此，阮所據十行本誤重「悲哀」，行底一「悲哀」，次行首又一「悲哀」。又如上舉〈喪服小記〉「麻同皆兼服之」六字並注六十一字，十行本似因涉上經「麻同」而誤脫。此等皆當為宋刻十行本寫版之誤，非後印本修補之誤，可見其校勘不精。

和珅影刻本卷十九第二十一葉字體與他葉不同，閩、監、毛本均缺相

應部分，阮元所據十行本亦缺此葉，蓋宋刻十行後印本已失此葉，故元刻十行本亦缺。是知宋刻十行本後印本已多缺損。

七　元刻明修十行本

元刻明修十行本，歷經修補，脫字訛誤愈來愈甚。至其後印本失初刻原貌甚遠，有尚不如閩、監、毛本者。如〈王制〉注「田肥墝有五等收入不同也」，余本、閩、監、毛本如此，而阮元所據十行本作「日肥墝有五等候入不同也」。凡《校勘記》言「閩、監、毛本作甲，此本甲誤乙」者，皆屬此類，其例甚多。是閩、監、毛本雖出十行本，所據十行本之訛謬猶不如阮元所據十行本之甚。

十行本版片缺損多在行首、行底。今用中華書局影印本《十三經注疏》，往往可見版面上下方有一大片文字均附黑三角號（如第一六三三頁中欄、下欄，即阮刻本卷五十三第七、第八葉），是十行本缺損，而此等處閩、監、毛本亦多缺字，可見閩、監、毛本所據十行本亦缺。十行本缺損處，閩、監、毛本亦有填補者。如〈月令・孟秋〉注「疾疫寒熱所為也今月令癘疾為疾疫」，十行本「也」字及「疾疫」之「疾」皆在行首，二字並缺，而閩、監、毛本妄補作「疾疫寒熱所為者今月令癘疾為厲疫」。此等閩、監、毛本補字，初無依據，憑臆填字，不足深論。

八　岳本

武英殿影刻岳本，首冠乾隆題詩，每卷後附考證，有多種覆刻本，影響深廣。據〈九經三傳沿革例〉，岳本以世綵堂本為底本，而世綵堂本以興國于氏本及余仁仲本為主，參校多種版本而成（參張政烺〈讀《相臺書塾刊正九經三傳沿革例》〉）。世綵堂本於舊本多所校改，《釋文》附加朱熹音，是其特點。

〈九經三傳沿革例〉所列參校版本今皆不可得見，且以撫本為「《唐石經》——宋監本系統」之代表，以余本為另一系統之代表，則岳本文字可謂此兩系統之合成品。為方便計，假設岳本以余本為底本，用撫本校改者，大多文字得以解釋。如〈大學〉「若有一介臣」，撫本如此，而《釋文》出「一个」，云「古賀反，一讀作介，音界」。余本附載《釋文》，故正文改作「一个臣」，以牽合《釋文》。岳本正文乃據撫本等舊本，回改作「一介臣」，因而《釋文》亦改為「介，古賀反，一音界」，不知「古賀反」自是「个」字讀音，「介」字不得讀「古賀反」，「一音界」乃是「介」字音。「《唐石經》——宋監本系統」經注文字與《釋文》所據本不相同，必欲牽合，只得改經注正文以就《釋文》，如余本所為。若改《釋文》以牽合經注正文，則《釋文》不可讀，如岳本所為。岳本所以如此者，岳本底本已附載《釋文》，如余本，而參用撫本等舊本校改經注正文，故于正文與《釋文》之齟齬，少所措意。

前人未見余本，故以岳本為善本。如上第四節論〈曲禮上〉注「憂不在私好」下十行本多出「惰不正之言」五字，《撫本考異》謂「因岳本取《正義》語附載之，遂誤入鄭注耳」。是以岳本為十行本所本。實則余本已有此五字，而岳本見撫本等舊本皆無此五字，故於其上標「○」以相隔。十行本若據岳本，亦當以此五字置於「○」之下。岳本佳處，皆見撫本與余本，而岳本糅雜兩種系統文本，非其原本。今既得見余本與撫本，則岳本已不足貴。

九 《校勘記》與《撫本考異》

《校勘記》刊于嘉慶十三年，而嘉慶八、九年段玉裁已為校訂，則其稿成編更早（參汪紹楹〈阮氏重刻宋本十三經注疏考〉）。是以嘉慶十一年顧千里撰《撫本考異》，已得見《校勘記》全稿。《撫本考異》間論校勘原則，如〈曲禮

上〉注「武謂每移足各自成跡」下云：「注例前後如此者多矣。」〈檀弓上〉「司徒旅歸四布」下云：「古本之似是而非有如此者，附辨以發其凡。」〈文王世子〉「反養老幼於東序」下云：「凡書不可輒改而經為甚，其例視諸此。」〈禮運〉「夏則居橧巢」下云：「苟云傳寫誤，豈鄭傳寫經誤耶？將孔、陸傳寫鄭而誤也？何《御覽》獨不得有傳寫誤乎。斯不然矣。」又「十二食還相為質也」下云：「凡書以所引改本書、及以本書改所引，而其弊有不可勝言者。顧千里持此論，予以之為然。」〈儒行〉注：「充詘喜失節之貌」下云：「凡正義有複舉經注如其文者，有自說義而增減以順文勢者，非可一例。讀正義者最當知此也。」〈鄉飲酒義〉注「不敢專大惠」下云：「凡書必博稽而後知其例，知其例而後是非無惑。否則隨所見而懸揣之，正難免於因誤立說也。」凡此等議論，皆所以斥責《校勘記》之庸陋。具體校勘駁正《校勘記》之處，比比皆是，兩書俱在，對讀即知，今不詳論。《校勘記》備錄諸本異同，《撫本考異》條目較少，兩書固不可偏廢。然論其校勘之精審，則《校勘記》不如《撫本考異》遠甚。

　　《校勘記》成稿後，經段玉裁校訂。若《毛詩校勘記》，顧千里撰之，而其說多暗駁段玉裁。此以《校勘記》與段氏《詩經小學》、《毛詩詁訓傳定本》、《說文注》相校可知者。而《校勘記》用「〇」相隔，其下所論又反駁顧說，則當出段氏筆。（段氏校訂問題，可參汪紹楹文。汪文引《敬孚類稿》錄方楨之語，今案方氏《援鶉堂筆記榷誤補遺》云：「當榷《校勘記》時，阮以定本送段玉裁審覆，段見顧千里有所勘正，大怒，乃肆行駁改。凡今本載駁舊說者，皆是忿設詖辭，非篤論也。」此可與《敬孚類稿》所錄互證。段顧校讎問題，當另撰專文討論。）《禮記校勘記》則出洪震煊手，無甚高見，「〇」下所論多文字古今、正俗之辨而已。又如《禮運》「夏則居橧巢」下《校勘記》引洪頤煊說，誤據《左傳正義》版本訛字立說，為《撫本考異》所駁，而段氏《說文注》亦言《左傳正義》版本之訛。「〇」下所論果出段氏手，則何不為之糾正，而待《撫本考異》批駁？是「〇」下

之說是否出段玉裁，不無疑義。然「○」下稱引學者之說，僅見段玉裁，
且亦有引「段玉裁《說文注》」者。案：《說文注》嘉慶九年阮元始為段氏
刻其六篇上，撰成全稿在嘉慶十二年，至嘉慶二十年乃刻成全書。然則《校
勘記》之引《說文注》，當是段氏自引稿本，猶《撫本考異》之引「顧千
里《思適齋筆記》」耳。雖無確證，姑以「○」下目為段氏說，似無不可。

十　阮刻本

　　臺灣藝文印書館影印本仍用阮刻原本，而中華書局影印本用世界書局
縮拼覆刻本，且有描改。阮刻原本亦多訛字，如〈祭義〉「立敬自長始」，
阮刻「敬」訛「教」。諸本皆作「敬」，因無異文，《校勘記》亦未言及。
又如〈哀公問〉「如此國家順矣」，阮刻原本如此，而閩、監、毛本「如此」
下衍「則」，《校勘記》以無「則」為正，而阮刻附錄《校勘記》刪落此條，
至覆刻本擠補「則」字。是阮刻原本不誤，覆刻本誤。阮刻原本之訛不少，
覆刻本有改正者，亦有改誤者。

結論

　　上文討論《禮記》經注文本，認為《唐石經》、撫州公使庫本、八行
本為一類，《唐石經》為始祖，撫本為現存最精最完本；余仁仲本、纂圖
互注本、十行本以及閩、監、毛本為一類，余仁仲本不妨假設為此類文本
之淵源，纂圖互注本與余仁仲本幾乎全同。岳本則介乎兩類之間。明乎此，
考論版本異文有方矣。如阮刻本〈射義〉注：「〈騶虞〉、〈采蘋〉、〈采繁〉，
《毛詩》篇名。」此必有訛誤。〈騶虞〉、〈采蘋〉、〈采繁〉皆《國風》名
篇，不獨《毛詩》，三家皆有之，鄭玄必無言「毛詩」之理。然《校勘記》
無說，豈諸本皆如此者？此必需核查版本。版本眾多，當查何本？則先查

余仁仲本為便，因余本之經注文本姑可目為十行本所自出故也。若無余
本，查纂圖互注本亦可，因其文本與余本相差無幾。檢余本、纂圖互注本
此注作「今詩篇名」，正可與下文〈狸首〉逸」相對，亦合鄭氏語例，是
作「今詩」為正，「毛詩」為訛，斷然可知。然則「毛詩」必無所依據乎？
更查撫本或八行本，可決此疑。今案頭無八行本，且查撫本，亦作「今詩
篇名」。至此可斷舊本皆作「今詩」，其作「毛詩」者，後世版本之訛字。
若必欲究明訛字所由來，則可查閩、監、毛本（東京大學東洋文化研究所網頁可查
閱閩本、毛本全部書影。京都大學人文科學研究所網頁可查閱閩本全部書影）。此處閩、監、
毛本皆不誤，則十行本亦當不誤，是知此乃阮元刻本之訛字，因其訛出於
阮本，故《校勘記》亦無說耳。若閩、監、毛本已訛者，則可推測其訛起
於十行本。版本異文當知其意義，必須辨其為版刻偶訛乎？抑或傳統異文
乎？版本眾多，若不識其版本系統，則無從考辨，是此小文不得不作矣。
當世專家更進而為之全面詳細研究，固所企望也。

　　十行本訛誤極多，其中有宋刻十行原本之誤，亦有元刻明修之誤，錯
綜複雜。而洪震煊、顧千里等未見余本、纂圖互注本，因而未能論析此等
訛誤之由來以及十行本與八行本之關係（王欣夫跋謂〈曲禮上〉注十行本衍「惰不正
之言」五字，實出余本，可謂特識）。今得余本、纂圖互注本相校，始知十行本所
據底本當如余本，亦知十行本與八行本之間初無直接之關係。

　　錢大昕《養新錄》卷十三有云：「南宋初乃有並經注、正義合刻者，
其後又有並陸氏《釋文》附入經注之下者。」今案：先有八行經注、疏匯
本，後有十行經注、音、疏匯本，事實如此。然十行本編輯之實況，乃非
據經注、疏匯本附入《釋文》，而用經注附《釋文》之本附以疏而成。是
則錢氏此言，雖不誤，亦難稱精確。

書評：汪少華《中國古車輿名物考辨》

　　本書緒論引許嘉璐先生語：「傳統『小學』原本對文化現象是十分關心的，但是當它向前邁出關鍵性的一步，比較徹底地離開了經學附庸的地位之後，也就遠離了文化。……傳統『小學』產生和發展的土壤原本就是文化，或者說『小學』就是為文化的闡釋而產生的，而那個時期文化的最集中的記錄則是經書。」此話提出較深刻的問題，只有像許先生這樣的權威學者才敢講，而且許先生也只講到這裏。「文化」一詞可以包含人類認知的一切內容，而且小學闡釋的對象畢竟是語言。因此，「小學產生和發展的土壤是文化」，實際上幾乎等於說「小學產生和發展的土壤是經書」。小學「離開了經學附庸的地位之後」，也就離開了小學產生發展的土壤，這就是現代訓詁學的尷尬處境。傳統訓詁學主要的闡釋對象是經書，失去主要闡釋對象的小學，如同無米之炊，不知能做出什麼飯來。筆者作為行外人，感覺近二十年來訓詁學家研究的重點似乎在中古以後辭彙、敦煌俗字等，包括經書在內的先秦兩漢經典文獻的訓詁研究並不活躍。出現這種情況，懷疑除了避熟就生等現實考慮外，「經學附庸」成為一種咒語，束縛了學者的思想，未嘗不是一種原因。且不論外行人妄言是否得當，現在作者汪先生毅然研究先秦兩漢車制，以〈考工記〉、《左傳》等傳統經典中詞語為一方面研究對象，猶如空谷足音，反而顯得新鮮。本書另一方面研究對象是出土遺物。在訓詁學和考古學的交叉點上，作者對照文獻和古器物進行研究，是本書的突出特點。作者考慮到讀者或不熟悉有關研究情況，引錄前人有關論述務求詳備，致使外行人如筆者也能容易理解問題所在，這對作者的考訂也增添了格外的說服力。本書對所有關心經學、古代

車制以及傳統訓詁的人，無疑都是絕好的一部書，值得極力推薦。定價十五圓也很有良心，完全適合雅俗共賞，如果因為封面不太美觀並且標有「孫詒讓研究叢書」七個字，讓人誤以為內容既專又偏，未免可惜。本文目的不在幫出版社銷售，更無意討好作者個人，但筆者仍然希望更多人有機緣閱讀這種好書。

既然是「考辨」，本書主旨不在於提供系統知識。筆者喜愛本書，也不僅因為通過本書獲得一些知識而已，更重要的是本書考辨具有尖端性，論述又較穩妥，因此能夠引發我們對學術方法的思考。這一點或許是作者初意不到的，同時也是《中國學術》的讀者會比較關注的。「作者未必然，讀者何必不然」，一部好書的效應，往往不會局限在作者的意圖範圍之內。

作者自述自己的研究具有「訓詁學向考古學、科技史靠近和介入」，在其間「建立橋樑」的意義（見〈緒論〉）。這些學科之間的關係，值得思考。《漢書・藝文志》「六藝略」當中，《爾雅》歸《孝經》類，與《倉頡》、《急就》等屬「小學」類不同，說明今日所謂小學的內容不完全包攝在經學範疇內，而訓詁經典《爾雅》則屬於解經性質。「多識於鳥獸草木之名」也是《詩》學的一端，魏人糜信解剖蛤蟆以論〈月令〉「反舌」（見〈月令〉疏、《太平御覽》等），清人程瑤田參考實物作《九穀考》，似乎都有一種科學實證精神。但經學畢竟以探討經義為準的，不能與科學研究等同視之。錢大昭自序《三國志辨疑》說：「注史與注經不同：注經以明理為宗，理寓於訓詁，訓詁明而理自見；注史以達事為主，事不明，訓詁雖精無益也。」屬於經學的訓詁學，追求闡明經書義理，不以考訂歷史事實為目的。比如〈考工記〉賈公彥疏對器度數字不厭其煩地說明計算方法，而對名物考實全不措意，假如鄭玄注說「如今之某物」，賈疏只說「鄭舉漢法以為況」，不管此物形狀如何，因為具體形狀與經義無關。乾隆年間林喬蔭自序《三禮陳數求義》說：「舍義而陳數，固無由見先王體性達情之故；而舍數而專言

義，又何所據而得其明備之實。則是二者不可偏廢，而因數尋義，庶幾近之。」光緒間朱一新《無邪堂答問》也說：「有經學家之小學，有金石家之小學。」所以經學家的訓詁在現代人看來往往不合理。僖公二十八年《左傳》「晉車七百乘，韅靷鞅靽」，杜注：「在背曰韅，在胸曰靷，在腹曰鞅，在後曰靽。」本書第一一九頁，作者贊同許嘉璐先生「靽是套在馬臀部的皮帶」的觀點，但文獻上見到的「靽」（或「絆」）都是拘絆馬足的繩子，見不到「靽」作為「套在馬臀部的皮帶」的例子，所以只能「推測《左傳》的『靽』有可能是類似『緧』『鞧』的鞁具」。孔穎達的解釋與此不同：「驂馬挽車，有皮在背者，有約胸者，有在腹為帶者，有縶絆其足者。從馬上而下次之，『在後』正謂在足是也。」靽是拘絆馬足的繩子，和杜注說「在後」似乎矛盾。孔穎達解釋說，杜注「在背」「在胸」「在腹」「在後」，應該是由上而下的次序，所以「在後」實際上就是「在足」。誠如作者批評，孔穎達這種解釋十分牽強，不能說明杜注為什麼說「在後」而不說「在足」。但孔穎達至少勉強作了解釋，並且對經文「韅靷鞅靽」四物列舉的次序也給出了條理。以「在後」為臀部，認為「靽」是臀部的皮具，但不知為何物，固然是科學的態度。但科學有時無法滿足經學的需要，所以經學有自己的解釋方法，儘管這種牽強的解釋也被後來的經學家糾正。

先秦兩漢車制，當時的工匠自然非常清楚，當時乘坐的貴族們對車上各部位的名稱也應該熟悉。考古學家渠川福先生認為：「目前，已有數以百計的先秦古車標本出土，比之漢代學者，我們雖然年代更為久遠，但條件反而可謂是近水樓臺，得以不斷增加的新的實物資料與〈考工記〉以及其他先秦文獻進行直接的對比研究。至於對漢人及歷代學者的釋說，我們的基本態度應當是參考而不盲從，擺脫而不拋棄，畢竟他們的成果還未可一筆抹殺。」（本書第21頁引）筆者相信渠先生是一位優秀的考古學家，對先秦古車遺物有深入研究，所以能自信如此。渠先生的說法固然有一定的道

理，可惜他不研究歷史文獻，所以一提到文獻，並沒有任何優勢，只能甘拜漢人的下風，這是注定的。何以見得？我們且先看藍永蔚先生的觀點：「出土文物帶有一定的偶然性和片面性，而文獻記載具有規律性和普遍性。文獻記載自然也有傳訛不實者，但經過訂正辨偽之後，仍是最主要的科學資料。特別是包括《詩經》《周禮》在內的儒家經典，自漢以來研習不衰，師承家法門戶森嚴，其學術淵源的清晰可辨，保證了其詮釋的科學性。……東漢去古不遠，鄭玄、服虔等人為一代宗師，其對諸經的詮釋均據有不容置疑的第一手資料，如果沒有充足的論證，是不好輕易推翻的。」(本書第17頁、第181至182頁引) 我們從先秦的實際語言開始考慮，誠如本書(第96頁) 引王力說，「語言是社會的產物，詞的意義是被社會所制約著的」。但語言完全同質的社會範圍相當小，階層、地方、時間都造成不同程度的語言差異。後來有人載之文籍，用的是文體語言，或許有類似普通話性質，已經與口頭實際語言不同，在擴大通用範圍的同時，這種語言具有較多的人為因素。之後這些文籍被口誦、傳抄，中間不斷地經過不同程度的改編。近年來出土戰國及漢代帛書、竹簡，證明傳世古籍都淵源有自，並非後人杜撰，同時也顯示在具體字句上，和傳世古籍之間仍有較大距離。借用藍先生的句法，可以說「出土文獻帶有一定的偶然性和片面性，而傳世文獻具有規律性和普遍性」。馬王堆《周易》、郭店《緇衣》等都是當時可能存在的千百種各不相同的文本中之一種，與傳世文獻無論什麼版本都大同小異的情況不可同日而語。不難推想，從經書的萌芽形成開始，一直到漢魏注家編訂以前，一種古籍的不同傳本之間以及各種不同古籍之間也經常發生互相影響，因而加大了經書的普遍性。乾隆間學者褚寅亮寫《宮室廣修考》，根據經書等文獻記載，考訂周代士階層宮室各部位的長度，如東西序內六丈，序外兩夾室各廣一丈五尺，兩房一室各廣二丈等等，不可謂不詳審，但這些數字意味著什麼？周代士階層居住的房屋，每家都按一張圖

紙做得一模一樣？這種設想顯然不合情理。但經學家必須這樣考訂，才能達到他們追求經義的目的，這就有一種抽象、概念性。經學必須將經書字句的意義一一講通，而且還要在各種不同的經書以及其他古籍記載之間，互相參證，解決其中的矛盾。然而經學的這種抽象、概念化傾向，不僅體現在漢以後學者的研究注釋中，也體現在經書文本逐漸固定化的過程中。總而言之，先秦古籍尤其經書的記載，包含較大的普遍性以及抽象、概念性，與先秦任何時間、地點的實際語言以及具體事物都不完全符合。渠先生雖有「新的實物資料與〈考工記〉以及其他先秦文獻進行直接的對比研究」的設想，兩者之間不一定有直接的對應關係，這是通過經書等文獻進行名物研究的第一點問題。第二點更加嚴重的問題是，我們今天傳習的經書文本莫不經過漢魏學者校訂注釋，如《三禮》經過鄭玄整理，而鄭玄以前的情況，即便「師承家法門戶森嚴」，能夠窺知的具體情況亦不過九牛一毛。藍先生說「文獻記載自然也有傳訛不實者，但經過訂正辨偽之後，仍是最主要的科學資料」，但我們的訂正辨偽工作，其實以恢復鄭玄等校訂的原貌為最終目標，一般而言，無法再追溯到鄭玄等人校訂以前的狀態。試想我們看到的〈考工記〉是鄭玄校訂注釋的〈考工記〉，文本、字句都是鄭玄手訂的，豈能有人做出比鄭玄自己更精確的詮釋？顯然無此可能，除非鄭玄的解釋自我矛盾，或者和其他先秦古籍之間有矛盾。可見藍先生說漢人的詮釋不好輕易推翻，的確如此，但這不是因為鄭玄他們的詮釋精確無誤，而是因為今天我們沒有比鄭玄他們更早的文獻資料可以拿來對照，進而判斷鄭玄他們的正誤，只好以鄭玄他們的理解為唯一標準。從文獻學的角度看，我們只能滿足于瞭解鄭玄理解的先秦車制，知道鄭玄指稱的部位概念，做到這一點已經相當不容易。然而這樣瞭解到的概念，自然無法與具體的出土遺物之間打上等號。這種問題並不困擾經學家，因為他們研讀的是聖賢編寫的經書，探討的是經學大義，本來不怕抽象、概念

性。但訓詁學如果「離開了經學附庸的地位之後」，就要面對這一理論難題。哪一天訓詁學找到對此問題的答案，或許要改名為歷史語言學也不可知。至於考古學家直接研究古車遺物，可以突破鄭玄的局限，知道鄭玄所不瞭解的先秦古車細節。但對車上各部位最好自己起名字，不要「與〈考工記〉以及其他先秦文獻進行直接的對比研究」，因為所謂的「〈考工記〉以及其他先秦文獻」並不是考古挖掘出來的先秦遺物，而是屢經歷代學者改造的傳世品，這一差別相信考古學家應該最能清楚。

對漢魏注家以後的經學情況，我們擁有較多資料，有可能做到「其學術淵源的清晰可辨」，而且經學學說的沿襲性又十分突出。歐陽修說的好：「後之學者因跡前世之所傳而較其得失，或有之矣；若使徒抱焚餘殘脫之經，倀倀於去聖千百年後，不見先儒中間之說，而欲特立一家之學者，果有能哉？吾未之信也。」(〈詩譜補亡後序〉) 南宋衛湜贊同此說，編撰《禮記集說》，其〈後序〉說：「竊謂他人著書，惟恐不出於己；予之此編，惟恐不出於人。……蓋後人掇拾前言，而觀者據新忘舊，莫究所始，先儒之書日就湮晦，此予之所慨歎而《集說》所由作也。」只有通過搜集對比先儒著作，辨析何說為因襲舊說，何說為作者創見，才能看到經學學說的發展，也只有通過這一方法，才能瞭解某一觀點的創立是由何人在何等思想背景下發生。可惜衛湜慨歎的「據新忘舊，莫究所始」狀態，在他以後也沒有得到有效改善，至今談論經學的言論很少免此失。解決這一問題，有待於經學史以及文獻學人員的努力。

作者同時研究文獻資料和出土器物兩方面，在訓詁學和考古學之間搭建了橋樑。細想起來，研究出土器物的固然是考古學，但根據古籍對這些器物的各部位定名，並不是考古學固有的研究範圍。考古學的核心內容應該是系統地整理古代遺跡、遺物，然而在此基礎上結合文獻資料進行考訂，屬於不同層次的研究，更接近歷史學以及訓詁學。在此意義上，正如

作者所說，研究器物名稱是訓詁學「自家的傳統職責」（本書〈緒論〉語）。作者充分利用考古學的成果，雖然對考古學家的名物考論進行分析評論，但對考古學的基礎工作，諸如挖掘、考訂年代、拼合整理等，則全面接受考古學家的說法，並不置疑。這說明考古學家的基礎工作做得好，所以能夠給名物考訂工作提供可靠的基礎。反過來看，文獻學的基礎工作顯得十分滯後，這一點在本書中也有所反映。如第六十頁引「宋衛湜說」，注「《禮記集說》卷九，文淵閣四庫全書本。」正如上文所引，衛湜說明自己編《禮記集說》「惟恐不出於人」，書中可有他自己的說法？核查《禮記集說》，知此處引文乃衛氏引「長樂陳氏」說，出陳祥道《禮書》第一四四卷。（劉氏《論語正義》也引用陳說。）衛氏慨歎「據新忘舊，莫究所始」而編《集說》，結果所載先儒觀點竟被當作衛湜說，頗有諷刺意義。又如第一四五頁說明「『重較』之『重』，歷來讀為平聲」，注 1「陸德明《經典釋文》注『直恭反』，朱熹《詩集傳》注『平聲』（文淵閣四庫全書本卷二）。」檢《詩集傳》二十卷本作「直恭反」，可見朱熹因襲《經典釋文》的反切，後來的八卷本改為「平聲」，簡單化而已。又如第四四頁說「唐代的蕭嵩與杜佑不約而同地記載《大駕鹵簿》」，注 2「分別見《大唐開元禮》卷二、《通典》卷一百零七。」其實《通典》卷一〇六至卷一四〇名曰「開元禮纂類」，重編抄錄《大唐開元禮》，內容自然重複，談不到「不約而同」。又如第二二五頁引宋林㟽說：「柲，弓檠也。弛則縛之於弓裏，備損傷，以竹為之。閉，一名柲。綏，系也。一曰置弓柲裏，以繩綏之。〈弓人〉注『綏，弓柲』，此義也。」注 5「《毛詩講義》卷三，《文淵閣四庫全書》本。」今案〈小戎〉孔疏：「〈既夕記〉說明器之弓云『有柲』，注云『柲，弓檠也；弛則縛之於弓裏，備損傷也，以竹為之』，引《詩》云『竹閉緄縢』。然則竹閉一名柲也。言『閉，綏』者，《說文》云『綏，系也』。謂置弓柲裏，以繩綏之，因名柲為綏。《考工記‧弓人》注云：『綏，弓柲……』……。」

兩相對照，因襲之跡斑斑可見，林罟并無己見，這也符合《四庫提要》對此書「大都取毛鄭而折衷其異同」的評語。引林罟說作為孔疏說的旁證，無異以複印件來證明原件，「以水濟水，誰能食之」。凡此等問題，都是忽視各種文獻的不同意義，不考慮文獻中文句的來源，以致引用失當。筆者在此，無意貶損本書，也不想以這些問題為大醇小疵、美中不足等。因為這些問題固然存在，但并不影響本書考訂的穩妥性，而且訓詁學家對文獻、版本等問題從來不太在乎，拿此類問題求備於作者，猶緣木求魚。以當代學者為例，黃焯先生為《黃侃手批說文解字》寫〈弁言〉，說「其底本乃清孫星衍仿宋刻大徐本」，其實據影印本看，刻字拙劣，行數不同，絕非孫氏原本。徐復先生為江蘇古籍影印本《經傳釋詞》寫〈弁言〉，說「始刊于嘉慶三年」，「採用王氏家刻本影印」，皆誤（辛德勇先生《未亥齋讀書記》有說）。直到最近中華書局新出的《揚雄《方言》校釋匯證》，〈前言〉說「曾用下述宋本，即福山王氏天壤閣覆刻本、日本東文研藏珂羅版宋刊本、日本靜嘉堂文庫藏影宋抄本、藏園據宋慶元本覆刻本、華陽王氏重刻宋刊本、四部叢刊影傅氏藏宋本。其中藏園覆刻本卷十三末有『湖北黃岡陶子麟刊』八字，蓋上海圖書館所藏藏園覆刻本即陶子麟覆刻本。」兩句話充分顯示編者對版本文獻學的不熟悉。這些版本都是宋本的複製本，不能叫宋本。珂羅版是傅增湘做的，國內各圖書館都有收藏，不知何必冠以「日本東文研藏」。幾種複製本的底本是同一宋慶元本，而或稱「覆刻本」，或稱「據宋慶元本覆刻本」，或稱「重刻宋刊本」，說明編者對這些版本的意義、價值無所體會，盲目因襲別人使用的稱謂。陶子麟是刻書者，出版者是傅增湘，本來就是一回事，不煩「蓋」「即」猜想，而且所謂「華陽王氏重刻宋刊本」懷疑亦即傅增湘覆刻本，因為傅增湘覆刻本後附華陽王秉恩校記才被誤認為華陽王氏所刊。總而言之，訓詁學家往往表現對版本文獻的不理解，然而這仍不妨他們作為出色的訓詁學家。段玉裁是公認的小

學大師，而比較側重經學，因此他的學說多一份抽象、概念化因素。他在主觀上也重視版本，但他對版本的認識仍然十分粗淺，這一點筆者有十足的把握敢講，儘管對段氏的經學、小學仍然佩服得五體投地。王念孫、王引之研究小學，經學色彩相對淡化，《讀書雜誌》的研究對象是史書、子書，王引之更聲稱「吾治經，于大道不敢承，獨好小學」。二王比段玉裁更重視版本，而且善於利用。但即便二王，對版本文字的認識還有較大問題，如他們往往據類書引文改字，而文獻整理專家顧千里等對此表示應當慎重，因為類書產生訛字的可能性一般不會比原書更小。可見訓詁學家和文獻學家的立場不同，訓詁學家的目的在於講通古書上的詞句，所以用古書語言的各種規律來解釋文本，務求合理。文獻學家的目標在於保存古籍文本盡可能原始的面貌，不怕講不通，因為歷史上實際存在過的各種文本理當包含各類錯訛，壓根不可能是盡善盡美的理想文本，不能要求合理。當然這兩者本應相輔相成，不宜互相排斥，甚至無需在文獻學和訓詁學之間劃清分界線，但實際上學者或側重於訓詁，或側重於文獻，不能兼備。

電子版《四庫全書》對我們讀書提供了莫大的方便，用此利器，轉眼間可以搜集大量詞例。有很多古籍從來沒有見過，通過詞語檢索才第一次認識，如林岊《毛詩講義》筆者還是第一次看到。我們的視野一下子開闊很多，但我們的文獻目錄學遠遠沒能跟上去。投入大量資金、人力，發揮尖端電腦技術，這在短時間內成就了電子版《四庫全書》。可是對其中每一部書進行目錄學研究，需要靠文獻學者的長期努力，而我們在這方面投入得太少而且太分散。上文指出本書中出現一些引用不當的現象，反映的就是這一問題。用電子版《四庫全書》檢索得來的例句在文獻傳承上具有什麼意義，往往被訓詁學家忽視。文獻學對每一部古籍以及其中每一句話的來源及傳承過程都應該分析清楚，好像考古學對每一件出土遺物都要說明出土在什麼地層、什麼狀態一樣。的確，一部古籍所包含的問題遠比一

件出土遺物複雜，可是這種基礎工作還是必要的。若有文獻學家對《方言》版本進行過目錄學研究，分析各版本的意義、價值，像《校釋匯證》這種書應該能做得更好。標點整理工作，也需要追求更完美。本書第一三九頁、一四七頁兩處引《周禮正義》「則周時已有金薄繆龍明金耳，不徒為漢制也。」應該作「則周時已有金薄繆龍，明金耳不徒為漢制也。」。第一七六頁引《周禮正義》「少鍥其軸而夾鉤之，使軸不轉鉤。軸後又有革以固之。」應該作「少鍥其軸而夾鉤之，使軸不轉，鉤軸後又有革以固之。」這些地方作者直接抄錄中華書局點校本，錯誤在中華本。(標點之目的在於方便閱讀，但事與願違，往往出現不應該出現的錯誤。筆者認為，學者引用時可以逕改，不必照錄這些錯誤，除非討論標點問題)我們應該努力減少這些錯誤。假如這些問題都得到妥善解決，本書引用歷代文獻更有條理的話，各種學說的來龍脈絡顯然可見，論述會具有歷史層次的立體感，印象更加厚重。

　　文史哲不分家，沒有訓詁學家不讀經書的。經學史、訓詁學、文獻學、名物學，互相之間密不可分，不應該條塊分野，更不可以存門戶成見。現在本書作者勇敢地跳出訓詁學的藩籬，深入考古學領域，探討名物學，獲得了可喜成果，是我們的好榜樣。在此期望文獻學方面進一步加強努力，使得整個國學有更完整、更健康的發展。

古籍整理的理論與實踐

　　臺灣過去的古籍出版以影印為主，近來文哲所大力開展清人著作的點校整理工作，可謂有劃時代意義。筆者作為愛好者，一直關注古籍整理出版事業，並在實踐中對各方面問題有所體悟。祇是過去無意表述，沒有形成系統成熟的看法。這次奉林慶彰老師之命，試整理陋見，以作彙報。由於能力有限，論述不免零碎且多重複，概念也不夠清晰，敬請各位諒解。

一　理論

（一）古籍整理的基本概念

　　我們平常閱讀的古籍，大多是現代工業產品。能夠用二十世紀甚至二十一世紀的資料來討論研究歷史問題，是因為我們相信其中的文字內容直接或間接地反映古代情況。古人根據某些材料，基於某種思想，採用特定的語言方式來撰作一部著作，該著作經過轉抄、翻刻流傳到今天。有些書撰寫時間很長，也有些書經過多人、多次的改編，情況很複雜。通過古籍討論古事，必須了解我們手中的文字如何直接、間接地反映歷史現象以及古人思想。分析這些具體情況，以方便讀者了解，乃是古籍整理的目標。

　　古籍整理的出發點是版本。調查各種現存傳本，分析其間的關係，是版本學的任務。在版本學研究的基礎上，結合各種文獻資料，研究這些不同版本上的文字有何特點，有何意義，如何直接或間接地反映古代情況，換言之，了解此書撰作以及流傳的來龍去脈，應該說是版本目錄學的任務。在此基礎上，再深入研究不同版本上的文字，分析整理各種異文的不同意義，乃是校勘工作。閱讀整理好的文本，還要借助於訓詁學以及文字、

音韻學等相關知識。祇有適當解決語言問題，才能理解文本所表達的內容。這些工作都做好了，才能討論歷史現象以及古人思想。以上是單純的文獻學模式，實際上各層次的問題都互有關聯，不能割裂開來。

　　古籍整理目前最主要的工作方式是點校，在版本、目錄、校勘、訓詁各層次問題當中，校勘最值得討論。一九八七年出版的倪其心老師《校勘學大綱》是北京大學古典文獻專業的第一部校勘學教材。書中（第三章第四節）論述校勘古籍的目的和任務是「努力恢復古籍的原來面貌，提供接近原稿的善本」。這一論述應該視為比較抽象的理論概述，基本方向的確如此，但實際情況遠為複雜。「原來面貌」往往無法論定，「原稿」不如刊本也是常見情況。陳垣根據校勘史書的經驗，論四種校勘法，而強調慎用理校。若就經學古籍而言，繼承性、邏輯性明顯比史書強，校勘必須用各種經學觀念及邏輯來檢驗。總而言之，校勘的問題涉及面廣泛，不是單純的是非判斷。下面我將校勘問題與版本目錄學問題結合起來討論。

（二）書與版本的成長變化

　　今天我們看到的經書，都經過漢晉注家校訂，在那以前經過漫長的流傳過程，內容不斷變化，這一點不待馬王堆《周易》、武威《儀禮》等材料而自明。即便在魏晉以後，經書文本變化的幅度也相當大，諸多異文都是歷史存在。我們認識一部書，應該要有歷史眼光，不可以一種文本來否定其他異文。

　　今從中華書局二○○一年出版《禮記譯解》第一次印本中，摘錄三處《禮記》正文為例：

　　　　第二八七頁〈禮運〉「大道之行也，天下為公，選賢與能，請信脩睦。」

第六八五頁〈祭義〉「立愛自親始，教民睦也。立教自長始，教民順也。教以慈睦而民貴有親，教以敬長而民貴用命。」

第八二八頁〈緇衣〉「有國家者章義癉惡，以示民厚，則民情不貳。」

「請信脩睦」是十分單純的錯訛文本，《禮記》絕無這種句子，無需論證。「立教自長始」也是錯訛文本，看下文即知當作「立敬自長始」。但此錯訛并非《禮記譯解》編排之誤，而是阮刻《十三經注疏》的錯字。商務印書館《白文十三經》因襲之，黃侃批校本也失校，以黃校《白文十三經》為底本的《禮記譯解》中仍然保留這一錯字。假如道光以後的著作引用〈祭義〉作「立教自長始」，除了知道這是錯誤以外，也必須知道這是作者因襲阮元刻本的結果，并非手民之誤。「有國家者章義癉惡」情況更複雜。《禮記譯解》的底本無「家」字，就《禮記譯解》而言，「家」字純粹是誤衍字。但衍「家」字卻有先例，陳澔《集說》作「國家」，《禮記注疏》閩、監、毛本也都作「國家」。另外，「章義」陳澔《集說》及《禮記注疏》閩、監、毛本都作「章善」，是因為偽古文〈畢命〉作「章善」，《禮記釋文》已經說明「《尚書》作善」，《唐石經》初刻亦作「善」，後改「義」。《校勘記》、《撫本考異》都認為衍「家」、作「善」為錯謬，鄭注《禮記》的文本應該是「有國者章義癉惡」，而陳澔《集說》的《禮記》文本即作「有國家者章善癉惡」。如果明清人的著作裡引〈緇衣〉作「有國家者章善癉惡」，決不能說是錯誤。「有國者章義癉惡」、「有國家者章善癉惡」，兩種文本都是《禮記》文本，而且帶有不同的背景意義；「立教自長始」之與「請信脩睦」同樣不能認為是《禮記》文本，但「請信脩睦」是必需無條件消滅的錯字，而「立教自長始」是歷史存在而且有過一定影響的錯字，可以說在《禮記》文本概念的邊緣上。越是歷史長遠的經典，文本概念越複雜。書好像一個人，有成長發展，也有蛻變老化。正如一張照片不足以

代表一個人，一種文本也無法代表一部古籍。

版本的壽命較之古籍本身，短暫許多。使用時間最長的如所謂三朝本南北朝七史，南宋前期刊版，刷印使用至萬曆年間，先後四百年。但其間經過不斷的修補，至嘉靖時原版不存一葉，即南宋中期補版亦寥寥無幾。又如日本足利學校所藏明州本《文選》，版本學家認為是南宋初刊行後未經修補的印本。臺灣、日本、大陸收藏的同版書無慮十套，無不經過紹興二十八年大量修補，如日本東洋文庫藏本，據尾崎康先生調查，補刻葉已佔七八成。不足二十年時間，而七八成書版已被更換，可見一種版本也不斷在變化，而且速度相當快。

書與版本都在不斷變化，因而一個印本代表不了一種版本，一種版本也代表不了一部書。雖然如此，我們認識一部書、一種版本，并不是直接認識無窮變化的一切現象，而是形成一個概念。因此，問題在於我們如何形成書與版本的概念。

（三）書與版本之辨別

書是抽象概念，版本是具體實物。版本不能跨越時間、空間的限制，書則可以。請從《禮書通故》選兩段文字，進一步說明問題。

〈羣祀禮通故〉第四十八條引鄭玄《鍼膏肓》：「孟夏之月，令雩祀百辟卿士有益于民者。」

〈郊禮通故〉第四十條引先鄭《周禮》注：「鬱草千葉為貫，百二十貫，築以煮之鑊中。」

案〈月令〉「雩祀百辟卿士有益于民者」在仲夏，任何版本都不在孟夏。雖然如此，「孟夏」并非「仲夏」之訛。〈月令〉鄭玄注說「雩之正，當以

四月」，是鄭玄認為應該在孟夏，所以自撰《鍼膏肓》即當孟夏月令。鄭
玄原文如此，昭公七年《左傳正義》引亦如此，故黃以周也照抄無誤。可
見在鄭玄以來學者的〈月令〉概念裡，「雩祀百辟卿士有益于民者」之文
在仲夏，其事在孟夏，而其事在孟夏這一點從來沒有任何版本直接體現
過。又案：〈鬱人〉注作「十葉」，任何版本都不作「千葉」。雖然如此，
也不能認為「千葉」是「十葉」之訛。黃以周在〈肆獻祼饋食禮通故〉第
五十五條說明「先鄭『十葉為貫』，十當作千」，其說實出段玉裁《說文注》。
（《周禮漢讀考》、《周禮正義》均不見此說。）且不論他們的見解妥否，必須知道他們
相信「十」是訛字，應該作「千」，所以引用自然作「千」。他們引用的是
他們認為正確的《禮記》文本，而這種文本祇存在於他們的腦子裡，從來
沒有印在紙上。

　　每一部書的概念都具有豐富的文化含義，任何一種版本都無法代表。
但實際上經常有人不了解書的概念，根據版本胡亂校改。如中華書局點校
本《禮記集解》第五九一頁

　　　〈士虞禮〉：「尊于堂中北墉下。」〔一〕
　　　校記〔一〕：「堂」，原本作「室」，據《儀禮》〈士虞禮〉改。

按照《儀禮》的宮室概念，「堂中北墉」不可能連言。所以不必調查版本，
即可斷言《儀禮》沒有「尊于堂中北墉下」這種句子。假如有宋本如此寫，
也祇能認定是宋版訛字。底本作「尊于室中北墉下」本來無誤，校者以不
誤為誤，是因為中華書局的《十三經注疏》本作「堂」，遂謂「《儀禮》」
作「堂」，混淆了書和版本的概念。區區一個中華版，怎麼能夠動搖我們
有兩千年悠久傳統的《儀禮》概念。我們必須知道《儀禮》祇能作「室中
北墉下」，作「堂中」不過是版本訛字，與《儀禮》無關。又如第七九四頁

〈鄉飲酒義〉曰「尊于房戶之間〔一〕，

校記〔一〕：《儀禮‧鄉飲酒義》「戶」作「中」。

校記的「儀禮」自然是「禮記」的筆誤，但《禮記‧鄉飲酒義》也不可能作「房中之間」。實際上，作「房中之間」是阮刻《十三經注疏》本的訛字。與第五九一頁的「堂中北墉」不同，校者在這裡出校沒有改字，或許察覺到「房中之間」的不辭。但作者孫希旦卒後三十年才出現的版本訛字，與《禮記集解》何干？拿一極其無聊的版本偶訛字來說「〈鄉飲酒義〉」作某字，豈不荒唐？問題嚴重的如中華書局點校本《尚書今古文注疏》，〈點校說明〉有如下一段話：

校以他書的，《周易》、《尚書》、《詩經》、《周禮》、《儀禮》、《禮記》、《左傳》、《公羊傳》、《穀梁傳》、《論語》、《孟子》、《爾雅》及其注疏，用中華書局影印的清阮元重刻宋版《十三經注疏》本；《大戴禮記》用中華書局《大戴禮記解詁點》校本；《說文解字》用中華書局影印的清陳昌治據孫星衍覆刻宋本改刻的一篆一行本；《國語》及韋昭注用上海古籍出版社點校本；《周書》用《抱經堂叢書》本；《史記》及其《集解》、《索隱》、《正義》，《漢書》及顏師古等注，《後漢書》及劉昭、李賢等注，《三國志》及裴松之注，《宋書》，用中華書局點校本；《水經注》用商務印書館《四部叢刊》本；《管子》、《墨子》、《荀子》、《呂氏春秋》、《淮南子》、《春秋繁露》、《說苑》、《顏氏家訓》，用商務印書館《四部叢刊》本；《賈子》用上海人民出版社《賈誼集》點校本；《論衡》用中華書局《論衡注釋》本；《白虎通》用《抱經堂叢書》本；《潛夫論》用中華書局版汪繼培箋、彭鐸校正本；《楚辭》用中華書局《楚辭補注》點校本；

> 《文選》用中華書局影印胡克家覆宋淳熙本；《通典》、《文獻通考》
> 用商務印書館《萬有文庫》本；《太平御覽》用中華書局影印宋刻
> 本；《藝文類聚》用上海古籍出版社點校本；江聲《尚書集注音疏》
> 及段玉裁《古文尚書撰異》，用《皇清經解》本。

用大段篇幅說明自己對這些經典古籍都沒有應有的書概念，宣佈要用作者根本不可能見到的版本來削足適履，這種校勘不如不做。如第四八九頁校記〔一〕：

> 下引《大戴禮記》說明堂之制之文，見〈明堂篇〉，原誤作〈盛德篇〉，今改正。

第四九〇頁校記〔一〕同樣也將「〈盛德篇〉」改為「〈明堂篇〉」。案〈點校前言〉知點校者用中華書局《大戴禮記解詁》點校本。且不論用二十世紀的排印本校改嘉慶年間著作的荒唐，覈之《大戴禮記解詁》，引文固然在〈明堂篇〉，但〈目錄〉還有說明「許氏《五經異義》引此經文，稱為〈盛德記〉」，可以知道稱「〈盛德篇〉」確有根據。（孔廣森《補注》直接將所謂〈明堂篇〉文字歸入〈盛德篇〉。相對而言，孔廣森《補注》較之《解詁》更適合作標準注本，而近二十年來《解詁》影響力遠比《補注》大，這純粹是因為《解詁》有中華書局點校本，而《補注》沒有單行本。由此亦可見出版事業對學人讀書往往有決定性巨大影響，所以我們對文哲所的點校項目期望很深。）這一段內容，《大戴禮記》流傳版本都在「〈明堂篇〉」，孫星衍認為引此內容應該稱「〈盛德篇〉」，是孫星衍的《大戴禮記》概念如此，校者不可以拿版本來亂改。類似例子屢見不鮮，如引〈益稷〉文而稱〈皋陶謨〉，引〈有司徹〉而稱〈少牢〉，學者的書概念都不與版本文字一致，引文在所有版本上都屬〈有司徹〉，也不可以把〈少牢〉改為〈有司徹〉。又如第

五二五至五二六頁「禹平水土，主名山川，〈釋水〉注〔一〕云『從〈釋地〉以下至「九河」，皆禹所名也』」，校記〔一〕云：

> 「注」字原無。案：下引為郭璞注文，因知脫一「注」字，今逕補。

其實這兩句話《唐石經》以來各種版本都作經文，邵晉涵、郝懿行也都視為經文，孫星衍也相信為《爾雅》正文，所以引來證明禹的行事。若是郭注，作為書證也不夠分量。校者見阮元刻本此兩句刻成小字，遂斷定為郭注，應該說是孫星衍想象不到的。

中華書局點校本《禮記訓纂》第八六〇頁

> 「牖，穿壁以木為交窗也。从片，戶甫聲。〔一〕」
> 校記〔一〕：「聲」字原脫，據《說文・片部》補。

底本作「从片戶甫」與大徐本合，校者補作「从片戶甫聲」與小徐本、段注本合。蓋校者止憑段注本，論斷「《說文》」作「从片戶甫聲」，因而認為作「从片戶甫」脫「聲」字。在我們看來，《說文》的文本也很複雜，大徐本、小徐本都是《說文》，不能據小徐本否定大徐本，更不能以段注本為絕對標準。又如第八八五頁〈鄉飲酒義〉「象月之三日而成魄也」下

> 《釋文》：「魄，《說文》作霸，云：『月如生魄然也〔一〕。』」
> 校記〔一〕：「如」，原誤「始」，據《經典釋文》改。

《經典釋文》也是文本比較複雜的一部書，就這一段而言，上海古籍影印

宋版以及通志堂本均作「如」，但余仁仲本《禮記》、阮刻注疏本等附刻釋音作「始」。《說文》諸本皆作「月始生」，作「如」文義不通。再覈〈武成〉釋文云「魄，《說文》作霸，云『月始生魄然貌』」，可證〈鄉飲酒義〉釋文也應該作「始」。作「如」者宋版、通志堂本等版本訛字，（黃焯《彙校》失校。）斷不可以說「《經典釋文》」作「如」。我們手裡所持的確是版本，但讀書需要穿過版本錯訛，讀不包括錯訛的內容。否則祇不過是看版本文字，那是二十世紀、二十一世紀的工業產品，與今天報紙無異，不足以討論古人、古事。

中華書局點校本《毛詩傳箋通釋》第五五四頁

《方言》：「屝〔一〕、屨、麤，履也。」
校記〔一〕：「屝」原作「扇」，據《方言》（周祖謨校箋本）卷四改。

案：《方言》版本無論宋本、《漢魏叢書》本、戴本、盧本還是錢氏《箋疏》本，莫不皆作「屝」，未聞有作「扇」者，而且從內容來考慮，自然以「屝」為是，作「扇」不通，祇能認為是訛字。我們判斷《方言》作「屝」，不作「扇」，毫無疑問，不僅周祖謨《校箋》本作「屝」而已。現在校者不直接稱「據《方言》改」，而稱「據《方言》（周祖謨《校箋》本）改」，表面看似保守的做法，實際上是錯誤的。僅憑一個周祖謨《校箋》本，不可以校改道光年間的著作。祇有確定按照馬瑞辰的《方言》概念應該作「屝」，不作「扇」，才能校改。

中華書局點校本《經典釋文序錄疏證》〈點校後記〉云：「明顯的脫文，如言戴德授《禮經》，引《後漢書‧橋玄傳》文，卻漏引『從同郡戴德學』一句，此類情況在慎重斟酌的基礎上作了校補。」何以知為「明顯的脫文」？

何不考慮有意刪省的可能性？吳承仕此句原文如此：「《後漢書・橋玄傳》云『七世祖仁，著《禮記章句》四十九篇，號曰橋君學』，仁即班固所謂『小戴授梁人橋仁季卿』者也。」是謂橋仁為戴聖弟子，今本《後漢書》云「從同郡戴德學」自屬可疑，故刪省不錄。若補「從同郡戴德學」，與《漢書》「小戴授橋仁」不合，邏輯不通。其實此句襲用《四庫提要》語，刪省「從同郡戴德學」蓋出戴震手筆（故戴氏《經考》引《橋玄傳》，云「仁即班固所謂『小戴授梁人橋仁季卿』者也」，與《提要》同文，而出注云：「當云『從同郡戴聖學』，作『戴德』者蓋誤。」），後之學者黃以周、王先謙等皆疑此句。學者引書，對版本文字進行調整，才見他讀書的功力，否則與鈔胥鈔書無異。點校本忽視這點，據版本校改，亦不出校記，等於篡改文章，讓人誤解吳承仕撰文邏輯不通，殊不妥當。此書點校者應該是位學識深厚的學者，而且校補此句「在慎重斟酌的基礎上」才進行，這些我們都沒有理由懷疑。問題在於點校者對校勘工作的理論認識有偏差，他們不辨書和版本，只會越校越亂。

引書不是引版本文字，我們校古人引書，必須了解該書的歷史概念，根據作者對該書的認識來校引文，切忌拿我們手頭上的版本隨便亂改。

（四）附論當代學術規範

下面摘錄有關貝多芬交響曲的兩段文字：

> 第五交響曲的第一樂章是建築在用兩個音寫的四個音符構成的主題上。這無疑是音樂主題的最小限度。這裡樂隊的敲打聲像命運、不可抗拒的力量支配著我們。他們的進行沒有鬆勁的時候，主題發展的無情的邏輯被雙簧管奏出的如怨如訴的小宣敘調所打斷，這祇是使我們再一次陷入迅速的騷動中，這場混亂直到樂章末尾才停息下來。（Paul Henry Lang, *Music in Western Civilization*, 1941 年。簡體中文版《西

方文明中的音樂》，2001 年貴州人民出版社。）

> 第三交響曲：這部交響曲的演奏有著比「浪漫」成分更多的「革
> 命」成分。第一樂章演奏得極快，已經接近於不可能演奏的節拍
> 機標記，這一點加上織體的緊密銜接，足以造成一種具有非凡感
> 染力的戲劇性的急迫感。在第六七一小節（播放時間為 15'04"
> 處），加德納使音樂形成了一個高潮，這種處理十分恰當，因為這
> 一高潮在音樂的發展進程中具有關鍵作用，但卻為大多數指揮家
> 所忽略。（理查德・奧斯本〈加德納指揮的貝多芬九部交響曲〉，*Gramophone*，
> November1994，中文譯文見《愛樂叢刊——音樂與音響》第七輯，北京 三聯書店。）

後段奧斯本的文章是唱片的評論，主要討論指揮家加德納的指揮表演藝
術。前段保羅・亨利・朗討論的是貝多芬的作曲藝術。作曲藝術必須經過
表演藝術才能讓我們聽到，我們聽到的是當代樂隊的表演，但是我們仍然
可以討論兩百年前貝多芬的作曲藝術。保羅・亨利・朗說到「樂隊的敲打
聲」，也提到「雙簧管奏出的如怨如訴的小宣敘調」，但不會有人要求他出
腳注說明唱片版本以及播放時間，因為表演是曲子的表象，并非曲子本
身，任何一張唱片都不能代表貝多芬的曲子。無論是卡拉揚指揮的，還是
克萊博指揮的，貝多芬就是貝多芬。加德納的演繹特色比較突出，實際上
所有指揮、樂團的演出，甚至同一指揮、樂團的演奏，每一次都不可能完
全一樣。反過來說，伯姆也好，伯恩斯坦也好，都不能代表貝多芬，絕不
可能。聽他們的演奏，我們一方面欣賞他們的表演藝術，另一方面通過他
們的表演，也能夠欣賞貝多芬的音樂，可是他們不是貝多芬。書與版本之
間的關係，猶如曲子與唱片。沒有人混同曲子與唱片，而很多人不能分辨
書與版本。

　　來自西方社會科學的所謂「學術規範」要求引書必須注明出版社及頁碼，我們人在江湖，有時不得不應付這種「規範」。實際上，引古書要求指定一個版本，如同討論貝多芬第五交響曲要求指定一張唱片，實在無從選擇（討論流行歌曲以唱片為準，因為唱片公司擁有著作權，不許別的歌手隨便演唱）。而且注記當代版本的頁碼也沒有積極意義。比如一九二六年上海錦章書局影印的阮刻《十三經注疏》，似乎在三四十年代普及最廣，被認為標準版本，所以哈佛燕京的《禮記注書引書引得》等皆據以為本。豈知不過半個世紀，幾乎絕跡，我自己未曾一見。由於錦章書局影印時進行縮拼，頁次與底本不同，與其他版本都不一致，因此那些《引得》也就失去了實用價值。後之視今猶今之視前，我們今天認為中華書局的點校本《二十四史》堪稱定本，學術界普遍以為標準版本，但據說現在書局有重新點校推出新版的計劃。他們將來的新版能否成功，現在不便評論，至少可以肯定，現在的點校本《二十四史》將來也會有被淘汰的日子。到時候，現在所謂規範化的學術論文引用正史文本出腳注的頁碼，都要變成信息垃圾。其實，引正史祇要寫明篇名，沒有任何問題，最多看情況寫卷次即可，版本頁碼實無必要。篇名、卷次是屬於書的概念，不管將來有甚麼版本，都不會有改變。至於頁碼，每一版本都不一樣，沒有普遍意義。如中華書局《新編諸子集成》點校本《墨子閒詁》有一九八六年版與二〇〇一年版，裝幀設計無異，但經重新排版，頁次全然不同。例如〈公輸篇〉「子墨子解帶為城，以牒為械」這段話，一九八六年版在第四四七頁，二〇〇一年版在第四八六頁，相差四十頁。若據一九八六年版記錄頁碼，用二〇〇一年版無法覆查。其實祇要寫〈公輸篇〉，任何版本都可以查到，何必寫這種才過十幾年即變成垃圾的頁碼來污穢文章。版本是具體物品，也是商品，所以一方面受市場機制的控制，很快被淘汰，另一方面也受空間的限制。去年過世的北大中文系孟二冬教授，幾年前在東京大學進行訪問研究。有一次告訴我說，

東京大學的資料室沒有《全唐文》，不便研究。其實東京大學的資料室雖然簡陋，也不至於連一套《全唐文》也沒有。問題是，他們的《全唐文》是臺灣影印本，而孟教授平常使用的是中華書局的影印本。兩種影印本，用的底本無異，但影印本頁碼互不相同。孟教授的筆記引用《全唐文》中的資料，都用中華版的頁碼來注明出處，換了臺灣版無法查找。當然，寫頁碼純粹是為了平常覆查方便，所以他後來編撰出版的《登科記考補正》引用《全唐文》資料，也祇寫卷次篇名，沒有寫頁碼。我們不乏這種事例。英文著作引用中國古籍，經過翻譯，很難想象原文寫的是甚麼。於是有必要覆查原書，卻發現腳注寫「某某書，多少頁，《四部備要》本」。臺灣中華書局的《四部備要》在西方學術界相當普及，而在大陸四九年以後一直沒有重印整套《四部備要》，現在很少看見整套《四部備要》，更不用說臺灣版。美國學者注明引文出處，往往不寫篇名，祇寫頁碼，如果沒有同一出版社的同一版本，僅憑英文翻譯查找相應原文，難度極大。

　　古籍的書概念不免帶有一定的主觀性，但在社會上存在一定的共識，太過離奇便不會被人接受，這就是文化傳統。書概念存在於學者腦子裡，但他的腦子具有社會性，因此也可以說書概念如同語言，既在個人腦中，又存在於社會上。余嘉錫曾論引文記卷數之始，（〈讀已見書齋隨筆〉，見《余嘉錫論學雜著》。）引汪遠孫《借閒隨筆》曰：「頃閱梁皇侃《論語疏》卷七『子謂衞公子荊』節云：『事在《春秋》第十九卷襄公二十九年傳也。』是卷引《春秋傳》凡七處，皆記卷數。卷十『雖有周親』節云：『《尚書》第六〈泰誓中〉文。』則六朝已有之矣。」汪氏所見皇疏，乃清代日本刻本或其翻刻本，不能據此以為皇侃原文。正如余嘉錫案語所言，「引篇名，猶之引卷數也」，對我們來說，祇要說襄公二十九年傳，說〈泰誓〉，所指十分明確，加上卷第，不僅無益，反而添亂，影響閱讀。但日本沒有古籍文化，人們對經書不熟悉，僅知篇名猶感不便檢查，所以才有必要添寫卷第。

汪遠孫、余嘉錫等人不了解化外世界，想象不到沒有古籍文化的社會，所以也沒能想到這些卷次是日本學人所加，因而誤信版本衍字為皇侃原文。近代以來的學者，引書多記卷次，但如經書僅記篇名，要以覈查方便為準。中國學者引古書字句而注記出版社、頁碼，混同書與版本，不知始於何人，據我所知，洪業是較早的例子。洪業受美國學風影響，而且頗有疑古精神，〈禮記引得序〉、〈白虎通引得序〉等著名論文，都是質疑這些古籍的傳統書概念。既然懷疑傳統書概念，討論問題應該從具體版本出發，引書必須詳寫版本、葉次。這種思想作為一種文化態度是可以理解的，雖然他實際上引用的仍然是書而不是版本，不能否認邏輯上有混亂。（所謂疑古，也不可能懷疑一切，所以他們一方面質疑某些傳統概念，但立論的根據還是離不開其他傳統概念，方法上無法徹底。徹底懷疑一切，祇能做笛卡爾的哲學，無法談歷史。）我們對洪業應該給予一定的歷史地位，承認他有特殊的文化心態，但也應該明白我們離不開我們的古籍文化，祇能在此文化當中研究此文化。不了解書概念則無法引書，引書與引版本文字必須分別，若要點校古籍，尤其切忌混同書與版本。

　　學術規範論者現在的主張是引用古籍必須注明出版社及頁碼，他們將來對古籍校勘的要求，應該是他校必須選用一種標準版本，不合該版本的文字，即使是標準版本的訛字，皆需出校。標準化論者的口號是程序透明化、客觀化，因為祇要透明化、客觀化，一切都變成可以用權、錢來處理的問題。書概念是一種文化，需要我們花時間學習，不是有權有錢就可以弄到手的，所以他們要求用版本來代替書概念。版本是可以買、可以借的。誰有權有錢，誰就擁有最好的版本條件。然後出錢招兵，叫他們按照規則辦事，標準化的點校本就可以按計劃生產出來，也可以批量生產。既然是嚴格執行標準生產的成果，再也不許我們說這些點校本是文化垃圾。我們批評麥當勞的垃圾食品，麥當勞還會反駁說他們的產品比我們自己做的更衞生，道理完全一樣。這樣做，是祇認權錢不認思想，等於否認古籍書概

念原來極其豐富的文化含義。文化，尤其傳統文化，猶如空氣與水，本來應該屬於天下所有人，大家平等受益。有權有錢人一手破壞自然環境，一手推銷純淨水及空氣清潔器。但願我們傳統文化的將來不要像空氣與水那樣。

（五）書與資料

隨著圖書館界對稿、抄本整理工作的進展，越來越多的學者開始關注稿、抄本。一般而言，稿本不是定本，抄本文本不穩定。因此，若有作者自訂的刊本，自當視為定本，即無作者手訂刊本，大多數情況也應以原始刊本為定本。例如《周禮正義》有孫詒讓自己出版的排印本，排印本的校訂工作應該比稿本更周詳縝密，因此排印本可以視為《周禮正義》的定本，稿本祇有參考意義。《儀禮正義》胡培翬沒能編輯完成，經楊大堉等人整理後，由陸氏刻版行世，雖然問題很多，但總會比稿本更完整，而且後來的學者閱讀參考的都是此種刻本或其翻刻本，應該視為標準版本。假如發現胡培翬稿本，對《儀禮正義》的點校整理不會有多大意義。稿本對研究這些學者自然很重要，但《周禮正義》、《儀禮正義》這些書，已經是社會存在、歷史存在，不僅僅是研究孫詒讓、胡培翬的資料。

中央圖書館藏《後漢書》殘卷（含南宋初期刊十行本）有錢大昕手跋：

> 《後漢書》淳化刊本止有〈紀〉〈傳〉，其〈志〉三十卷則乾興元年準判國子監孫奭奏添入。但宣公誤以為劉昭所補，故云「范作之於前，劉述之於後」，不知〈志〉出於司馬彪《續漢書》，昭特注之耳。彪西晉人，乃在范前，非在范後也。
>
> 此本雖多大德補刊之板，而〈志〉第一至第三尚是舊刊，於胐、敬、恒、微等字皆闕末筆，而讓、勗卻不回避，知實係嘉祐以前

彫本。雖屢經修改，而古意猶存，斷圭零璧，終是席上之珍也。
乾隆甲寅四月嘉定錢大昕假觀并識。

同樣內容見於《潛研堂文集》卷二十八：

《後漢書》淳化刊本，止有蔚宗〈紀〉〈傳〉百卷；其〈志〉三十
卷，則乾興元年準判國子監孫奭奏添入。但宣公誤以為劉昭所補，
故云「范作之於前，劉述之於後」，不知〈志〉出於司馬彪。彪西
晉人，在范前，不在范後。劉昭本為范史作注，又兼取司馬〈志〉
注之，以補范之闕。題云「注補」者，注司馬書以補范書也。自
章懷改注范史，而昭注遂失其傳，獨此〈志〉以非蔚宗書，故章
懷不注，而司馬、劉二家之學流傳到今，宣公實有力焉。
此本雖多元大德九年補刊之葉，而〈志〉第一至第三尚是舊刊，
於胐、敬、恒、徵字皆闕末筆，而讓、勗卻不回避，知實係嘉祐
以前刊本。惜屢經修改，古意漸失，然較之明刊本，則有霄壤之
隔矣。

手跋在書冊上，讀者首先是藏書者，其次是其他觀摩此書冊的人，所以簡
要說明自己的鑑定意見，讚美殘卷，并署名，署時間，信而有徵，適當提
高殘卷的身價。《文集》所收跋文多出說明劉注《續漢志》流傳情況的內
容，與此殘卷無直接關係，對收藏者無意義，所以手跋沒有這段內容。相
反，讚美殘卷，署名、署時間等，對不會直接看到原件的天下學人毫無意
義，錢大昕手訂的文集不會照錄，鑑定版本的評語也要更加客觀，「席上
之珍」這種奉承話，自然登不到文集裡。包括錢大昕在內的傳統學者認為，
文章要公諸天下，傳之千載，像這篇手跋不算真正的文章。

　　一九八一年中華書局出版《啓功叢稿》，作者〈前言〉引鄭板橋語：「死後如有託名翻板，將平日無聊應酬之作，改竄爛入，吾必為厲鬼，以擊其腦。」有些文字，確實是作者所寫，但作者會不滿意，甚至發現有錯誤，不希望流傳。尋找挖掘作者不願流傳的材料，對了解作者的確有幫助，但這畢竟是狗仔隊行為，不是與古人交流的正途。如段玉裁誤謂淳化年間有注疏合刻本，錢大昕曾經誤從段說，後來知道其誤，所以《養新錄》中持注疏合刻在南宋之說。後人掇拾錢大昕遺墨，將誤從段說的文字編入《養新餘錄》中。汪紹楹介紹這情況後，評論說「故集貴手訂」。（《文史》第三輯〈阮氏重刻宋本《十三經注疏》考〉）《潛研堂集》、《養新錄》皆錢氏手訂，而《養新餘錄》出後人拾遺編輯，《養新餘錄》中的文字大概都是錢大昕親筆所寫，但不能代表錢大昕的學問。類似問題在胡培翬身上也曾發生過。《研六室文鈔》是胡培翬手訂的文集，胡先翰、胡先顈序《文鈔》說胡培翬編《文鈔》十卷，「其無關經義者，雖已傳於外，概命勿付梓」。《文鈔》卷六〈王石臞先生八十壽序〉後，胡培翬自我解釋說：「古人集中不載壽序，此作私竊以為有關學術，故特存之。」張舜徽引此，說《研六室文鈔》「在清人文集中，最為純粹」。胡培翬身後，後人另編《補遺》一卷，就不知道篩選取捨，祇能有甚麼收甚麼。如〈涇縣龍神廟碑〉、〈孝子朱皋亭先生墓表〉等與經學毫無關係，可以說是「無聊應酬之作」，按胡培翬自己的標準，不可以混入《研六室文鈔》。文哲所的《胡培翬集》將《補遺》六篇散入《研六室文鈔》十卷中，而且不保留《補遺》篇目，則《文鈔》十卷已經變質，讓張舜徽虛稱「純粹」，《補遺》一卷蹤跡全無，這種處理方法未免失妥。

　　編好的文集有一定的體例，也有自己的宗旨，書名、卷次、篇目都已固定，這些都包含在一部著作的書概念中。即使是後人編輯的文集，祇要編輯有法，不至離譜，而且廣泛行世者，自當承認此類文集的書概念，因

為已經定型，而且曾經在社會上產生過影響，具有無法磨滅的歷史意義。至於文集未收的文字，或許是編文集時刪汰捨棄的雜文，或許是編完文集以後的作品，未嘗不是我們了解作者的好資料。如據《後漢書》手跋，我們知道錢氏鑑定此殘卷在乾隆五十九年。又如《研六室文鈔補遺》所收〈上羅椒生學使書〉，就是胡氏向羅氏請求為《儀禮正義》寫序的信，透露一些個人信息，對我們了解胡氏經歷有幫助，儘管胡氏自己應該不會希望後人看到這種求情信。對此，我們應該分別處理。文集是書，是已經成為社會共識的一種概念；集外的文字是資料，應該另外彙編。具體來說，如《後漢書》手跋與文集所收跋文，雖然有密切關聯，但應該作為兩種文本處理，文集的歸文集，手跋看情況，若有需要而且有條件，可以另編遺墨彙錄，不必試圖互相校訂，更不可以撮合兩者改訂成新的文本。像胡培翬，應該承認《研六室文鈔》十卷《補遺》一卷是社會公認的書概念，卷帙、篇目不要改動，除此以外的遺文，應該另為一編。又如廣陵書社版《新編汪中集》，有新編「文集」八輯，而《述學》不見了。汪中之名離不開《述學》，雖然也有二卷、六卷等不同編輯內容，版本情況複雜，但《述學》始終是一部重要的書概念。「新編」編者祇關注文章內容，而忽視《述學》作為書的概念，因此《新編汪中集》對利用其中每一篇文字的學者或許有所方便，但不能滿足我們古籍愛好者的要求。至少應該保留各種版本的卷第、篇目，否則手拿《新編汪中集》，對汪中的最主要著作《述學》仍舊茫然得不到概念。書概念是有機的整體，改動編次，就算有同樣的部件，也面目全非。體解二十一體，堆在一起，說這就是一隻豬，固無問題，因為豬是要吃要利用的，祇要不缺斤少兩即可。但對人不能如此，對書也不能如此。

如何界定書的概念，也是圖書館編目工作中經常遇到的問題。如目前大陸幾家大圖書館正在聯合編輯《古籍總目》，目標是編一種古籍種類目

錄，希望能展示我們到底有多少種古籍。例如《經義述聞》有不分卷本、十五卷本、三十二卷本，另外有《皇清經解》本，都要分別著錄。其中不分卷版，隨寫隨刻，內容逐漸增多，此書正在成長發展，因此各地收藏的不同印本，所收條數應該有差別，但具體情況無法細分，祇能算一種版。後來作者繼續增訂內容，有十五卷本、三十二卷本，自然都算不同版別。情況特殊的，如《昭代叢書》，往往把一部書拆開來作獨立的書。惠棟的《九經古義》從撰寫、流傳的情況看，應該算一部書，而《昭代叢書》作為《周易古義》一卷、《尚書古義》一卷等互相獨立的九種書。胡匡衷有〈侯國職官表〉，本來是《儀禮釋官》九卷的一部分，《昭代叢書》抽刻作為一種一卷的書。《昭代叢書》中的〈周易古義〉一卷、〈侯國職官表〉一卷等，作為版種，不能不著錄，但不宜認定為獨立的書。獨立抽刻是《昭代叢書》的特殊行為，若認定為獨立書種，則古書種數會無限膨脹，一發不可收拾。《續修四庫全書》第四百五十冊收錄段玉裁《明史十二論》一卷，即用《昭代叢書》本。《昭代叢書》從《經韻樓集》第十卷中摘錄有關明史的十二篇文章，單獨起名為「明史十二論」。彙集十二篇為一書，起名「明史十二論」，均屬《昭代叢書》的特殊行為，與段玉裁為無關。今《續修四庫全書》集部已經收錄《經韻樓集》，又收「明史十二論」，完全重複，就是因為編者不考慮《昭代叢書》的性質，誤以「明史十二論」為可與《經韻樓集》並列的一部書，才導致這種明顯的編輯失誤。明白這個道理，就應該知道如福建省圖書館收藏一部抄本「《儀禮注疏考證》不分卷」，自然也不能算一部書。我曾經學《儀禮疏》，為校讀方便，將殿本注疏每卷後附錄的考證複印下來，用釘書機釘好，至今仍在手頭。這不是「《儀禮注疏考證》不分卷」而何？祇不過有墨筆抄錄與電子複印之技術不同而已。像「明史十二論一卷」、「儀禮注疏考證不分卷」等，尚可認為一種書，等於承認千萬種古籍隨時都可以製造，說我們擁有多少億多少兆

種古籍都可以，豈不荒唐。可見，從圖書館編目的實際工作經驗來講，對書的認定還是要有文化歷史的眼光，不能止看客觀現象，而要了解一部書如何產生、如何流傳，對書要有動態的把握。

我們需要建立屬於社會、屬於歷史的書概念，而將此與其他不成書的資料分開來整理。

（六）離之則雙美，合之則兩傷

書有無窮的成長變化、豐富的文化含義，一部書的概念極其複雜而且免不了主觀性。影印本也好，點校本也好，又是一種版本，是書的表象而已。一種表象不可能完整地體現書概念。因此，需要了解古籍整理各種方法的優缺點，以期收到最大的效果。

影印能夠直接傳達版本的風貌，無疑是一種最有利的方法。可是如上文所述，一種版本代表不了一部書，不同版本的內容也不容忽視。即使祇有一種版本，是版本必有訛字，當如何處理？對這些問題，有不同的處理方法。首先，像《文選》那樣有幾個不同版本系統的書，可以選取代表不同系統的版本，分別影印。大陸已經出現《文選集注》、尤袤刻李善注本、胡刻李善注本、建本李善五臣注本的影印本，臺灣出過五臣注本的影印本，日本出過明州刊五臣李善注本的影印本，韓國出過朝鮮活字秀州系統五臣李善注本的影印本，不同系統都有影印本，基本上已經滿足了我們平常查閱的需要。假如我們擁有五十種不同版本的影印本，平常查閱也不可能翻查那麼多版本，祇會選其中代表性版本重點覈查。影印本附錄校勘記，也是比較實用的方法。來青閣影印余仁仲本《禮記》附「岳本對校札記」，中華書局影印《四庫提要》、胡刻《文選》等都附有簡單的對校記。影印本上直接描改的做法，等於創造新版本，容易造成混亂，不足以為訓。民國時期有藏書家同時製造珂羅版影印本與木版影刻本的情況，珂羅版追

求傳底本的真正面貌，影刻本重視文本之優良，所以影刻本對底本訛字進行校改。張元濟的百衲本《二十四史》以及《四部叢刊》等，外在形式上是用影印技術，而精神上與影刻本相通，既要傳達底本風韻，又要提供精良文本，結果未免合之則兩傷。（如《方言》卷六「陳楚江淮之間謂之聳」郭注「言無所聞，常聳耳也」，傅增湘珂羅版影印慶元六年李孟傳刊本「聳耳」二字已殘，僅存一小部分墨跡，「常」字筆畫亦稍嫌不清，而傅增湘影刻本妄補作「當聳睟」，《四部叢刊》本影印李孟傳本，按照影刻本描補作「當聳睟」。當知「當聳睟」是二十世紀的文字，已非宋版文字，與郭璞更無關係。2013 年補注：參本書第一篇圖版八。）做好影印本其實也不容易。近年來大陸出版大量的綫裝影印本，印面質量與民國石印本差不多，遠遠不如日本汲古書院製作的硬皮洋裝影印本。除了印面以外，用紙、書衣、裝訂、函套等統統與底本無關，提高成本，擡高身價，對我們讀書，有害無益。

排印放棄傳達底本的圖像信息，專門整理文本。圖像信息轉為文字信息，首先要解決異體字問題。過去在鉛印排字的時代，活字有限，異體字祇有規範化。如今電腦排字可以提供越來越多的異體字，造字也比過去容易許多。有了自由就有選擇的煩惱，異體字才成為大問題。電子版《文淵閣四庫全書》在務求與底本一致的原則上，保留了大量異體字，同時在檢索引擎上套上異體字關聯表，使得異體字對檢索的障礙降低到最低水準。他們這樣處理，其實是具體操作上不得不然的結果。輸入、校對人員文化水平不高，而且字數龐大，不可能對每個異體字進行規範化，若要強行規範化，勢必錯誤百出。後來劉俊文先生主持的《基本古籍數據庫》，據說是採用了異體字規範化的方法。從檢索效果來講，兩種方法可以達到幾乎同樣的效果。如果有人要研究異體字，不用說，前一種方法有用，後一種方法沒用。

《禮記譯解》第五三二頁〈樂記〉「明王以相沿也」，注〔一〕「沿：同沿。」作為字的部件「口」「厶」經常相通，所以兊或作兖，兖或作充，

說或作説，袁或作表，遠或作逺，不同時期、地區的版本都有不同的習慣，而這些習慣與《禮記》無關，換言之，作為《禮記》文本，作汜作沿并無意義，校《禮記》不必出校記。《禮記譯解》對其他底本兑作兖，說作説，逺作遠等處都沒有出校，於此獨出校記，大概是受阮元《校勘記》的影響。《校勘記》此處出校說明《唐石經》等較早版本皆作汜，而閩、監、毛本作沿。這種記載對研究異體字或許不無參考意義，但與《禮記》實無關係。《越絕書》書末敘云「以去為姓，得衣乃成」，是袁字作表；又云「以口為姓，承之以天」，是吳字作吳。但我們整理《越絕書》，仍可用「袁」「吳」，不必改用「表」「吳」。「袁」、「吳」是現在的標準字體，古代或作「表」、「吳」也是我們的常識，作「袁」、「吳」沒有任何問題。至於異體字的地理分佈、歷史變遷等，是需要另外專門研究的問題。

　　二〇〇五年中國社會科學出版社出版的《敦煌寫本《春秋經傳集解》校證》，移錄文本保留大量異體字，往往是過去的刻本上從來沒出現過的字體，而校證部分也用大量篇幅討論這些異體字。敦煌本的文本作為杜預《春秋集解》這部書歷史變化中的環節，具有重大意義，但在這本《校證》裡，文本特點被埋沒在異體字的大海中，不便於了解。就異體字研究人員來講，研究需要的材料是古代抄本、拓本、刻本的影印本，抄錄或排印絕不可靠。因此可以說，此書的意義在異體字的「校證」部分，排印文本幾無意義。總而言之，此書是一部異體字研究的著作，既然如此，排印文本不如用影印來替換。作為杜預《春秋集解》的研究，不妨另出一本同名書，著重整理分析文本內容。異體字問題與文本問題，分開來討論比較方便。

　　文哲所的《胡培翬集》第九頁「版存沔陽陸氏」，有校記云：「沔當作沔，形近而誤。」「形近而誤」，一般是指錯以為別的字。但在這裡「沔」「沔」不是兩個字，（儘管「丏」與「丐」是兩個字。）「形近而誤」不如說「字形有誤」。這種情況，我們一般逕改不出校。無論是作者、編者、刻書者還

是讀者，不會把「汚」當作另外別的字，應該可以說，這一異體字不包含在這本書的標準文本概念裡。點校本通常是提供標準文本概念的表象，因此忽略這種字形上的小差異。若欲盡量完整地反映底本面貌，應該選擇影印的方法。至於黃家鷺、家驥《禮書通故校文》等校記經常指出字形小譌的問題，（包括形近誤字及異體字）是因為他們在校訂版本，與我們根據版本校訂該書文本不同。

保留異體字并非無意義，有改必出校也是值得繼承的好習慣。祇要校對工作做好，改字必出校，無論校勘問題多嚴重，仍然可以利用。不過問題也看不同情況。如《禮書通故》，作者以及編刊者力求古雅，用古字形的標準宋體。這種古字形，顯然不是平常讀書寫字所用，因此用法不成熟，不免常出錯訛。例如，按通常的規範字形，稱謂、稱量均作「稱」，而在他們的古字系統裡，前者作「偁」，後者作「稱」，需要分別。然而在《禮書通故》刻本上，從人從禾經常混用，不合古字規範。又如古字邪作「衺」，結果《禮書通故》刻本經常將「衺」「衰」二字相混。這些情況，正如現在大陸出版的某些繁體字書刊，云雲不辨、御禦不分一樣。可以說，古字系統是《禮書通故》刻本臨時穿上的一身打扮，并不是他的本質。如果我們祇想認識《禮書通故》這部書，也不妨讓他換上另外一套不太刺眼的行頭。當然，服裝打扮往往代表一個人的思想，換套外表，畢竟不過是權宜的方法。《禮書通故》點校本改古字為通行規範字體，并不是要取代原來的刻本。有點校本仍然需要影印本，既然有影印本，點校本沒有必要一一注出異體字。有些點校本用異體字表或校記的形式保留異體字，終歸不能全面準確地反映實際情況，不如與影印本分工，點校本不要管異體字為便。

點校本的校對工作做得再好，也無法保證無一疏漏，這是我們離不開影印本的首要原因。因此我有點校本用影印文字的設想。早在一九七四年文物出版社影印南宋浙刊本《荀子》，即在影印本上套上標點符號。這些

符號都用活字工藝製版，與其他大部分影印加標點本用手寫符號不同。香
港曾經出過《廣雅疏證》影印加點校本，標點繁細，版面紛亂，不便閱讀。
若將行距、字距適當加大，加上非手工符號，應該能做到比較完美。換言
之，這是點校本，但文字部分不用電腦排字，而用底本的文字圖像。祇要
底本文字規整、清晰，則適用這種方法。就算如此，刻本及影印本仍然是
需要的，因為編輯過程中也有可能發生錯亂，而且行格已經與原書不同，
畢竟無法保留原貌。話說回來，如果祇需要原貌，我們祇做影印本即可。

　　現在通行的點校本校記原則是，底本不誤即不出校。因此，閱讀點校
本，參考校記，原則上可以了解底本原來的文字，但無法了解參校本的全
貌。流傳時間長，版本種類繁多的經典著作，不同的版本在不同的歷史時
期都曾有過影響，我們希望盡可能全面地了解情況。日本古代有《七經孟
子考文》，近代也有《周禮經注疏音義校勘記》，都以詳細記錄版本異字為
主要內容。記錄版本異字祇是機械的工作，談不上校勘。但是作為基礎資
料，記錄異文編成一部書，還是十分有價值。吳文治先生曾經點校整理《柳
宗元集》，一九七九年由中華書局出版，至二〇〇四年又由黃山書社出版
《柳宗元詩文十九種善本異文匯錄》，這是值得參考的做法。《柳宗元集》
是可供閱讀的文本，附有要而不繁的校記，《異文匯錄》則可作研究資料，
純粹機械地記錄異文。兩書目的不同，分開來作，各得其體，如果要編一
部書兼顧這兩方面，結果祇會不倫不類，無論哪一方面的要求都不能好好
滿足。清代、民國學者的著作沒有那麼多版本，自然用不上這種方法。

　　時代較早，流傳情況複雜的書，沒有辦法整理成一個文本，則分開來
整理，是最近的趨勢。如李零整理《孫子》，陳橋驛整理《水經注》，中華
書局出版的《麟臺故事校證》等，皆將不同系統的文本分開來整理，不勉
強牽合成一個新文本。不同系統的文本都有不同的歷史意義，祇能保留各
自不同的面貌。如《文選》文本也分幾個系統，不同系統之間差異較大，

無法整理成一個文本。因此我們正在考慮將「秀州本」系統的明州本、朝鮮活字本、嘉趣堂影刻廣都裴氏本整理成一個點校本。既然有明州本、朝鮮活字本的影印本，再出附有詳細異文記錄的點校本，用起來應該比較方便。

（七）學者的問題

據我了解，北京的中華書局，過去有一批專門從事點校工作的非專職人員如沈嘯寰先生，不少編輯也親自點校古籍，如業師王文錦先生。如今編輯親自點校古籍的情況已經絕跡，點校主要由社外的學者來進行，少數退休老編輯被返聘從事覆校。近二十年來，古籍整理工作的環境產生了巨變，其中工作主體的變化尤其重要。回想大陸的古籍印刷業經歷了由鉛排到電子排版的轉變，而在這轉變過程中，由於電子排版系統的開發人員以及出版社的排版系統操作人員不能全面吸收過去鉛排工藝的各方面經驗，結果出現大量極不美觀的版面。現在點校工作的主體是學者，文哲所的點校項目也都由學者來承擔，今天由我這名愛好者來分析學者的問題。

總而言之，學者的特點往好處說是有系統的知識，便於理解原文。缺點是偏執，往往溈自己的標準看古書，不能全面體會古書的內涵。換言之，學者接近古籍有所企圖，懷著自己的學術目的，與我們愛好者祇想與古籍閒聊，與古人交朋友不同。如段玉裁《詩經小學》論《衛風‧淇奧》「猗重較兮」「猗」當為「倚」字之訛，有這樣一段話：

> 庚子正月定此條，二月內閣《文選》〈西京賦〉「戴翠帽倚金較」，李善注引《毛詩》「倚重較兮」。汲古閣初刻不誤，上元 錢士謐校本乃於版上更為「猗」字，遂滅其證據。於此見校書之宜審慎也。

這是典型的先有結論、後找證據式論述。表面上看，段玉裁為了校勘《毛詩》文本，利用《文選》注的引文，而且注意初刻、翻刻之別，似乎很重視版本，實際上對版本文字的意義沒有應有的認識，不知道僅憑這種引用文本而且經過無數次翻刻的版本來辨論字形微異，毫無意義。汲古閣本《文選》注作「倚」，不說明作為書的《文選注》作「倚」，更不說明李善所見《毛詩》作「倚」，也不能證明《毛詩》應該作「倚」。汲古閣版的祖本尤袤刻本已經作「猗」，足以證明段氏立論方法的錯誤。（2013 年補注：詳參本書第一篇，PP.16~17）文獻工作者必須冷靜客觀地分析每一個版本異字的不同意義，切忌混同書和版本，在關注版本的同時，也不要誇大版本的意義。

又如〈士冠禮〉「賓字冠者」節「賓降，直西序東面，主人降，復初位」，鄭注：「初位，初至階讓升之位。」賈疏云：「賓直西序，則非初讓升之位。主人直東序西者，欲近其事，聞字之言故也。」盧文弨《詳校》於賈疏「主人直東序西」下補「面」字。這是因為敖繼公認為主人位應當與賓相對，清代很多學者多從其說，盧文弨也信從其說，以為主人位當在「直東序西面」，所以給賈疏補一「面」字。作為《儀禮》的理解，主人是否當在「直東序西面」是一回事，賈疏解釋鄭注說「主人直東序西」是另一回事。賈說明明白白，無誤解餘地，而持「以賈還賈」說的盧文弨居然有此誤，完全是他的學識作祟。

沈文倬先生是當今禮學大師，成果累累，有目共睹。他早年校點的《孟子正義》，點校方面問題極多。依我感覺，他關注周代，春秋戰國，最晚到漢代，這方面他有研究，有興趣，再往後就沒有興趣了。他對孟子有興趣，對趙岐也許關心一點，但對焦循根本不在乎，所以他對焦疏的標點錯誤百出。〈出版說明〉把焦循的生卒年錯算一個甲子，就具有象徵意義。對他來說，焦疏不過是理解《孟子》比較方便的工具而已，他不關心焦循。他祇關心《孟子》內容的理解，不關心歷代學者的學說，哪一句是誰的話

都無所謂，所以亂標引號，下引號經常標錯。（順便說，末卷〈孟子篇敘〉篇題疏後，點校本提行低二格作「趙氏〈孟子篇敘〉者，言《孟子》七篇所以相次敘之意也。」此趙歧自述〈篇敘〉之宗旨，自稱「趙氏〈孟子篇敘〉」，豈不奇怪。覆影印本，知「趙氏」二字緊隨篇題疏文，恰到行底，原來祇是題署〈篇敘〉作者而已，次行頂格寫「〈孟子篇敘〉者」，以下乃〈篇敘〉正文，點校本誤連之。這也是有點校本仍然需要影印本的例子。）在我看來，《孟子》是歷史形成的抽象人物概念，而焦循是活生生一個人。視眼前大活人如土埂，而要討論渺茫的抽象人物，我於心不忍。沈先生與我志向不同。如我曾見《孟子正義》引《經傳釋詞》，每在一段正義末尾，不在上文相關議論中，心存疑竇。後見焦氏日記，知焦氏稿成後始得《釋詞》，亟為補入故爾，心中竊喜。（《儀禮正義》引褚氏《管見》亦類此。）此疑此樂，不足與沈先生言。

學者校書往往忍不住多說兩句，這也是明顯的傾向。如江蘇古籍點校本《儀禮正義》，很多校記與校勘無關，第一卷的「校勘記」〔一〕用大段文字發表校者段熙仲先生對《荀子》「十九而冠」問題的高見。據說此點校本是段先生身後，經過他學生的整理，因此好意的理解是段先生留這一條筆記，本來無心作為校記，他的學生不忍刪省老師遺墨，所以混入校記裡。文哲所的《劉壽曾集》第二七五頁「抱經、澗蘋」，楊老師出按語說明「指盧文弨和顧千里」，這是注解，不是校記。更有典型意義的是中華書局點校本《元和姓纂（附四校記）》。《元和姓纂》文本問題非常複雜，也沒有善本。岑仲勉的《四校記》是學術界公認最全面、最可靠的研究成果。以孫星衍刻本或局本為底本，將《四校記》分繫於相應位置，向讀書界提供一個標準版本，這是中華書局的想法。承擔具體整理工作的是郁賢皓先生等學者。他們對唐代人物的履歷行跡都有深入研究，對《姓纂》、對《四校記》也都有自己的見解，能夠看出許多《姓纂》文本及《四校記》本身的問題。他們既然發現問題，也就是看到文本上、觀點上很多錯誤。文本、觀點既然有錯誤，就無法正確標點。所以他們也要出校記，不僅校

《姓纂》文本，也要對《四校記》出校記。都已經有《四校記》，不能再叫校記，所以叫做「整理記」。實際上，這些「整理記」中不少條目已經超出單純的校勘範圍，而是與《四校記》性質類似的研究。陶敏先生的〈後記〉說：「根據中華書局的要求，此次整理，主要提供一個供研究者用的本子，盡量保存原貌，不增刪改正，這更給文字的句讀標點增加了許多困難。」又說：「由於中華書局要求我們充分尊重原作，不作改動，少加整理記，所以我們祇將岑氏《四校記》改用新式標點，改正了引書卷數和引文中個別明顯錯誤。整理記寫得很少，體例也未能完全統一。這是我們深感遺憾并要請讀者諒解的。」可以看出，陶先生對中華書局的要求非常不滿，耿耿於懷。因為陶先生設想的讀者對象是和他一樣做唐代人物研究的人員，所以他要「深感遺憾并要請讀者諒解」。其實像我這種普通讀者，還是認為中華書局的做法比較合理，沒有甚麼好「諒解」的。《四校記》影響深廣，已經是一部經典著作，當代學者的研究在具體問題上可以補正《四校記》，但并不能取而代之。既然整理出版《四校記》，整理工作不能喧賓奪主。對《四校記》的補正工作自然有重要意義，但不如作為獨立的著作，另行發表。我們關心的是書，學者關心的是書中一方面內容。我們對待書猶如對待一個人，而對學者來說，書也不過是研究材料而已。《新編汪中集》敢忽視《述學》編次，重新編排，也是同類問題，我們則不忍心那麼做。

點校忌諱喧賓奪主，所以有些學者乾脆編寫校注。如中華書局新出的《三輔黃圖校釋》，卷二〈漢宮〉說長樂宮前殿「兩序中三十五丈」，《校釋》注解「序」為何物，引《大戴禮》「負序而立」孔廣森《補注》。不引《爾雅》，不引鄭玄，偏引孔廣森，引典沒有代表性。未央宮「至孝武以木蘭為棼橑，文杏為梁柱，金鋪玉戶」云云，文出〈長門賦〉，而《校釋》失注。作者似乎是考古專家，《校釋》提供豐富的考古資料，但文獻方面

顯得薄弱。又如中華書局新出的《東京夢華錄箋注》，第八〇二頁引「陸法言、陳彭年覆宋本《重修廣韻》」，使隋人、宋人合編清代「覆宋本」，可謂異想天開。第九二六至九二七頁引〈三禮圖〉「案〈燕禮〉云：司官尊於東楹之西，西方壺左玄酒，東上注雲尊方壺為卿大夫士也。」竟不知何謂。（今案〈燕禮〉作「司宮尊于東楹之西，兩方壺，左玄酒，南上」，「注雲」自然是「注云」之訛。）作者對歷史民俗等方面有深入研究，對筆記小說等方面資料很熟悉，但對經部文獻沒有了解。又如中華書局新出的《揚雄方言校釋匯證》，作者是訓詁學家，除了對用來校勘的幾種影印、影刻宋本的來龍去脈完全不了解（如稱引傅增湘影印本為「日本東文研所藏珂羅版宋刊本」，是因其所據乃日人所編《宋刊方言四種影印集成》，不知珂羅版國內各圖書館均有收藏，並非罕見秘籍，初不當冠以「日本東文研所藏」。又，覆刻本及《四部叢刊》本文字與此珂羅版不同，是出校改，無版本意義。）外，後面附錄孫詒讓《札迻》相關內容，標題竟作「方言郭璞注」，下署「孫詒讓」，文後注出處「據上海古籍出版社一九八九年版《清疏四種合刊》本」，說明作者對文獻全無概念。像這三部書，都是作者長年研究的成果，有突破性成就，但在作者不重視的方面，往往出現較大問題。

周祖謨對《廣韻》的校勘，解決了大部分涉及音韻的校勘問題，影響深廣。後來葛信益先生從較廣泛的角度校讀《廣韻》，寫過幾篇非常有趣的文章。（後編成《廣韻叢考》，由北京師範大學出版社出版。）例如〈二十六桓〉今本作「縏 番和，縣名，在涼州。」，本來應該是「縏 小囊也。番 番和，縣名，在涼州。」，今本脫「縏」字注三字及大字「番」。這類問題甚多，而周祖謨全然沒有顧上。應該說，周祖謨祇關注音韻，忽略了其他方面問題。但這恰好適應了一般讀者祇把《廣韻》當作音韻工具書的需求，所以讀者普遍認為周祖謨校本很方便。周祖謨校本的確有局限性，但這不妨其作為有用的工具書。

學者的工作有優缺點，我們編書，一方面要將他們的優勢盡可能系統地發揮出來，另一方面注意不要讓他們的缺點成為書的缺點。學者自己編

書，也要注意這一點。

二　實踐

（一）以書為主，輔以資料

古籍整理以書為主要對象，書與不成書的資料要分開，書的結構也不要改動。不要祇關注內容，忽視書概念，也不要創造新的「古籍」。

（二）版本

作為準備工作，需要普查版本。盡量多接觸版本，同一種版本也要盡量多看不同印本，通過觀察不同印本之間的差異、變化，形成一種版本的概念。然後在每一種版本概念的基礎上，建立版本系統以及一部書的版本目錄學概念。版本系統或許不如說不同版本之間的關係，清代、民國的著作不會有甚麼版本系統，但不同版本間的關係必須了解清楚。除了版本本身以外，目錄、題跋以及其他著作中有關該書的論述，都有助於建立該書的版本目錄學概念，自然需要留意。

《研六室文鈔》有道光版及光緒重刻版。我在北京大學圖書館看到道光版的四套印本，內容不完全一樣。且以甲乙丙丁稱之，甲本卷首有徐璈序，闕卷九第二葉；乙本有徐序，闕卷九第二葉，與甲本同，而更脫卷七第四葉；丙本無徐序，亦闕卷九第二葉；丁本闕卷首及卷一，卷九有第二葉，而脫第二十五至二十八葉。文哲所的《胡培翬集》用作底本的《續修四庫全書》本無徐序，而有卷九第二葉。徐璈序云「今春余來金陵，適竹邨主鍾山講席，暇日出一編相示，則竹邨本其治經之餘，作為古文辭」云云，所謂「今春」當在道光十三年。應該認為道光十七年刊行時即有徐序，不知為何，後來的印本不見此序，因此重刻本也不載此序。《續修四庫全書》及重刻本均無徐序，所以《胡培翬集》也沒有此序。又，《胡培翬集》

第二五二頁出校記說明重刻本無卷九第二葉。現在知道重刻本無此葉是因為道光本的大部分印本不知為何均脫此葉，重刻本所據底本已脫。我祇見到四套道光本以及《續修四庫全書》影印本，未能理出發生脫葉的歷時變化，但已看到道光版不同印本之間的差異。重刻本和道光本之間的不同，也不是光緒重刻時的突變，而是道光本後印本已經有部分變化。一種版本從刊刻完成開始，每次印製條件不同，經過反復修補，版的內容也不斷變化。若要全面了解，祇能多看不同印本，好比要了解一個人，需要盡量多接觸。

有了較完整的版本目錄學概念以後，應該選擇點校底本及參校本。選定一個底本，凡有校改都要出校，可以保證在原則上能夠還原成底本文字。擇善而從的辦法不用一個固定底本，整理出來與過去任何版本都沒有直接的繼承關係，祇能算是新版本。古籍版本已經夠複雜，我們不要再增加新的版本，平添麻煩。選定底本以後，要直接在底本或其複印件上加標點，盡量避免用工作本，也不要另外謄寫，否則容易出現校對失誤。《周禮正義》點校本以孫詒讓自己出版的排印本為底本，但由於這種排印本印製效果極差，字形往往不清楚，而且小字密排，無法直接加標點，因此以後來的湖北刻本為工作本，先按排印本改寫刻本文字，然後再加標點。這種工作本方式，提高了校對工作的難度，結果出現的問題也較多。我們拿孫詒讓排印本校對點校本，很容易發現點校本的校對失誤。中華書局排好版以後，自然也經過校對。但他們祇能拿工作本校對，不能拿底本校對，因為標點符號都在工作本上。應該認為，用孫詒讓排印本及湖北刻本整理出現在的點校本，已經相當不容易，至於再提高點校本的校對質量，是我們後人的職責。

（三）點校要放棄自己習慣

讀古籍與交朋友一樣，先要相信古籍，虛心面對，感受他，接受他。既然相處在一起，如果事無大小都要堅持自己的標準，祇會事事都不順眼。中華書局點校本《毛詩傳箋通釋》第三頁校記云：「按〈經典序錄〉疑當作〈經典釋文序錄〉。陸氏著《經典釋文》，首卷為〈序錄〉。」今案：《經典釋文》卷首有〈序錄〉，誰或不知而需出校？其實「〈經典序錄〉」是習慣稱呼，我雖不知始於何時，然就筆記所及，沈欽韓、汪中、武億、丁晏、宋翔鳳等人以至錢穆都曾用此稱呼，馬瑞辰用此稱呼完全自然。讀書必須接受作者習慣，甚至要了解在作者所處環境裡，這種習慣有多平常或多特殊，這樣才能了解某一種說法是否有特殊含義。不應該僅憑自己習慣，懷疑古人的語言習慣。第四頁校記云：「按《說文・言部》云：『詁，訓故言也。』馬氏讀作『詁訓，故言也』，誤。」「詁訓故言也」這種句子，容有不同的理解。錢大昕讀「詁訓，故言也」，馬氏的理解與錢氏同，并非奇思異想。若能斷定「詁訓，故言也」為誤，等於說經書、《說文》都已經有定解，不必屈尊低就來看馬瑞辰的書了。我們是想與馬瑞辰交朋友，慢慢了解他的思想，這種地方不必出校記，最多記住他有這種觀點就好了。

中華書局點校本《尚書今古文注疏》第三三三頁校記〔一〕：

> 「陸璣」原作「陸機」。案：作《毛詩草木鳥獸魚蟲疏》者為陸璣，作「機」誤，今改正。

「陸機」「陸璣」之辨，錢大昕也有說。我雖然還沒注意孫星衍有沒有支持錢說的論述，但也沒聽說孫星衍反對錢說。校者僅據俗說斷言「作『機』誤」，這種判斷對校書毫無意義，祇有知道孫星衍是否認為「作『機』誤」

才有意義。既然沒有任何根據足以判斷孫星衍認為「作『機』誤」，就不應當校改。此書作者是孫星衍，整理工作要體現孫星衍的思想。

漆永祥老師整理的《江藩集》第四十一至四十二頁收錄〈隸經文・輠說〉：

> 戴太史東原〈釋車〉「轂末小釭謂之軝」云：「小釭者，即鄭注凡大小穿皆謂金也。」

有校記云：「戴震《考工記圖》〈釋車〉「轂末小釭謂之軝」句下無此注，蓋江氏引據為別本，或江誤引耳。」實際上，此處標點應該如下：

> 戴太史東原〈釋車〉「轂末小釭謂之軝」，云「小釭」者，即鄭注「凡大小穿皆謂金也」。

稱「戴太史東原〈釋車〉」已經七字，而引戴說亦止七字，似非其比率，所以誤標引號。相反的例子在文哲所的《胡培翬集》第四十七頁至五十一頁收〈中庸旅酬下為上解釋疑〉，第一行作：

> 凌次仲先生《禮經釋例》曰：「凡旅酬，皆以尊酬卑，謂之旅酬下為上。」案：〈鄉射禮〉……

此篇按點校本共四十一行，而其中前三十三行皆引錄《禮經釋例》文，後胡氏自加按語，字數不足四分之一，非正常比率，所以誤標下引號。總之，校讀不要依靠自己的「正常」習慣，而要努力接受作者的「怪」習慣。習慣屬於表層問題，我們必須穿過表層了解他的內心，不能被乍見怪異的習

慣迷惑，忽視背後的心理。實際上，全面接受作者的「怪」習慣，自己也跟著作者一起變「怪」，才是讀書的樂趣。可惜學者往往急於研究內容，不懂得這種閑趣。

　　黃山書社點校本《毛詩後箋》第八四六頁「《後漢書・馬援傳》云〔五〕：『居前不能令人輕，居後不能令人軒。』」校記〔五〕云：「『傳』原作『疏』，據王先謙《詩三家義集疏》引胡氏語改。」後代學者引前人語，傳本若有訛誤自然要改正而後引，所以優秀學者的引文有一定的參考價值，但不能直接作為校改根據。就此處而言，「馬援疏」本來沒有錯，《詩三家義集疏》的引文經過改動，不是因為「馬援疏」錯誤。這種例子很多。比如《漢書・藝文志》小說家「〈百家〉百三十九卷」，沈欽韓《漢書疏證》引「《後書》仲長統詩『百家雜碎，請用從火』」，而王先謙《漢書補注》引沈說改「仲長統詩」為「〈仲長統傳〉」。引用他們疏、詩中的句子，所以稱疏稱詩，其實馬援疏在〈馬援傳〉，仲長統詩見〈仲長統傳〉，不言可知，何必一定稱傳。王先謙是引書，可以改文，我們是點校，不可以改，因為原來沒有錯。當代學人或不熟悉《後漢書》，覺得必須稱「某傳」才方便檢索，但古人沒有照顧無知後人的義務，稱疏、稱詩更恰當，就那麼稱引。非要稱某傳，則變成「《後漢書・仲長統傳》載仲長統詩」，不勝繁重。（寫文章要簡明，不能像保險公司的條款，寫得越囉嗦越方便糊弄人。如點校本《春秋穀梁經傳補注》點校前言第五頁有說「東漢何休〈春秋公羊傳序〉唐徐彥〈春秋公羊傳注疏〉引戴弘〈序〉云：……」，既繁重又不恰當，不堪誦讀。）

（四）校引文必須知作者所據

　　引文等於是書裡有書，引文中也有引文，所以校勘一部書，實際上也需要對第二層、第三層引書進行校勘。引書不是引版本，書的概念因人而異。另外，書的概念也離不開作為表象的版本，作者所見版本與我們手頭

常用的版本往往不同。校古書引書，一以作者對該書的概念為準。因此需要了解作者用過哪些版本，作者對該書文本有何見解。上文介紹黃以周引鄭玄《鍼膏肓》以「令雩祀百辟卿士有益于民者」為孟夏月令，引《周禮注》作「千葉為貫」，這些地方都與版本乖違，但作者心中的書本該如此，千萬不能校改。為了避免誤校，應該多了解有關該段引文的各種學說。確定作者會承認是錯字，才能校改。

乾嘉以前與道咸以後，流行的版本有較大差別，這一點值得注意。道理很簡單，乾嘉時期出現大批古籍整理成果，遂成為後來主要流行的版本，而這些版本自然不是乾嘉學者平常使用過的。例如胡克家刻《文選》在嘉慶十四年，阮刻《十三經注疏》、胡刻《資治通鑑》都在嘉慶二十幾年，至今都是影響最大的標準版本，而在此前，學者使用的不是這些版本。段注《說文》第十二篇上「耽」字下引《淮南・墬形訓》「夸父耽耳在其北」，高注：「耽耳，耳垂在肩上。耽讀衣褶之褶。或作攝。以兩手攝其肩之耳也。」高注末句費解。案劉文典《集解》作「以兩手攝耳，居海中」，不言有異文。何寧《淮南子集釋》亦如此。然則段注引文有訛乎？「攝耳居海中」與「攝其肩之耳也」，相差甚遠，無法理解如何訛誤始變如此。後查北京大學出版社出版張雙棣《淮南子校釋》，才看到說「王溥本、朱注本作『以兩手攝其肩之耳』」。所謂王溥本，即明代劉績《補注》本，王念孫說「所見諸本中，唯《道藏》本為優，明劉績本次之，其餘各本皆出二本之下」，可見劉績本在當時影響頗大。後來乾隆五十三年莊逵吉的刊本盛行於世，浙江書局的《二十二子》以及《集解》、《集釋》均以為本，劉績本又無影印本，若無張氏《校釋》，恐怕我也不會想到去圖書館借閱劉績本。從這一例子可知，校書必須注意作者用過的書，用過的版本。也應該知道乾嘉學者用過的版本往往不是我們的常用版本。至於道咸以後學者使用過的書與版本，時間越晚越接近我們現在的藏書。另外，像《淮南

子》這樣的重要典籍，非常需要類似《柳宗元詩文十九種善本異文匯錄》那樣整理各版本異文的書。

逸書引文，必須查明來源，不可以根據輯佚書輕易校改。如中華書局點校本《白虎通疏證》第一卷第一條校記：

「《易》有」二字上原脫「孔子曰」三字，據《周易乾鑿度》補。

緯書文本非常不穩定，各處引文常有歧異，也不能確定孰是孰非。這裡稱「據《周易乾鑿度》補」，等於說《周易乾鑿度》必須有此三字，脫此三字不成其為《周易乾鑿度》。豈有此理。即使所據文本有此三字，引書者仍然有權刪省。唐宋以前各種古書所引某緯書逸文，每一條都是某緯書文本，不能拿其中一條來否定另外一條。可以說凡自稱「據某緯書改」的校記基本上都不足信，出這種校記的點校本質量不會高。校改所引緯書，祇有在能夠確定作者引自何書的情況下，依據該書才有可能改。

文哲所的《劉壽曾集》第六十二頁〈周易漢讀考〉序：

《乾鑿度》載孔子之說易曰：「易，易也。變易也，不易也。佼易立節。」下文云：「管三成德為道苞籥。① 易者，以言其德也，此其易也。變易也者，其氣也。不易也者，其位也。」
校記①：當作「管三成為道德苞籥。」注云：「言易道統此三事，故能成天下之道德，故云：包道之要籥也。」

校記的意思應該是說底本「德為道」當作「為道德」，因為《乾鑿度》注云「能成天下之道德」。今案：校記所據當係殿本系統《乾鑿度》版本，若然「佼」亦當作「徼」。雅雨堂本及《初學記》所引與底本合，（注亦與校

記所引不同。）當即劉氏所據。此處無需出校，試為重新標點如下：

《乾鑿度》載孔子之說《易》曰：「易，易也，變易也，不易也。佼易立節。」下文云「管三成德，為道苞籥，易者以言其德也」，此其「易」也。「變易」也者，其氣也。「不易」也者，其位也。

（五）務必探求作者所參考資料

古書引文出於轉引，也是常見情況。如〈樂律通故〉第十八條：「〈小雅〉『廐廐麛所聏』，傳曰『廐廐，縮小之兒。』」「傳曰」是「箋曰」之誤，但這一錯誤始自《經籍纂詁》，胡承珙《儀禮古今文疏義》不小心誤從之，胡培翬《儀禮正義》照抄《古今文疏義》，黃以周又因襲《儀禮正義》的錯誤，源遠流長，已經是第四代。讀書要讀作者的心，要了解作者的思路，寫出來的文字不過是筌蹄。作者寫文章有材料，有邏輯，有思想。我們要通過文本，想象作者根據何等材料，如何運用邏輯來寫這種文本，背後又有何種思想。思想較難捉摸，不如先抓材料。知道作者參考過哪些材料，與眼前文本進行對比，可以理解作者的邏輯。材料、邏輯既已明白，大概可以理解他的思想。我們有大量證據知道黃以周經常參考《儀禮正義》，而且這一條上文引用江筠的觀點，也是祇有在《儀禮正義》裡可以看到的。因此可以相信，他在這裡將鄭箋說成毛傳，是因襲《儀禮正義》的錯誤，并不是自己弄錯，也不是直接因襲《經籍纂詁》的錯誤。通過這樣的校勘，我們也知道黃以周雖然認為《儀禮正義》編得不太理想，（見《儆季文鈔》卷三〈復胡子繼書〉。）實際上在自己研究《儀禮》問題時，也相當依賴於《儀禮正義》。〈鄉飲酒〉「乃席，賓主人介」，楊補胡《正義》引〈鄉飲酒義〉云：「四面之坐，象四時也，……（今省略中間93字）……主人者接人以仁以德厚者也，……」下又引「賓必南鄉，介必東鄉，主人必居東方。」江蘇古籍

點校本出校說：「『以仁』衍文，當刪。據〈鄉飲酒義〉。」今案：《唐石經》、撫本及陳澔本均有「以仁」，賈氏〈鄉飲酒〉疏引亦有，余仁仲本以下阮元注疏本等始脫二字，是知此條校記坐混同版本與書之誤，無論矣。然楊補胡《正義》純粹抄錄先儒成說而成，引〈鄉飲酒義〉亦非直接就《禮記》摘錄。經覈查知此處引文刪節與李如圭《儀禮集釋》合，是此段文字以《集釋》為本，而《集釋》即有「以仁」。作者稱引《禮記》，但實際引錄的是《儀禮集釋》上的文字，既然如此，校勘必須校《集釋》，不可以僅僅校《禮記》，更不可以拿《禮記》一個版本來校改。〈鄉飲酒記〉「樂作，大夫不入」下，楊補胡《正義》引褚寅亮說「敖氏謂樂作則獻上」，江蘇古籍點校本出校說：「『上』字誤，改作『工』。據《集說》。」《正義》引褚說，褚說中涉及敖說。如果褚說及褚說版本有問題，需要根據《集說》來校勘，但此處褚說版本無誤，錯誤發生在《正義》編輯過程中。所以校記祇能稱「據《管見》」。點校本的《校勘記》，不僅混淆版本與書，連不同的書也混為一談，如此校書，很多書會被消滅掉。

　　又如上文介紹的〈士冠禮〉「賓字冠者」節「主人降，復初位」，《儀禮正義》祇引錄程瑤田懷疑鄭注錯誤的說法，並說：「今案：程說是也。張氏惠言亦辨之。」僅據此文，祇能知道胡培翬贊同批評鄭注的程說。但我們校讀時，必須參閱胡培翬參考的十幾種書，知道程瑤田的說法源自敖繼公。明明知道此說出敖繼公，而要把這張牌隱藏起來，這是胡培翬的有意行為，反映他不願公開支持鄭學敵人敖繼公的思想。這種思想，祇有通過了解胡培翬見到過哪些材料才能理解，僅凭《正義》文本是看不出來的。《正義》絕大部分文本內容抄錄先儒成說而已，一一覈校，是校文，非校書。校讀《正義》必須校以胡氏所持十幾種書，探尋其間取捨之意。當知作者「沒寫甚麼」比「寫過甚麼」更重要。

　　〈軍禮通故〉第三十三條引司馬法云：「弓矢圉，殳矛守，戈戟助，

凡五兵，長以衛短，短以衛長。」注：「見〈司右〉注。」「長以衛短，短以衛長」，重復「衛」，覈〈司右〉注知下「衛」當作「救」。上文說逸書文本不易確定，但此則引《周禮》注所引，而《周禮》注可以肯定是「救」非「衛」，所以可以據改。但此第三十三條，引錄《周書》、《司馬法》、《管子》、《淮南子》、《公羊》家說、《穀梁》家說、衛宏、楊雄、鄭眾、鄭玄、韋昭、《禮記隱義》共十二家，這些引文除了《管子》外，全見《五經異義疏證》，而《五經異義疏證》刻本引《司馬法》即訛作「短以衛長」。可見，黃以周撰寫此條，以《異義疏證》為主要參考資料，轉引材料，連訛字也因襲過來。在這裡，錯誤在《異義疏證》刻本，黃以周沒有意識到這個錯字，他的原稿一定也作「衛長」。如果說校勘的目的在恢復作者原稿的原貌，祇有轉寫、版刻訛字才可以改字的話，這裡不能改字。可是，不難推想，在陳壽祺、黃以周他們的腦子裡，這段引文應該就是〈司右〉注的引文，他們沒有想過在不知不覺中發生了如此訛字。如果有人提醒他們，他們一定會同意校改。這種情況，改不改字應該說是見仁見智的問題，改不改都可以。無論如何，校記是一定要出的，而且必須說明這是因襲《異義疏證》刻本的訛字，不能直接稱「據〈司右〉注」，因為作者根本不是直接引用〈司右〉注。

當王文錦老師叫我校對《禮書通故》時，我怕《六書通故》做不好。因為《六書通故》的主要內容是按古韻類編的諧聲偏旁表，說明文字相當簡短。因為不明黃以周對諧聲韻部的具體學說，不知哪些是刻版錯訛，哪些是黃以周學說如此。後來發現此表以嚴可均《說文諧聲表》為本，心裡才有底。黃以周沒有引用嚴可均，但必須與嚴表對校，此表才可以讀。校書必須要找可以比較的合適對象，沒有比較對象，空手面對版本文字，無從判斷哪些是版刻錯字。這就是我的太老師孫人和先生常說的「不校不讀」。

　　覈查作者參考的書，是讀書的基本方法，所以讀現代書也可以用此法。如臺灣故宮《沈氏研易樓善本圖錄》著錄《公羊解故》余仁仲本云：「昔阮元為此本作《校勘記》嘗曰：『鄂州官書，經注本最為精美，今考此本，足以考訂鄂本者頗多。』」案：阮元未見余仁仲本，《校勘記》更非所以校余仁仲本，則此引《校勘記》有誤。我們先不要就這一問題鑽牛角尖，而要從根本上了解有關情況，也就是說先看作者寫這一段話參考過的資料。於是查閱《鐵琴銅劍樓藏書目錄》，就看到有如下記載：「阮氏《校勘記》稱『鄂州官書經注本最為精美』，今考此本，足以考訂鄂本者頗多。」作者抄書時所犯錯誤，不辨自明了。

（六）不知訛誤所由不得校改

　　傳寫、翻刻過程中發生的訛誤，是我們校改的主要對象。另外，作者不經意的錯誤，假如有人提醒，作者會毫不猶豫改正的話，也應該校改，至少可以出校。既然如此，這些錯訛都應該能夠說明發生錯訛的原因，否則不能排除作者有意那麼寫的可能性。如〈鄉飲酒禮〉「主人阼階東，南面辭洗」，阮元《校勘記》云「《唐石經》脫阼字」，有人說：「今案《唐石經》此句殘，看不出脫阼字，阮氏臆說。」（中華書局《中國典籍與文化論叢》第四輯載《阮元儀禮注疏校勘記補正》。）此人所見「《唐石經》」是民國皕忍堂刊本，以此而論「《唐石經》」，是犯了混淆版本與書的錯誤。（《唐石經》雖非一部書，錯誤性質無異。）更大的問題是，「阮氏臆說」完全講不通。假如所見《唐石經》殘此句，阮元（且作為《校勘記》作者代號。）為何要杜撰如此臆說？「阼階東」自然以有「阼」字為正，無論如何也不能理解為何要編造「《唐石經》脫阼字」說，除非認為阮元神經錯亂。既然不能說明錯誤原因，則應該懷疑是自己的判斷有誤。就此處「阼階東」而言，戴震所見補刻《石經》脫「阼」字，（戴氏《石經補字正非》抄本藏北京大學圖書館，黃山書社版《全書》、清華大學出版社版《全

集》均收錄。）知阮元所見定當如此，絕非臆說。

〈士昏禮〉「婦饋舅姑」節「婦贊成祭，卒食，一酳，無從」，楊補胡《正義》曰：「從者，從肝席也。」此句無可理解，一定有訛誤。我們已經知道《儀禮正義》常用的十幾種前儒著作，不難發現這部分《正義》凡六十字全部抄襲吳廷華《儀禮章句》，而且用的是《皇清經解》本。《章句》原來作「一酳無從 從肝也 席于北牆下」，《皇清經解》刻版誤以「席」為小字，遂讀為「從肝席也」。《皇清經解》咸豐修補以後的印本，此處「席」字已改大字。我們覈對《儀禮章句》的任何版本，即可知道「席」字誤衍，但仍不能確定何以誤衍。祇有看到咸豐修補以前的《皇清經解》，（《儀禮正義》刻版成於咸豐二三年間，胡、楊所見《皇清經解》自然是修補以前印本。）才能明白這一荒唐的錯誤所以發生的原因，因而可以放心校改。

《禮書通故》第十二條「《舊唐書》引沈約云，〈中庸〉、〈表記〉、〈坊記〉、〈緇衣〉皆取〈子思子〉」云云，「《舊唐書》」自當是「《隋書》」（〈音樂志〉）之誤，我們已出校改正。但黃以周討論《禮記》流傳問題，不會去翻閱《舊唐書》，引《隋書》何以誤為「《舊唐書》」，不得其解。後見錢大昕《潛研堂答問》云：「嘗讀《舊唐書》載沈約之言」云云，則錢氏讀史廣博精深，偶有此記憶錯誤，不足為奇。因此可以推斷《禮書通故》的訛誤淵源於錢大昕，可惜我對《禮記》流傳問題沒有深入了解，不知黃以周討論這問題參考過甚麼材料，因而還不能確定這一錯訛的直接來源。

又如上文介紹段注《說文》引《淮南》高注「攝其肩之耳也」，現在較容易看到的版本都作「攝耳居海中」，《集解》、《集釋》都不說有其他異文，一般人會懷疑「攝其肩之耳也」是「攝耳居海中」之誤。但我們要自問「攝耳居海中」如何訛誤才能變成「攝其肩之耳也」？兩個文本距離太遠，無法解釋產生訛誤的原因，所以必須保留判斷，再探討底本訛誤以外的可能性。

總之，欲言底本訛誤，必須能夠說明如何產生此訛。不能說明產生此訛誤的原因，應該懷疑自己的判斷有誤。最大的可能性是自己對文本的理解有誤，其次則作者另有所據。不能解釋訛誤原因，先不要校改，待之他日。

以上（四）、（五）、（六）三點是我與王老師在合作點校《儀禮正義》、《禮書通故》的過程中逐漸形成的重要原則，尤其適合整理清代經學著作。

（七）上中下相校

除了引文必須覈校外，最需要覈校的是作者所參考的書，這是往上校。另外，後世學者的著作引錄此書，往往也有一定的參考價值。如《周禮正義》引先人論著，大多經過校勘，明顯的訛誤都得到校正，不妨參考，雖然不能直接作為校改的根據。又如《儀禮正義》引《禮經釋例》，由於胡氏曾師從淩氏，而且熟悉《儀禮》，所以文字往往較刻本為優，非一般抄書之比。這是往下校。另外，參考與作者同時代的著作，有時也能得到有效的綫索。文哲所整理的清人文集，由於各位老師都很關注這些學者，所以這一點做得比較充分，值得我們學習。

（八）覈書便法

覈對作者用過的版本，不太可能完全做到，實際上我們都要靠現在的影印本、排印本，甚至要利用校勘記之類著作。因此，平常也要注意搜集各種版本資料。例如《淮南子》劉文典《集解》、何寧《集釋》以訓詁解釋為主，若無解釋必要不記錄版本異文，祇有張雙棣《校釋》記錄版本異文相對較詳細，是目前比較方便的參考工具。又如覈校緯書引文，日人《編緯書集成》可提供綫索。利用工具，自然需要正確認識其特性及可靠性。如《經籍籑詁》錯誤甚多，道咸以後學者輕信《籑詁》而誤者，我們需要校訂。我們自己可以當索引用，不可直接引據。如點校本《周禮正義》(第一次印本)〈大宗伯〉第一三六五頁「《廣雅》〈釋言〉云：『賀，嘉也。』〔一〕」，

校記：「『言』原訛『詁』，據《廣雅》改。」其實「賀，嘉也」在《廣雅》〈釋詁〉，而《經籍籑詁》誤稱〈釋言〉，王老師誤信《籑詁》。（第二次印本已經改正。）當年文史工具書有限，現在則《廣雅疏證》有索引，也有電腦檢索的方便，應該比較容易避免此類問題。

（九）分工與合作

　　點校整理工作頭緒繁多，諸如跑圖書館調查版本，記錄版本異字；查找遺墨，辨認手寫文字；覈對文獻，分析文本的層次結構；確定標點，撰作校記；設計版面，編輯成書；校對底稿，另做通讀校等等。各方面工作，所需能力不同，而且工作量大，若欲一個人獨立完成，難免疏忽，不妨考慮分工。王老師整理《通典》，版本對校工作還是請人跑圖書館去做的。出版社有編輯，負責多方面工作，一般來講對提高出版質量有積極作用。（有些出版社編輯沒有應有的業務能力以及文化水準，祇會帶來麻煩。文哲所出版點校成果沒有出版社編輯，有好處，也有壞處。）例如沈津先生整理的《翁方綱題跋手札集錄》，隨便翻看幾條與經學有關內容，標點都有問題。其實很多問題祇要覈對原書即可解決，並不複雜。我猜想，沈先生整理此書，以手抄本為底本，而且底本文字非楷書，整理工作的重點不得不放在辨認文字方面。由於主要精力用於辨認文字，標點方面就相對疏忽了。又如《研六室文鈔》我在北大借閱的版本，可以補《胡培翬集》所缺徐璈序，主要是因為近水樓臺，北大圖書館比較方便，但如果讓我自己點校《研六室文鈔》，注意力會集中在點校上面，很可能不去想借閱多種印本。另外，別人的點校容易看出毛病，也是人之常情。如我們北大中國古代史研究中心現在整理余嘉錫先生遺稿，其中有一段引到劉向《山海經題記》云「待詔太常屬臣望校治，侍中光祿勳臣龔、侍中奉車都尉光祿大夫臣秀領主省」。我一開始以為三人並列，官銜加「臣某」而已，糊裡糊塗在「臣望」下打頓號。我們歷史系

的學生一看就發現問題，指出「校治侍中」不能連讀，這與我看「堂中北墉」就知道有問題一樣，祇要經常接觸、熟悉內容，就容易看出問題來。因此我現在比較重視合作，余嘉錫先生遺稿除我自己做點校外，還請兩位學生分別進行校讀，定期聚首核對，以期減少疏忽。過去我與王老師合作點校《儀禮正義》，我還年輕，查書較勤，王老師有學問，有經驗，兩者結合，效果相當好。每種書情況不同，若有必要，不妨考慮分工合作。

三　結語

　　上文舉例介紹幾部點校本的個別問題，點校者不是老前輩就是我老師們，我自然無意批評。實際上，點校整理工作勞動量大，而且確實能給讀者帶來很大方便。像《周禮正義》雖然存在不少校對方面的疏漏，但這在很大程度上是孫詒讓鉛印本排字過密、印字不清所致。現在在點校本的基礎上，再進行校對，自然可以校出很多問題，但如果沒有點校本，直接根據孫詒讓鉛印本點校整理的話，不能保證校對失誤一定會比現在的點校本更少。《周禮正義》點校本給我們帶來的舒適與快樂，凡是讀過的人莫不深有體會。又如廣陵書社新出《寶應劉氏集》第四九九頁「《後漢書》〔一〕〈禮樂志〉：『世祖受命，改定京師於土中，……』」校記云：「『《後漢書》』，諸本原作『《漢書》』，今據引文內容改正。」其實「引文內容」就是《漢書》〈禮樂志〉的文字，而點校者非要補「後」字。謝承、謝沈《後漢書》及司馬彪《續漢書》皆有〈禮儀志〉而無〈禮樂志〉，更不聞有此所引文字，點校者好像是認為《漢書》不可以寫後漢事，後漢內容祇能在「《後漢書》」。這是我近幾年來所見最荒唐離譜的一條校記，甚至帶有幾分幽默。就算如此，我還是很感謝整理者。要不是他們如此整理，像《愈愚錄》這種書我不會去翻。(《北京圖書館珍本叢刊》所收影印稿本，字跡不清楚。) 現在出版的點校古籍，隨便翻翻都可以看出幾處毛病來。但如此容易看出來的問

題，讀者也不會被誤導，實際上也不是甚麼大問題，最多點校者及出版社不夠體面而已。我對目前出版的各種點校本有較大意見，所以願意自己動手做點校本，結果至今還沒有做好一部，由此也可見整理工作的不易。「紙上得來終覺淺，絕知此事要躬行」，所以問題歸問題，我還是很感謝那些點校出版工作者。

讀古書為了樂趣，與古人做朋友我很開心。在世界上等著餓死、病死的人不知其數的時候，點校錯誤是微不足道的問題。我現在純粹作為個人愛好來從事古籍整理工作，要與古籍共生死。我死我的古籍亦亡，是否有人繼承發展對我自己似乎不那麼重要。

【補充說明】

近二十年來，討論古籍校點的文章極多，即中華書局《古籍點校疑誤彙錄》已出六本，但所論大都局限於知識問題，讀之索然無味。評者每譏校點者之無知，其實知識無涯，人無完人，一人必有所知，亦必有所不知。評者謂校點者缺乏常識，但何謂常識，因人而異，初無客觀界限。以一己之知識結構規定世人必備之常識，非愚則妄。因此筆者撰此文，注意迴避具體知識問題。文中舉例，無非是理論問題之實例，旨在說明普遍性理論問題，絕對無意於批評具體校點本。若筆者有意貶損具體校點本，所當指摘的顯例，或在本文所列之外。若欲糾正出版品中具體失誤，函告出版社編輯即可，初不必撰文刊發。讀者幸勿以本文為評論具體點校問題，是所懇望。

又，筆者打印稿於專名下劃直綫，書名下劃浪綫。刊登此文之《版本目錄學研究》遵從近來習俗，取消專名綫，改浪綫為《 》，採用所謂「新式」標點。正如本文所論，古人引書，所引非具體版本，而是一種書概念。因此容有如「史記五帝夏周紀」等說法。《史記》概念為社會共識，此概

念包含《紀》、《表》、《書》、《世家》、《列傳》，五帝、夏、周皆各有《紀》
亦屬共識，故指《五帝紀》、《夏紀》、《周紀》而可稱「五帝、夏、周紀」。
今用《　》，若作「《史記・五帝、夏、周紀》」，則似謂《史記》有一篇《五
帝、夏、周紀》。若作「《史記・五帝》、《夏》、《周紀》」，則「五帝」獨佔
「史記」，「紀」專屬「周」，而「夏」字孤單，混亂不堪。此因《　》顯示
明確界限，與傳統行文習慣之靈活性，格格不入。論其起源，所謂「新式」
本為節省排版麻煩之便法。過去鉛排，專名綫、浪綫皆須插入在兩行活字
之間，費工費時，於是有所謂「新式」。後人不知，安於偷工減料之陋習，
甚或反以專名綫、浪綫為不規範，既可笑又可悲。「新式」之大行其道，
與今人失去傳統書概念、不知辨別版本與書有關。筆者於此，不得不提倡
廢掉「新式」標點，恢復「舊式」標點。

《魏晉禮制與經學》論讚

一

論曰：鄭王異同為經學史上一大關鍵，古來論者甚多，但每以具體觀點之優劣妥否為說，若二者所以必異之由，則少見討論。蓋清代以來談鄭王異同者，多為經學家，觀鄭王問題，自然視為經學問題，且不免以自身之經學標準衡量評價。今治經學史，從歷史角度觀察問題，則先須跳出經學思維樊籬，將鄭王二者之說置諸歷史環境中。大概而言，漢初制度未嘗原本經書，及元帝、成帝時，儒者議禮轉多以六藝古典為據，其論逐漸見行。至元始中王莽定制，則每以經書為根據。然劉歆博而篤，其失也駁雜，王莽禮制正如此。後漢制度多因襲王莽，且更混亂。鄭玄一生不與政，不議禮，（2013 年補注：《通典》卷六十七有鄭玄〈皇后敬父母議〉。龔向農云「鄭君晚年未嘗至許都，此蓋漢廷公卿以書訪問也」，見王利器《鄭康成年譜》建安元年八月。）鑽研經緯文獻，詳細分析文本及概念，建立貫通諸經之理論體系。見《鄭志》所論小小齟齬問題，愈可知其理論之精密。但此乃鄭玄個人為學之特點，非其時代潮流，故蔡邕與鄭玄同時，而其論廟制與鄭玄迥異，反與王肅同。鄭學體系為基於古典之抽象理論，或許可謂是先王之制，卻不足以為後王之法，故其說不符合任何現實制度，尤與後漢制度相差最遠。然終因其說深邃精密，廣為流傳，遂有魏明帝、高堂隆輩依據鄭學理論調整實際禮制之試圖。正當此時，王肅多為反對之說。王肅與政，與議禮，其說亦有理論體系性，而重點乃在實踐意義。因重實踐，故其說往往暗合賈逵、馬融等鄭玄以前之學者；但既有鄭玄學說之嚴密完整在先，王肅欲奪其席，亦不得不具備理論體系性。斯有王肅之複雜性。後之論者，祇見其理論體系性一面，即以王肅說當作經學理論學說，將其與鄭說並列，比其長短。論其理論完整，

王固不如鄭，不待研究自可知矣，故清代後期以來，王不如鄭，似已為定論。僅有如金鶚、孫詒讓等人，在理論體系性之外，更求解經之現實合理性，故就具體觀點上，偶或捨鄭取王。實則王肅經說之核心在實踐意義一面，理論體系不過其包裝而已。丘之與郊，天帝之與人帝，大社之與王社，親廟之與二祧，大祥之與禫，經典所言皆有分別，理論上自當辨析，鄭玄固分之矣。然此等理論上之分別，付諸實踐，則其間差異甚為微妙，強行分別，無異重複同一禮節，實近褻瀆，故王肅欲合為一。鄭玄追求理論體系之嚴密完美，王肅追求解經內容之適合實踐，方向不同，目標不同，意義不同，本質不同。當知兩者之間本無可比性，蘿蔔青菜各有所好，鄭王優劣之論可以休矣。是為鄭王不優不劣論。

二

晉朝重禮教，朝內外盛論禮儀，固以經典為本原。然其議論畢竟以實踐為主，其間雖涉及解經，但不以探索經學理論體系為目的。是以晉代禮議多巧說，而未見完整嚴密之解經體系，此又與王肅不同者。為便實踐，不斷調整經說，說愈巧愈失經典本義。當此時，義疏之理論研究興起，蓋有由矣。經書既為古代文獻，故研究經書需要文獻學方法，亦容許為抽象理論研究。鄭玄經學之重點在抽象理論分析，賈公彥是純粹理論研究之典型。然經書不僅即古舊文獻，更是聖賢垂教後世之書，故讀經書必須結合現實，深思其實際意義。王肅、杜預等均善於結合經典與現實世界，在深入分析文本之同時，亦能構造符合實際之解釋體系，後之金鶚、孫詒讓等亦其匹類。理論分析之與現實考慮，好比古音研究之考古與審音，每一學者側重傾向不同，其間亦或有時代特性，但兩面缺一不成，歷史必將形成互相促長，共同發展之道路。然而經學史固有更多重要因素，切不得以兩方面消長之簡單模式將經學史簡單化。

閒聊啖、趙、陸《春秋》學

二○○二年文哲所出版張穩蘋學姊編《啖助新春秋學研究論集》，彙集大陸、臺灣、日本有關論文共二十篇，包含張學姊兩篇文章，可謂較全面反映過去有關研究。此前，張學姊於二○○○年提交碩士論文《啖、趙、陸三家之春秋學研究》，除《研究論集》所收兩篇文章為核心內容外，更詳論啖派興起之政治、學術兩方面背景及啖派對中晚唐至清代《春秋》學之影響。今讀《啖、趙、陸三家之春秋學研究》，試述個人觀感。

一　張學姊之經學思想

學姊論文之特點，在其站在傳統經學研究立場。因其志在經學，故研究古人經學論著，必欲從中總結經驗，汲取教訓，以供今後研究經學之參考。綜觀書中評論古人經學之語，知張學姊之經學宗旨，簡言之，以通過嚴謹考證，闡明經典原貌；具體研究方法，繼承清代小學，又接受近代疑古派精神，是民國以來傳統學術方法。

〔如〕第四章第一節介紹繼趙匡之後持左氏非丘明之學者，結論認為：「附議趙匡而論者，多半難以提出顛撲不破的具體結論。顯見在審慎懷疑的背後，更需仰賴嚴謹的考證，這也是我們在反駁前人的成說時，必須備足的學術倫理及擔當。」

〔又如〕第四章第二節評述啖派論「無經之傳」，指出《左傳》敘事有「隔越取同」等形態，而云：「啖助學派在取擇三傳的條件上，特別無法宏觀看待《左傳》此種特質。名為『要求緣經通義』，卻讓《春秋》經典的原貌，因為欠缺充足的史料佐讀而變得更為模

糊。」

〔又如〕第四章第二節討論啖派校訂三傳經文，論云：「這種三傳經文的刊正工作，提供了古字古音研究的文獻資料，成為有清一代從事文字音義等考據工作者的入門之鑰。」案：學姊以莊公八年「治兵」陸淳云「《公羊》作祠，非也，《周禮》有治兵禮」為例，謂陸淳未及指出「治」「祠」古音同部為產生異文之原因。其實「治兵」「祠兵」鄭《駁異義》已有詳論，習慣論點，無須言古音。然今人論此異文，則固當言及古音，故學姊之論如此。

〔又如〕第五章第一節論《春秋》之政治思想，出注介紹顧頡剛「筆削實非出自孔子」說，而謂「因其所提論點多屬旁證，未具確鑿之定論條件，本文仍以『孔子作《春秋》』作為引述及討論之主題」。案：換言之，若近人論證確鑿可信，則討論古人觀點，當以合者為得，不合者為失，必須分析其所以得失之由。可見學姊明確站在現代學術立場，以其標準評論古代學術。當知臺灣仍然有經學傳統。

其經學史認識，即接受《四庫提要》以來之漢宋轉變論，而以啖派為轉變之過渡關鍵。

〔案〕〈緒論〉云：「大抵而言，漢魏盛唐之際，學者多將重心置於六經和諸子的研究上，著重文字音義的訓詁和章句名物的稽考；朱子之後，《論》、《孟》、《學》、《庸》等四書成為初學入門的重要經典，訓解方式也從文獻資料的外圍研究，轉向經典內部的義理探索。」案：長期以來，學者以啖派為宋學先驅，因為從經學角度觀之，疑傳棄傳最可重視。至七八十年代以後，論者開始關注啖派之政治思想，乃始置諸唐代政治背景下論之。學姊兼顧兩方面，故一面就《左傳》作者等經學問題進行歷史概述，一面論述中唐政治狀況，以明啖派之背景。

二　啖派與義疏學之比較

　　欲論啖派之創新意義，必須與當時主流之學術進行對比。哲學、文學等情況，如今研究當較深入，但我們了解有限，學姊雖有專章介紹韓、柳古文思想等，泛論道統哲學之興盛，但仍未能分析論證武則天至德宗一百多年之潮流變化。至於經學，武則天時王元感有新作，玄宗時論《類禮》、《孝經》等，均不得其詳，論者僅舉《五經正義》為啖派之前提，並視之為待破除之枷鎖。

　　〔案〕武則天至德宗時期之經學可以研究者，《孝經》、（有孔、鄭爭論以及開元、天寶二注，元行沖疏亦可討論。）《開元禮》、《周易集解》以及史書所載禮議。又案：日人文章多謂《五經正義》束縛學者思想，王元感、啖派等皆所以批判《五經正義》。凡此等議論，均無實據，想當然之說，不得信從。

啖派雖有批評義疏之說，但批評重點在記誦之學棄本逐末，不在《五經正義》本身，不得以啖派為對《五經正義》之反彈。

　　〔《春秋集傳纂例·啖氏集傳集注義》載啖子云〕因注迷經，因疏迷注，黨於所習，其俗若此。

　　〔《通典》卷十七載趙匡《舉選議》云〕疏以釋經，蓋筌蹄耳。明經讀書，勤苦已甚，既口問義，又誦疏文，徒竭其精華，習不急之業，而當代禮法，無不面牆，及臨人決事，取辦胥吏之口而已。所謂所習非所用，所用非所習者也。故當官少稱職之吏，其弊三也。案：此論明經應試者不知讀書本旨，未嘗以為《五經正義》內容有問題。

其實，義疏學充滿主觀性，而且以「經典內部的義理探索」為主。啖派經學與義疏學，為學目標、方向全不相干。性質既不同，啖派經學與義疏學之間本無關係可言，更不得謂反彈。然觀啖派批判《公》、《穀》凡例之說，首先認定事實，事實定則其義亦定，除此以外即斥為穿鑿妄說，據此批判

《公》、《穀》凡例，與劉炫批判先儒義例之法，本質上相同。

> 〔《春秋集傳纂例》卷九〈日月為例義〉云〕啖子曰：《公》《穀》
> 多以日月為例，或以書日為美，或以為惡。夫美惡在於事迹，見
> 其文足以知其褒貶，日月之例復何為哉。假如書曰「春正月叛逆」，
> 與言「甲子之日叛逆」，又何差異乎。故知皆穿鑿妄說也。假如用
> 之，則蹉駁至甚，無一事得通，明非《春秋》之意審矣。

啖派解經技術與劉炫有共同點，至其解經思想則全然不同。劉炫對先儒義
疏之具體觀點一一進行批駁，以致舊義疏幾無完膚，但未嘗建立新經學思
想以取代舊義疏學，故其學仍在義疏學範疇內，此正所謂「蠹生於木而還
食其木」者。劉炫解經，仍以討論經注文句為範圍，不涉及政治思想。

> 〔〈大雅・召旻疏〉〕奄者防守門閤，親近人主。凡庸之君，闇於
> 善惡，以其少小慣習，朝夕給使，顧訪無猜憚之心，思狎有可悅
> 之色，且其人久處宮掖，頗曉舊章，常近牀笫，探知主意。或乃
> 色和貌厚，挾術懷姦，或乃捷對敏才，飾巧亂實。於是邪正並行，
> 情貌相越，遂能迷囧視聽，因惑愚主，謂其智足匡時，忠能輔國，
> 信而使之，親而任之，國之滅亡，多由此作。案：此論宦者之害，本《後
> 漢書》〈宦者傳論〉。知劉炫熟悉文獻而於政事並無己見，如同刀筆胥吏。

三　啖派解經之基本方法

啖派認定《春秋》有褒貶，而會通三傳，不拘一傳。不盲從《公》《穀》
凡例，但亦否定《左》學者過分否定義例之說。先認定事實，然後據以認
定義例。認定事實需要多據《左傳》，認定義例需要根據政治思想。

> 〔《春秋集傳纂例・啖氏集傳集注義》載啖說云〕先儒各守一傳，
> 不肯相通，互相彈射，仇讐不若。詭辭迂說，附會本學，鱗雜米
> 聚，難見易滯，益令後人不識宗本。因注迷經，因疏迷注，黨於

所習，其俗若此。老氏曰「大道甚夷，而人好徑」，信矣。故知三傳分流，其源則同，擇善而從，且過半矣，歸乎允當，亦何常師。〔《春秋集傳纂例・三傳得失議》載啖說云〕《左氏傳》大略皆是左氏舊意，故比餘傳其功最高。博采諸家，敍事尤備，能令百代之下，頗見本末，因以求意，經文可知。又況論大義，得其本源，解三數條大義，亦以原情為說，欲令後人推此以及餘事。〔又云〕夫《春秋》之文，一字以為褒貶，誠則然矣。其中亦有文異而義不異者，二傳穿鑿，悉以褒貶言之，是故繁碎甚於《左氏》。〔又云〕《左氏》言褒貶者，又不過十數條，其餘事同文異者亦無他解，舊解皆言從告及舊史之文。若如此論，乃是夫子寫魯史爾，何名修《春秋》手。

偶有經傳不詳，不足以確定事實，則不妨據政治思想及義例推斷事實。

〔如〕成公元年「秋，王師敗績於茅戎」，《左傳》云「叔服曰『背盟而欺大國，此必敗』」，《公》《穀》均持晉敗王師之說。《辨疑》云：「《公羊》曰：『孰敗之？蓋晉敗之。或曰，貿戎敗之。曷為不言晉敗之？王者無敵，莫敢當也。』啖子曰：『若晉敗王師，而改曰貿戎，是掩惡也。如何懲勸手。」

啖派之政治思想，尊王，反戰，反對家天下等，論者甚多，今且不論。必須注意者，義疏學者多為專門學匠，本無此類政治思想，即使其人有思想，又與義疏無關。至啖派，學者與政，政治意識強烈，有此意識，而後有此經學。啖助以《春秋》宗旨以夏為本，不全守周典禮。趙匡則謂《春秋》宗旨在復興周典，未必從夏。兩人以《春秋》旨在救世是同，論其救世策略則不一。是則啖派政治思想尚未成熟固化，其研究《春秋經》，亦所以思索政治策略。唯其關心在政治策略，故對傳注之理論體系毫無興趣。至宋人治《春秋》，往往用現成固定之政治思想，強使《春秋經》就範而已。

《春秋正義》、啖派至宋,《春秋》學之演變發展,關鍵不在其解經本身,而在其政治思想以及政治思想與解經之關係。

〔《新唐書‧儒學‧啖助傳贊》〕啖助在唐,名治《春秋》,摭訕三家,不本所承,自用名學,憑私臆決,尊之曰孔子意也,趙、陸從而唱之,遂顯于時。嗚呼,孔子沒乃數千年,助所推著果其意手?其未可必也。以未可必而必之則固,持一己之固而倡茲世則誣。誣與固,君子所不取,助果謂可乎。徒令後生穿鑿詭辨,詬前人,捨成說而自為紛紛,助所階已。〔《十駕齋養新錄》卷六云〕《唐書》歐陽修撰〈本紀〉、〈志〉、〈表〉,宋祁撰〈列傳〉。予讀〈儒學傳‧啖助論〉云云。此等議論,歐陽所不能道。歐陽之《詩童子問》正宋所譏「捨成說」而「詬前人」者也。其後王安石、鄭樵輩出,以穿鑿杜撰為經學,詆毀先儒,肆無忌憚,景文已先見及之矣。

〔《郡齋讀書志》「《春秋微旨》」條云〕啖、趙以前學者,皆專門名家,茍有不通,寧言經誤,其失也固陋。啖、趙以後學者,喜援經擊傳,其或不明,則凴私臆決,其失也穿鑿。均之失聖人之旨,而穿鑿之害為甚。

〔學姊於第六章第三節云〕《春秋》思想大多在亂世中受到特別的矚目,而傳統知識分子對亂世的深刻思索,往往回歸於君主權力面的期待與反省,中唐啖助等人如此,兩宋諸儒更是深化其發展。

案:隋代亦亂世,劉炫自身慘死街頭,而其治《春秋》,無政治思想可言,《春秋》疏與《詩》、《書》疏並無本質上差別。然則若劉炫者,或不當在所謂「傳統知識分子」之列,學者之性質、意義不同也。

四　張學姊結論

　　學姊論啖派，兼述其與後代《春秋》學之影響，結論認為啖派在學術史上之特點有如下三點：一、研究《春秋》而關切世局，二、認真考覈取捨三傳義例，三、啓後世隨意說經之端。

　　　　〔案〕就第一點，學姊認為其政治思想之要點有三：一、堅持君尊臣卑原則，反對諸侯強盛。二、強調《春秋》之懲惡彰善意義，以立忠、原情等為解讀《春秋》之標準。三、主張王道仁政，反戰，反加稅。就第二點，學姊認為啖派取捨三傳義例，態度認真嚴肅。啖派之前兼治三傳者，大多以一傳為主，參酌他傳而已。至啖派始為重新立例。宋以後學者，則往往師心，不認真對比研究三傳，此為第三點。

今謂：其第一點即啖派與義疏學之本質不同所在，亦即啖派之所以新。第二點其實是解經技術問題。筆者從義疏學觀啖派，故止見其以政治思想斷義例，已非純學理討論。學姊從宋代以後《春秋》學反觀啖派，故知啖派審定義例尚屬審慎嚴謹。然則，論述全面，尤其就啖派特點與宋至清人對照分析，當謂學姊此書之特長，別人論啖派皆不及此。

五　堯舜三王

　　朱剛先生以為：啖云《春秋》「原情為本」，即尚「忠」，亦即堯舜民本主義之道；「革禮之薄」即謂改革周公禮典。朱先生又云：唐代士族重禮，推崇周公；庶族推崇堯舜，重情不重禮。因此認為啖助代表庶族政治思想。

　　　　〔案〕朱剛先生不知何許人，有《唐宋四大家的道論與文學》一書，一九九七年由東方出版社出版。觀其書，作者興趣廣泛，思

想活躍，似非專業學者。過去流行以士族、庶族之對抗解釋唐代歷史，如今似已不甚通行。推崇周公與標榜堯舜，其間差異如何解釋，似當進一步深入研究。至啖所謂「以誠斷禮」、「原情為本」，其本意在解釋《春秋》文例，謂《春秋》不以表面行為為善惡，而以其「誠」「情」定論。故陸淳序《春秋微旨》云：「宣尼之心，堯舜之心也；宣尼之道，三王之道也。故《春秋》之文通於禮經者，斯皆憲章周典，可得而知矣。其有事或反經而志協乎道，跡雖近義而意實蘊奸，或本正而末邪，或始非而終是，賢智莫能辨，彞訓莫能及，則表之聖心，酌乎皇極，是生人已來未有臻斯理也，豈但撥亂反正，使亂臣賊子知懼而已乎。」此即「以誠斷禮」、「原情為本」之說。「斷禮」固非否定典禮，（「以誠斷禮」下原注：「襃高子、仲孫之類是也。」其事見閔公元年、二年，謂齊侯使仲孫、高子來魯，齊侯有窺魯之心，而仲孫、高子止之，故《春秋》襃仲孫、高子。此豈否定典禮與。）「情」亦非與禮衝突者。作者以「以誠斷禮」、「原情為本」為排斥周禮、標榜堯舜之道之表述，豈其然乎。又，啖助謂《春秋》以「夏之忠道」為本，趙匡以《春秋》「不變周」，陸淳以孔子（即《春秋》）與堯舜同心，與三王同道。作者說庶族重情抑禮，崇堯舜抑周公，今案啖、趙、陸恐皆不如此。作者說啖要「變周」為庶族，則趙「不變周」豈非士族？作者又不言趙為何族。大談社會集團矛盾，貼標籤，無事生非，唯恐天下不亂，似是七十年代遺風。啖助謂變周從夏，不如從張學姊認為啖派痛惡藩鎮割據，因而否定最後導致侯國爭霸之周代封建制度。（啖論從夏之真意，筆者止能推測，無法證明。）

劉寧學姊於二〇〇五年清華經學會上發表論文〈啖、趙春秋學與三教說〉，援引朱先生說，并謂啖助變周，趙匡從周，所包含思想內涵比較複雜，非單純士庶矛盾可以解釋者。但劉學姊所論唐初至玄宗天寶時期之間，從

周、變周思想之變化，不僅複雜而且微妙，各種資料所見思想差異，是否反映時代思潮，尚不易論定。劉學姊此文似非定稿，且期待其詳細研究。

〔劉學姊云〕唐初以接續前代禮儀為基礎的「尊周」，武則天時代以改制革新、建設新的禮樂文明為核心的「新周」論，玄宗朝以「質文相救，文質彬彬」為核心的「變周革新」論，以及回復周文之真精神的「周文復振」論，演繹了初盛唐政教演變的複雜格局。案：劉學姊引用朱先生說，據張學姊編《啖助新春秋學研究論集》所載。朱先生書，本非專論啖派，因《研究論集》刊載有關論述，始為學者廣泛關注。

六　文獻問題

啖派著作傳今者，《纂例》、《微旨》、《辨疑》三書，流傳版本不佳，需要校訂。

〔如〕新文豐《叢書集成新編》所收《學津討原》本《春秋微旨》，卷上第一條「不書即位攝也」「攝」訛「按」。又如《叢書集成》本《集傳纂例》卷四〈錫命例〉引「趙子曰，不稱天王，寵篡弒以瀆三綱」，《叢書集成新編》所收《春秋微旨》莊公元年引稱「啖氏云」。《春秋微旨》下又引「趙子云」，則「啖氏云」當不誤，疑《集傳纂例》字誤。

又，三書體例亦待分析。

〔如〕《春秋微旨》引錄啖氏、趙氏說，每見「言云云」、「此言云云」，當為陸氏申釋之語。如莊公元年云「啖氏云：『不稱天王，寵篡弒以瀆三綱。』言不能法天正道，故去天字以貶也。」而張學姊、劉學姊引用時，不加分別，一概以為啖氏、趙氏語。竊疑非是。

〔又如〕《微旨》稱「淳聞於師曰」者，其可以為啖說與？抑出淳

己說而稱師示謙者？考啖助曾云「但以通經為意，則前人之名與
予何異」，《集注》不題注者之名。則陸淳或亦不分說之出誰，但
啖、趙、陸學說微異，不便混為一談。

好學之士起而整理校訂，解決文獻問題，則後人之認識啖派，將更深
刻明白。

論鄭王禮說異同

二〇〇七年春開設「經學史散論」課，因本人素無研究，選幾篇當代學術論文，加以分析評論，期望對歷史系研究生有啓發意義。備課學習古橋紀宏先生博士論文《魏晉禮制與經學》、張穩蘋先生碩士論文《啖、趙、陸三家之春秋學研究》、新田元規先生碩士論文《唐至清初之禘祫論》等，深受教益，自己也有所思考。其中對鄭玄、王肅禮說異同之意義，有了自己的理解，似覺可以自圓其說，因此提出來，請學界諸賢指教。

一　評論鄭、王異同的不同視角

1　鄭、王異同的經學分析

鄭玄、王肅禮說異同，是經學史上最重要問題之一，歷代學者有關議論極其繁多，筆者讀書甚少，未知其涯略。其專論鄭王異同而最著名者，當推皮錫瑞《聖證論補評》。皮氏另有《駁五經異義疏證》、《鄭志疏證》、《六藝論疏證》、《魯禮禘祫義疏證》等，體例略同，合而觀之，便於理解鄭說之概要。皮氏服膺鄭學，《聖證論補評》分析每一條材料，於王說多所批駁。〈補評序〉批判王肅不能分別今古家法以難鄭玄，反而僞造《孔子家語》，欲借聖訓以自重。皮氏認為，總體而言，「今文似奇而堿，古文似正而非」，(〈聖證論補評序〉、《鄭志疏證》均有此語。) 鄭玄頗知擇善而從，是為通識。皮氏固清末經學家，對每一具體經學問題，都有明確的是非判斷。

《孔孟學報》第四十一期載今人簡博賢先生〈王肅《禮記》學及其難鄭大義〉，通過具體分析，對王說多所肯定，結論與皮氏相反。簡先生比較鄭、王禮說之大義，認為鄭玄重尊尊，多泥跡；王肅重親親，守時訓。

這一評論，頗得鄭、王禮學思想之大體，值得注意。但簡先生之主旨在申釋王說，論證王不僅不劣於鄭，更有優於鄭者，而且往往徵引萬斯大、秦蕙田等後人之說證成王說。其實每一學者都有各自不同的禮學思想體系，如王肅與萬斯大等人，有些結論表面上一致，而背後的思想、理論截然不同，不足以相證。雖然如此，簡先生之論，自不妨其為一家之言。

王肅欲奪鄭玄之席，諸多觀點與鄭說正相矛盾，後人自然要討論其閒得失是非，故孫炎、馬昭、王基、孔晁、張融以來，歷兩千年爭論不休。若皮氏與簡氏，可謂其殿軍。依筆者淺見，皮氏論鄭是王誤的標準似在於鄭、王所據文獻資料的可靠性以及理論之完整性、邏輯之嚴密性等，偏向解經技術；簡先生論王優鄭劣的標準似在於鄭、王經說觀點是否合情合理，偏向思想內容。評價的層次既然不同，兩說實可並行不悖。但需要注意的是，皮氏、簡氏均認為自己這些標準可用來評價所有經學研究。換言之，皮氏、簡氏的立場仍然都在經學內部，本人也是經學家，所以他們對包括自己在內的當代經學研究有如何要求，他們評價古代經學家就用如何標準，完全一致。筆者不曾知經學，但覺鄭、王既然形成兩套不同的經說體系，不便擷取其中個別觀點，評估優劣，而必先就其學術體系，分析理解其思想、方法，乃為要務。

2　鄭、王異同的經學史評論

據古橋先生論文介紹，藤川正數認為鄭學有權威主義、形式主義特點，王學有人文主義、實際主義特點。這一評價，與簡先生所論相通，有一定的說服力。至於藤川進一步提出，鄭學接近今文學精神，王學接近古文學精神，鄭、王之爭是今古文學之爭的延續，則顯然無據，無以取信。

古橋先生又介紹加賀榮治說，其說以為鄭、王雜用今古學說，均屬後漢古文學之後繼。然後漢古文學除不拘家法、廣參文獻之外，亦有注重合

理之特點。鄭玄繼承後漢古文學廣參文獻一派，王肅繼承注重合理一派。對此，古橋先生指出，廣參文獻與注重合理，無論後漢古文學家還是鄭玄、王肅，莫不兼具，硬分兩派，毫無根據。筆者也贊同古橋先生的評論。王肅批評鄭玄學說不甚合理的內容是一回事，這種特點是否屬於某一學派，則是另一回事。

　　談論學術史，需注意避免用粗糙甚至杜撰的學派概念來解釋各種複雜現象。描述演變過程，分析演變規律，必須以恰切理解具體現象為基礎。若能充分積累「點」之研究，「線」自當浮現，故不得憑想象先畫「線」，使「點」牽就之。

3　鄭、王禮說與實際禮制的關係

　　古橋先生分析鄭、王禮說與漢魏實際禮制之間的關係，提出如下幾點看法：一、漢代的實際禮制與經學學說之間存在較大距離。二、鄭玄禮說與後漢制度難以符合，王肅禮說則頗接近漢代以來之實際禮制。三、魏明帝好鄭學，景初年間明帝、高堂隆等進行的一系列改制，其意圖顯欲使禮制靠近鄭說。四、王肅對鄭說提出異議，可以理解為對景初改制的反撥。今案：以往的經學或經學史研究，視角往往侷限在經學領域內部，而忽視其與現實制度的關係。現在越來越多學者傾向於從歷史的角度看經學，把經學學說放在當時的歷史環境裡進行觀察。古橋先生的研究既是創獲，又能給我們以很多啓發。可惜古橋先生的論文是日文，不便學者參考。另外，具體觀點也不無值得修正、商榷之處。筆者曾分析整理古橋先生論文的具體觀點及所依據的材料，參以己意，重編為〈删要〉，若有學界需求，可以公開發表。(2013 年補注：已刊登二○一○北京大學出版社出版《儒家典籍與思想研究》第二輯，題曰〈魏晉禮制與經學〉。)

4 趙匡評論鄭玄

以上介紹前賢評論鄭、王異同的幾個重要視角。凡此等評論，無不著眼於鄭、王禮說的具體內容，而具體之討論，始終不脫時人的評價。筆者愛好讀書，讀鄭、王言論，亦望能深入體會鄭、王的思維過程。蓋其立論內容，乃是其思維之結果，或許是學者研究的重要對象，但並非愛書者讀書的重點所在。從讀書的角度，更值得重視的是鄭、王的思維過程以及解經態度。趙匡對鄭玄的評論涉及這一點，很值得我們重視。

南北朝以後，王肅之說雖然也有影響，但鄭學在經學領域裡的主流地位始終沒有動搖。直到唐肅宗卒，寶應二年（763 年）黎幹發十詰十難，（見《唐書・禮儀志一》）嚴厲批評鄭說，而其說禘與趙匡一致。趙匡〈辨禘義〉，見陸淳編《春秋啖、趙集傳纂例》卷二。（陸書編訂時間在大曆十年（775 年））黎幹、趙匡的禘說，與鄭玄完全不同，而相當接近王肅。然而趙匡的說法是：「鄭玄不能尋本討源，但隨文求義，解此禘禮，輒有四種。」這是解經態度的問題。

趙匡認為理解經書必須「尋本討源」，「遠觀大指」，不得「隨文求義」或「即文為說」如鄭玄所為。（並〈辨禘義〉語）這種評論的主要意義在於表述趙匡自己的解經方法，而且正如張穩蘋先生、新田先生所論，宋代《春秋》學就是推進這種原則，而越走越遠。但筆者認為，趙匡的批評已可說明鄭、王禮說之異同。藤川先生、簡先生論鄭玄有形式主義、泥跡的特點，主要是從具體禮說的內容來講的，但也不妨說，禮說內容的這些特點其實是「隨文求義」的解經方法導致的結果。

二 二十五月、二十七月的意義

三年之喪的喪期，鄭說二十七月，王說二十五月，是鄭、王之爭的主要論點之一。〈士虞記〉「又期而大祥，中月而禫」，鄭玄以「中月」為隔

月，大祥在二十五月，隔月禫在二十七月。王說「中月」即月中，所以大祥、禫都在二十五月。〈檀弓〉「祥而縞，是月禫，徙月樂」，王肅以「是月」即祥之月，祥之月禫，自然在二十五月。鄭玄說「是月」與「徙月」相對為文，意思是說某月禫，第二月可以用樂，「是月」並非祥月。〈士虞記〉、〈檀弓〉這兩條記文，對二十五月、二十七月的結論有最直接的影響，固然很重要，但「中月」、「是月」的訓詁本身意義并不太大，而純屬技術問題，祇要有需要，隨時可以調整解釋。我們不能認為他們的爭論就是為了「中月」、「是月」，而應探討他們對「中月」、「是月」作不同解釋的根本原因，換言之，應討論他們持二十五月、二十七月不同觀點的真正原由。

皮錫瑞認為鄭說正確，是王肅誤讀〈檀弓〉，才產生異見。(見《鄭志疏證》)如此說來，二十五月、二十七月的爭論出於王肅的誤解，王肅無理取鬧，鄭說即是正解，其間似無深意。簡先生說，王說祥、禫同月得禮之正，鄭說祥、禫異月殊乖人情。又引萬斯大說，認為鄭說誤，而先儒多從鄭者，「親喪寧厚」是一個因素。然依簡先生概括，鄭說重尊尊，王說重親親，而此一問題鄭玄申親情，王肅節制親情，實不知當如何解釋。總之，經學家評論問題，必歸於一是一非，一正一誤，但除了批判錯謬以外，不能說明他們何以形成不同觀點。

古橋先生認為，漢代以來的實際習慣就是二十五月。鄭玄提出二十七月，不合當時禮俗，所以王肅要主張二十五月。若如，誠可說明王肅對鄭說提出異議的意義。但依筆者陋見，漢代以來實際禮俗是二十五月這一點，未見任何根據，故不能證明王說比鄭說更接近實際禮俗。

漢文帝有短喪令，至成、哀時漸有行三年者，王莽、光武時期三年喪較盛行。然安帝、桓帝先後令大臣、刺史等行三年喪，均不久旋廢，其他偶行三年者則為史籍所特書，(參詳楊樹達《漢代婚喪禮俗考》)又後漢明帝至魏帝皆用短喪，(史書有關記載甚多，如《晉書・禮志中》云：「自漢文革〈喪禮〉之制，後代

遵之，無復三年之禮。」又，漢末荀爽、徐幹皆有譏後漢天子短喪之文。）可見後漢時三年喪絕非普遍禮俗。《日知錄》云：「《孝經援神契》曰：『喪不過三年，以期增倍，五五二十五月，義斷仁，示民有終。』故漢人喪服之制謂之『五五』。《堂邑令費鳳碑》曰『菲五五，衰杖其未除』，《巴郡太守樊敏碑》曰『遭離母憂，五五斷仁』是也。」這裡顧炎武認為，《隸釋》所載漢碑資料中出現「五五」一詞，實係喪服的代語，因為漢代有「三年喪，五五二十五月」的說法，如《孝經援神契》所見，故有此種修辭法。然則「五五」乃是成語，并不代表他們具體履行二十五月的喪儀。《荀子》、《公羊傳》、《白虎通》均言三年之喪其實二十五月，可知為普遍的概念。故喪父可說三年，三年之喪可說二十五月，語言習慣如此，并不等於實際服喪的時間。至於「五五」，則修辭意味甚濃，離實情可能較遠。假設實際服喪時間為三十六天，而刻碑時仍寫作「五五」，亦完全可能。筆者閱讀古橋先生論文，又翻檢楊樹達的書，未見任何直接的記載材料，可以證明漢代有人履行過二十五月喪儀，更遑論一般習俗。後漢實際禮俗是二十五個月，古橋立論的這一前提，至少目前尚未有任何根據。

再者，假設二十五月是實際情況，也很難說明王說比鄭說更符合後漢實際禮俗。因為鄭說二十七月，自然也包含二十五月的大祥。服喪是逐漸變化的過程，到了大祥，主要過程已經完畢，除衰服而著朝服，亦不妨說喪期已畢，剩下的禫是附帶的多一次儀節。鄭玄自然熟知《荀子》、《公羊傳》、《白虎通》等明文記載的二十五月喪期概念，他亦未表明喪期是二十七月不是二十五月，祇不過說二十五月大祥之後，二十七月又進行禫，如此而已。然則，鄭說與傳統的二十五月概念並不矛盾，古橋先生說王肅為了維護後漢實際禮俗反駁鄭說的觀點，也很難成立。

鄭玄不能接受二十五月大祥、同月禫的觀點，非要主張二十七月禫，究竟何為？鄭玄學說以周詳系統的研究為基礎，每一觀點都力求能解釋相

關一切經文，因此要對其某一具體觀點指出其最主要的根據較為困難。就此喪期問題而言，可以說直接相關的一二十條經文都是鄭玄的根據，鄭玄認為祇有認定二十七月禫，這些經文才可以通釋無礙。雖然如此，若要指出其中最重要的根據，〈檀弓〉疏可以給我們提供答案：「鄭必以為二十七月禫者，以〈雜記〉云『父在為母為妻，十三月而祥，十五月而禫』，為母為妻尚祥禫異月，豈容三年之喪乃祥禫同月。」若〈雜記〉這則材料可信，則祥禫同月的說法便無法成立。於是鄭玄採取二十五月大祥、二十七月禫的觀點，「中月」解釋為隔月，「是月」理解為泛指，一切解釋圓滿。

王肅對〈雜記〉此文有何解釋，似無資料可考，疑王肅有意迴避不談。（簡先生論文申王說，亦未解釋〈雜記〉此文。）但王肅提出異議又由何因？古橋先生指出，史載王肅提出二十五月禫，在正始二年朝議祫祭時。因舉行吉祭須在禫之後，故要確定祫祭時間，須先定禫的時間。於是太常孔羨、博士趙怡主張二十七月禫，散騎常侍王肅、博士樂群主張二十五月禫。（見《魏書·禮志二》載景明二年孫惠蔚上言。）但這場朝議除鄭、王學說對立外，看不出其他思想背景，二十五月禫之說當非為此場朝議而發，而是王肅素有其說，至此次朝議，才第一次發生公開爭論而已。

筆者認為，王肅二十五月禫說的實質，是將大祥與禫兩種儀節在實際意義上合併為一。〈士虞記〉：「又期而大祥，曰薦此祥事。中月而禫。」注云：「禫之言澹澹然平安意也。」祥之後有禫，諸經多有明文，無可否認其存在，但禫祭具體內容如何？經傳沒有記載。杜佑說：「練、祥、禫之制者，本於哀情不可頓去而漸殺也。」（《通典》卷八十七）然大祥已經二十五月，改著朝服，哀情淡化，說是漸殺，二十五月與二十七月之間能有何等差異？故《禮記》所言祥禫之別，已不甚分明。如〈檀弓〉「祥而縞，是月禫，徙月樂」，是禫之明月始可樂，而〈喪服四制〉「祥之日，鼓素琴」，〈檀弓〉「魯人有朝祥而莫歌者，夫子曰踰月則其善也」，又「夫子既祥，

五日彈琴而不成聲，十日而成笙歌」，皆未及二十八月而有樂。鄭玄解謂大祥後可有樂，但非八音正樂，至禫之明月始有正樂。(見〈檀弓〉疏) 其說雖巧，但如此細分，未免離現實甚遠。於此亦可見，大祥與禫，理論上固可分為兩祭，若從其實踐層面而言，實無法區別其不同意義。強此履行，等於重複同樣儀節，近乎所謂敬不足而禮有餘者。故王肅以大祥與禫即在同月，存二名而實合為一，可謂方便。後人不深考鄭、王意之所在，祇知其結論為二十五月、二十七月喪期長短不同，杜佑甚至提出二十六月的折中方案，不知如此折中，已全失鄭、王費心思慮的意義。

三　王肅合併鄭玄所分

筆者理解二十五月、二十七月為大祥與禫或區分或合併的問題。其實其他幾個鄭、王禮說異同的重要問題，也與此相同。下面分類簡述。

1　郊丘

〈郊特牲〉疏云：「〈大宗伯〉云『蒼璧禮天』，又云『牲幣各放其器之色』，則牲用蒼也；〈祭法〉又云『燔柴於泰壇，用騂犢』，是牲不同也。又〈大司樂〉云『凡樂，圜鍾為宮，黃鍾為角，大蔟為徵，姑洗為羽，冬日至於地上之圜丘奏之，若樂六變，則天神皆降』，上文云『乃奏黃鍾，歌大呂，舞雲門，以祀天神』，是樂不同也。故鄭以云蒼犢、圜鐘之等為祭圜丘所用；以騂犢及奏黃鍾之等以為祭五帝及郊天所用。」是經書記載圜丘、南郊，確實有所出入，不容混為一談。〈郊特牲〉疏引王肅說則云：「郊則圜丘，圜丘則郊。所在言之則謂之郊，所祭言之則謂之圜丘。於郊築泰壇，象圜丘之形，以丘言之，本諸天地之性。」考《史記‧封禪書》稱「《周官》曰：冬日至，祀天於南郊，迎長日之至。」《漢書‧郊祀志下》載王莽說，引《周官》「冬日至，於墬上之圜丘奏樂，六變則天神皆降」，

而云:「以日冬至,使有司奉祠南郊。」是司馬遷、王莽等皆不以圜丘、南郊為二。漢朝從來沒有特立圜丘,祇有喜好鄭學的魏明帝才選定委粟山為圜丘。圜丘、南郊名固不同,分析經書記載也可以證明其間有所出入,但小小異同是否必須為此設立截然不同的兩種祭祀?更何況無論是圜丘還是南郊,除了時間、音樂、用牲等片段記載外,經傳都沒有說明具體儀節的內容,若要設計兩種不同的祭禮,不知何以表現兩者之差異。從祭祀的實際考慮,王肅以圜丘、南郊為一,顯得更合理。

鄭玄區分圜丘、南郊,所祭之天亦隨之有別,認為圜丘祭昊天上帝,南郊祭五帝蒼帝、黃帝之屬,此所謂六天之說。王肅謂天至尊,不得有二,故不分圜丘、南郊,又以五帝非天,據云此說與賈逵、馬融同。

2 社稷

〈祭法〉云「王為羣姓立社曰大社,王自為立社曰王社」,是天子有二社的明文。但據《宋書‧禮志四》載傅咸〈表〉,王肅對〈祭法〉的「大社」有稍微奇怪的解釋:「王者布下圻內,為百姓立之,謂之太社,不自立之於京師也。」此說討論大社的性質與地點,實際上王肅的用意在反對天子二社制度。《通典》卷四十五注引孔晁云:「漢氏及魏初,皆立一社一稷。至景初之時,更立太社、太稷,又特立帝社云。《禮記‧祭法》云『王為羣姓立社曰大社』,言為羣姓下及士庶,皆使立社,非自立也。今並立二社,一神二位,同時俱祭,於事為重,於禮為黷。宜省除一社,以從舊典。」孔晁說與王肅一致,他們通過解釋,將〈祭法〉的大社排除在京師天子社的概念之外,因而主張天子的社祇有一個。何以如此,孔晁說明得也很清楚。在觀念上分王社、大社二社固然很容易,但作為具體祭祀,這二社究竟有何差異?經傳無具體說明。然則二社總嫌重複,不如省併為一社。就實際制度而言,漢代一直是一社,祇有魏明帝景初年間才改

為二社制度。(《宋書》、《晉書》有漢、魏二社一稷之說，是採用臣瓚誤說的結果。筆者別有辨，今不詳論。2013 年補注：筆者札記〈漢魏二社一稷〉見 2009 年北京大學出版社出版《儒家典籍與思想研究》第一輯第 175 至 176 頁。)之後，晉武帝先下詔云：「社實一神，其併二社之祀。」傅咸對此提出異議，批評王肅說不可靠，並且主張「過而除之，不若過而存之」。武帝從其說，又下詔云：「社實一神，而相襲二位，衆議不同，何必改作。其使仍舊，一如魏制。」(並見《宋書·禮志四》)可見，一神二社始終是一個問題，不過魏晉以後的社已經是不為帝王朝臣重視的小祭祀，不足深論，所以他們選擇「過而存之」。從實際禮儀制度的角度看，一社自然比二社更合理。

又，王肅以社稷為人鬼，社祭句龍，稷祭后稷，實同賈逵、許慎、馬融等先人。而鄭玄獨以社為地，配祀句龍；稷為原隰之神，配祀后稷。〈郊特牲〉疏云：「鄭必以為此說者，案〈郊特牲〉云『社祭土而主陰氣』，又云『社所以神地之道』，又〈禮運〉云『命降于社之謂殽地』，又〈王制〉云『祭天地社稷為越紼而行事』，據此諸文，故知社即地神。」經書所載，既有社祭句龍、稷祭后稷的實際風俗，又有將社稷當作地神的宗教思想。鄭玄對經書文句進行全面細緻的分析，知道兩方面因素都不能抹殺，但他也很重視理論，地神與人鬼不能不截然分辨。於是用配享概念來回避兩者的衝突，認為真正的祭祀對象是地神，但同時也配享句龍、后稷。仲長統評論鄭玄這種解釋云：「經有條例，記有明義，先儒未能正，不可稱是。鉤校典籍，論本考始，矯前易故，不從常說，不可謂非。孟軻曰：『予豈好辯哉，乃不得已也。』鄭司農之正，此之謂也。」(見《續漢·祭祀志下》劉注引。)王肅不採用鄭說，因襲舊說，認為社稷祭祀的對象就是句龍、后稷，符合實際風俗，單純易解，也等於將鄭玄從理論上分開的地神與人鬼再次合併為一。

3 廟制

鄭玄說，天子立太祖廟并四親廟，而周因受命之故，特立文武二祧，共立七廟，殷則六廟，夏乃五廟。王肅說，諸侯五廟，太祖廟及四親廟，天子與諸侯相差以二，故太祖廟及親廟六，共七廟，其所多出高祖之父、之祖即二祧。〈王制〉、〈祭法〉等皆有七廟明文，故鄭、王均謂周天子七廟。不同者，鄭玄將七廟中的二祧視為周朝特例，天子廟制的核心仍是太祖以及五服範圍的四親廟；王肅則否定對二祧賦予特殊含義，認為七廟為百王通制，所謂二祧不過是四親廟的延伸，父、祖、曾、高、高祖之父、高祖之祖，三昭三穆均屬親廟，如此始得與諸侯五廟之間形成明顯等差。換言之，鄭玄從七廟中分出二祧概念，賦予特殊意義，而王肅又將二祧概念歸併到親廟概念中。鄭說雖稍嫌複雜，然有韋玄成說、《白虎通》等為本，亦非杜撰。從理論上講，〈喪服小記〉明言「王者立四廟」，若如王說，文武廟不在七廟之內，則周當有九廟，而經典絕無言九廟者。應該說，鄭玄通過引進特殊的二祧概念，圓滿解釋了有關經文（其中也包括緯書。）。後漢獻帝時，蔡邕議宗廟改制，稱「禮制七廟，三昭三穆與太祖七」，王肅說與蔡邕同。兩說相較，作為實際制度，王肅說畢竟更簡明合理。

4 禘祭

依鄭說，經典所見「禘」，有指祭天者，也有指宗廟祭祀者，祭天之中也有圜丘、南郊之分，宗廟祭祀之中也有大祭、時祭之別，所以上引趙匡說，鄭玄「解此禘禮，輒有四種」。〈喪服小記〉「王者禘其祖之所自出，以其祖配之」，「禮，不王不禘」。〈大傳〉「禮不王不禘，王者禘其祖之所自出，以其祖配之」。鄭玄將這些「禘」都當作南郊祭天理解，但〈祭法〉「有虞氏禘黃帝而郊嚳」，「禘」與「郊」並見，不能說「禘」是南郊，且「禘」在「郊」上，故認為是圜丘祭昊天上帝。圜丘祭昊天上帝，南郊祭

感生帝,而〈祭法〉云「禘黃帝而郊嚳」等,鄭玄解釋說「禘黃帝而郊嚳」
謂配享耳,真正的祭祀對象是昊天上帝、感生帝,並不矛盾。依王肅說,
圜丘即南郊,但〈祭法〉「禘黃帝而郊嚳」的「禘」既然不是南郊,也不
能是圜丘,王肅遂釋為宗廟大祭。王肅進而認為,〈喪服小記〉、〈大傳〉
的「禮不王不禘,王者禘其祖之所自出,以其祖配之」說的也是宗廟大祭。
所以按照王肅說,「禘」就是宗廟祭祀,祭天不叫「禘」。另外,據王說,
〈祭法〉「禘黃帝而郊嚳」的黃帝、嚳等就是祭祀對象,而非配享。王肅
將鄭玄分別解釋為圜丘祭天、南郊祭天、宗廟大祭的「禘」,統一解釋為
宗廟大祭,簡明易解,又〈大傳〉下文緊接著說「諸侯及其太祖」云云,
故將「禘」理解為宗廟祭祀亦甚自然。

四　鄭、王禮說的歷史意義

　　大祥與禫、圜丘與南郊、昊天與五帝、大社與王社、地神與人鬼、二
祧與親廟、祭天禘與宗廟禘,這些相關、相類似的觀念,鄭玄都仔細區分,
分別賦予不同的意義,而王肅對此都進行不同形式的合併,因此鄭玄學說
繁瑣複雜,王肅禮說簡明合理。這樣的討論結果,與簡先生「鄭玄多泥跡,
王肅守時訓」的評價及藤川先生「鄭學形式主義,王學實際主義」的評價
都不矛盾。但簡先生、藤川先生主要就禮說內容亦即解經結果進行評價,
而筆者關注的是他們解經的過程或態度、方法。

　　上列事例似乎甚多,但其中如圜丘與南郊、昊天與五帝、祭天禘與宗
廟禘等,並非三種獨立的問題,而是屬於一系列問題,密不可分。故三種
現象也可以說是一個問題。另外,鄭、王異同問題多端,難以用「王肅合
併鄭玄所分」這種膚淺的概念來作解釋。最簡單的例子,如〈祭義〉「祀
之忠也,如見親之所愛,如欲色然」,鄭注「如欲色者,以時人於色厚,
假以喻之」,王肅說:「欲色然,如欲見父母之顏色。鄭何得比父母於女色。」

王肅顯然認為，用喜好美人來比喻祭祀的虔誠，有失嚴肅。換言之，導致鄭、王異義的原因純粹是倫理思想的問題。可見，「王肅合併鄭玄所分」這種概括本身不直接說明任何問題，但通過具體觀察「王肅合併鄭玄所分」的事例，我們可以知道趙匡說「鄭玄不能尋本討源，但隨文求義」，確實指出了鄭玄禮學的方法論特點。

經書本非一地一人所作，來源非常複雜，後來逐漸編成各種不同著作，各書之間又相互關聯，逐漸形成一套完整的經書體系。因此，經書的記載往往互有出入，甚至矛盾。前漢博士引用經書文句以議論政事，常斷章取義，而未從形成學說體系之論，故經書內在的矛盾往往忽視不理。鄭玄對諸經緯文獻進行全面系統的研究，建立了今天我們能夠瞭解大致內容的第一套完整的經學概念體系。除了空前大的規模以外，嚴密的體系性，也是鄭玄學說的突出特點，我們翻檢《鄭志》，其解釋各經注說之間所存在的小小出入，亦足以瞭解其嚴密程度。儘管在鄭玄之前已有很多學者作過研究，但最早期建立的經學概念體系，能夠做到如此大規模，而且精密如此，足以驚人，故范曄論稱「括囊大典，網羅眾家」。

對此情況，筆者不禁要比附音韻學的發展歷史。《切韻》是我們今天能夠具體瞭解大致內容的第一部韻書，而且規模甚大，音韻體系也最嚴密。《切韻》的資料來源甚為複雜，且為求「剖析毫釐，分別黍累」，不管古今南北不同的語音體系，凡是有區別的字音，都加區別，結果《切韻》的音韻分析最細，音韻體系最複雜，而實際上任何一個時代地區的實際音韻體系都不可能那麼複雜。換言之，《切韻》體現的音韻體系是理論分析的結果，並不是實際使用的音韻體系，現實生活中沒有人能分辨如此細微的語音差異。《切韻》的這種特點產生兩方面後果：一方面，後代實用性的韻書對《切韻》的音韻體系進行大規模的合併簡化，如《平水韻》；另一方面，若要分析研究歷代音韻以及方言音韻，便不能不參照《切韻》分

析的音韻體系。

東漢經學家需要對含有矛盾的經書體系進行統一的系統解釋。鄭玄分析經緯文獻中的各種矛盾，說明其出入，所採取的態度與《切韻》的編者們相同，這就是盡量多區分概念，以求避免矛盾。《切韻》編者，若遇兩個字在方言裡的讀音不同，或者在古文獻裡面是不同音，就算在本人的語言體系裡念同音，無所分別，在理論上仍然要分析為兩個不同的音韻概念，當作存在兩個不同的音。鄭玄解經，若遇同一個詞或者同義、近義的詞，在經緯文獻的不同地方，含義、屬性、用法有所出入，甚至矛盾，通常作為不同的概念來理解。鄭玄力圖保存文獻語言的複雜性，為此要求讀經者細分自己腦海中的相關概念。不難理解，這樣細緻的分析衹有在理論上才得以進行，若移之於現實社會，顯得太過複雜，甚至不合理不合情。若要保存文獻語言的複雜性，必然要形成複雜到脫離現實的概念體系，個中原因，當是因為經緯文獻本身包含異地異時不同人的各種說法，本來不反映一套現實的概念體系。

王肅對鄭玄提出異義，有多方面原因，現實性考慮可能是最主要的因素。鄭、王禮說異同，從結論來看，王肅往往將鄭玄區分的概念再次合併。鄭玄的分析是對文獻概念進行理論研究的結果，離現實人情甚遠；王肅則直接參與朝廷禮制的討論，更關心現實的禮制，所以，其禮說須具可實踐性，要求合情合理，不能衹顧理論上的完美。當此時，為了解釋的合理性，文獻語言本來的複雜性往往被忽視。這裡存在的矛盾，一方是我們平常使用的概念，由於經過實踐的不斷驗證，證明是合情合理的；另一方，經緯文獻所載，由於來源叢雜，流傳過程分歧，所以既有權威性，又有內在矛盾。鄭玄以經緯文獻的記載為出發點，反過來要求細分自己腦海裡平常使用的概念，以遷就文獻的複雜現象。王肅則用合情合理的概念去解釋經緯文獻，對緯書記載加以否定，對經書中原有分歧的記載則進行合情合理的

合併處理。鄭玄虛心接受文獻，要求我們改變概念；王肅則從當時的觀念出發，要求調整文獻的表面意義：方向正好相反。合情合理的現實不需借助經書，已可自明，但經書文獻的複雜內容則不是人們所能想象出來的，所以在經書文獻的解釋上，不管王肅有多大影響，始終無法取代鄭玄的位置。鄭玄禮說脫離現實，所以必然會出現王肅的糾正理論；鄭玄禮說盡量詳細地保留文獻內容的多樣性，所以後人研究經書，必以鄭玄為不祧之祖。《切韻》後必然產生《平水韻》，《切韻》是音韻研究不可或缺的根本資料，情形正相類似。

筆者提出這些觀點，祇是對鄭、王學術基本方向的個人解釋。既然是解釋，無法證明絕對正確。不僅如此，舉例反駁也很容易。鄭玄注經改字極多，有目共睹，不必贅言。牽強的解釋，亦自不乏，舉其顯例，則〈郊特牲〉「郊之祭也迎長日之至」，注以為夏正建寅之月，因建卯月春分，故稱「長日之至」；「周之始郊日以至」，注以為當云「魯之始郊日以至」，魯建子冬至之月郊，周郊自在建寅月。對此王肅說：「若儒者愚人也，則不能記斯《禮》也；苟其不愚，不得亂於周、魯也。」即是批評其牽強。雖然如此，筆者通觀鄭、王禮說異義，得到的大致印象是：鄭玄的思維緊貼文本，從經緯文獻的文字出發，根據這些文字展開一套純粹理論性的經學體系；王肅則從我們現實生活的角度出發，考慮禮說的可實踐性以及合理合情性，對鄭玄的經學體系進行改造。

趙匡謂「鄭玄不能尋本討源，但隨文求義」，至此豁然可解。趙匡是說，鄭玄由於過分拘泥經文語言上的細微差異，亂立各種分析概念，遂失經書之「大義」。王肅應該會認同趙匡的說法。至於趙匡與王肅之間的不同，則王肅以鄭玄學說體系為前提，對具體的觀點提出各種修改意見，其經學體系框架仍然接近鄭玄。王肅否定鄭玄過分拘泥文獻語言的理論分析，並提出合併概念的解釋方案，以尋求自己解釋的體系完整性，努力彌

縫經書不同記載之間的矛盾。趙匡認為讀經需要掌握「大義」，不可拘泥具體經文，所以趙匡敢對不符合「大義」的經書記載表示懷疑，否定《左傳》、〈明堂位〉、〈中庸〉、〈祭法〉等。趙匡的〈辨禘義〉根據〈大傳〉等經文掌握「大義」，反據此「大義」來批評〈明堂位〉等，說「《禮記》諸篇，或孔門之後末流弟子所撰，或是漢初諸儒私撰之以求購金」。這樣解經，就分析文獻的邏輯形式而言，正如馬端臨指出「據《禮記》以攻《禮記》」，（《文獻通考》卷一百）存在嚴重的方法論缺點。趙匡對「大義」堅信不疑，但《禮記》諸篇之間本來存在互相矛盾的記載，然則經書「大義」與《禮記》中個別文句之間，當如何取捨？趙匡自然選擇「大義」。王肅不言經書「大義」，因此對經書中包含矛盾的不同記載，也不採取蔑視或否定的態度。

先掌握「大義」，按照「大義」去解釋經書，這是趙匡首先提出、宋人繼承發展的解經方法。趙匡輕言經書不足信，為相信經書權威意義的後人所詬病，但趙匡的基本觀點為宋人所繼承，如朱熹讀經書文句最細心，仍然重視、遵從趙匡對「禘」的看法；趙匡根據「大義」解釋經書的經學方法更成為宋至清初經學的主流。所以黃榦稱：朱熹說趙匡的「禘」說是《儀禮經傳通解》「筆削大義之所存也」。（楊復序《儀禮經傳通解續編》黃榦〈祭禮〉引）但相對而言，趙匡仍能慎重衡量經書文句，與宋以後多數學者輕易下論斷不同。這一點，張穩蘋先生的論文通過細心的分析，已經拈出，可以參考。宋至清初經學家的禮說與現實生活上的禮儀實踐有密不可分的關係，同時通過不斷地研究，經學「大義」越來越純粹地貫徹於經書的解釋之中，這一點新田元規先生的論文有具體詳細的論述，可以參考。這種被「大義」純化的經學發展到極點，所有經書都可以用「大義」來解釋，無所乖戾，結果經書就變得毫無存在的意義，因為所有一切都不外乎「大義」。明人郝敬論《禮記》諸篇不同而云：「後儒各記所聞，互相矛盾。遠

觀者自能折衷，有所不知宜存而弗論。」又云：「鄭康成輩，好信不通，執此徵彼。及其不合，牽強穿鑿，譸張百出。」（《禮記通解》卷首〈讀禮記〉）此與趙匡所論，旨意正相通。清初姚際恆則謂：「古人文字亦欲各出其能，不為雷同也。後儒乃欲寸寸而合之，銖銖而較之，豈不愚哉。」（《續禮記集說‧祭義篇》引）其輕視經文文字，而獨重大義也如此。物極必反，乾隆中期以後，經學家的禮說與社會實踐之間失去直接的關聯，他們做的研究是理論性的，而且偏向文獻學。這就是為什麼清代前期以前，各種經說往往比較接近王肅的觀點，像《五禮通考》即經常採用王肅之說，而乾隆中年以後，學者開始一味地推崇鄭玄。如王鳴盛極力推崇鄭玄，而他的最主要著作《尚書後案》幾乎可以說是輯佚、校訂的文獻學著作。但學者永遠不會滿足於純粹的文獻學，於是有王念孫、段玉裁等注重內容合理性的研究。儘管他們採用相對客觀的音韻、訓詁學手段，畢竟為了內容的合理性，不惜犧牲文獻文字的複雜多樣性，故文獻學家顧千里與段玉裁水火不容。又如金鶚、孫詒讓等不受一味尊鄭風氣的影響，討論禮說往往認同王肅說，說明這些學者研究禮說，並非純粹觀念上的理論研究，而是想通過分析文獻，要探索、復原上古實際存在過的禮制。

鄭玄的目標在建立一套能夠完整解釋一切經文的理論體系，王肅欲使理論體系更適合禮制的實踐，這是經學研究的兩個最重要的目標以及研究方法，對後代學者有最深遠的影響。趙匡開始用經學「大義」解釋經書，可以說是第三種目標及研究方法。宋至清初學者既重「大義」，又考慮實踐，可以說是王肅與趙匡兩個方向的結合。至如金鶚等要通過文獻探討上古歷史事實，已脫離經學範疇，可算是另一目標及方法。至清代後期，學者都有這幾方面因素而輕重比率不同，因而形成各自不同的學術風格，並不能認為一個時代祇有一種學術方法。

雖然我們都以經學目之，在鄭玄、王肅、趙匡、金鶚等學者之間，目

的不同，研究方法不同，學術的性質相差甚遠，如果硬用一個價值標準評騭優劣，祇能說明評論者自己的價值取向而已。我們當代學人應當採取何種價值標準，固然也是重要的問題，但筆者對古代學術本身更有興趣。在此對鄭玄、王肅經學特點提出粗淺的看法，希望素有深厚積累的臺灣經學界老師們明鑒筆者的志向，指正初學者的謬誤，不勝感荷。

論鄭何注《論語》異趣

一 緒言

何晏等〈上論語集解表〉云：「前世傳受，師說雖有異同，不為訓解。中間為之訓解，至于今多矣，所見不同，互有得失。今集諸家之善，記其姓名，有不安者，頗為改易，名曰《論語集解》。」然則，讀《論語集解》，當求何晏等以何者為善，何者為不安，始得知何晏等撰《集解》之意。而此又極不易求知。何則？何晏等所據包、周、孔、馬、鄭、陳、王、周生諸儒之書，後世無一存者，僅在《論語集解》中見其殘文逸句。《集解》所載諸家說，皆何晏等所善，至其以為不安者，固不見於《集解》，是止見其所是，不見其所非，無從討論何晏等取捨之標準。

敦煌、吐魯番本《論語》鄭注殘卷，始出於二十世紀初，羅振玉、王國維曾為考訂，而其時所見尚少。一九五九年尾崎雄二郎亦曾撰文討論敦煌本鄭注與《集解》引孔注相同之情況（載京都大學教養學部發行《人文》第六集），但終因材料少，未及深論。至一九五九年吐魯番又出卜天壽抄本長卷，之後吐魯番時有所獲，至今經王素先生整理出版排印本，（1991 年文物出版社出版《唐寫本論語鄭氏注及其研究》）合以諸書所引，則鄭注已得全書之半。案《鄭志》，鄭玄自稱「《論語注》人間行久」，王肅序《家語》云「鄭氏學行五十載」。當鄭注最盛時，何晏等另撰《集解》，引鄭說固不少，而不取鄭說以及刪改鄭說處亦甚多。若謂鄭注為《集解》之前提，《集解》必有取代鄭注之意，當不為過。今得半部鄭注，可以對校《集解》，則何晏取捨舊注，編撰《集解》之標準，尚可知其大概。然則讀鄭注，所以知《集解》也。欲知《集解》，亦捨此莫由。

案《集解》稱引各家說，自《經典釋文》以來即有不可確定是出誰氏者。如〈里仁〉「**父母之年不可不知**」章，《釋文》云：「此章注，或云孔注，或云包氏，又作鄭玄語辭，未知孰是。」又有諸經義疏引《論語》注，當皆鄭注，而其文與《集解》引孔注、包注、馬注同者甚多。孔廣林云「鄭從馬學，故注亦多用馬義」，義或當然，但無確證。丁晏、劉寶楠等疑義疏所引或即包注，非鄭注（如〈八佾〉「吾不與祭如不祭」注等），徒增後人迷惑。陳鱣、段玉裁（《說文》「𦕅」字注）等均疑孔注當出偽托，丁晏、沈濤皆為詳論，陳奐又有補證，（陳奐序沈濤《孔注辨偽》，頗有見地，惜王大隆輯陳文失收。）其偽固不容疑，而或謂王肅偽造，或謂何晏假托，未有定論。今案：《集解》所引各家注說，非全無特色可言。孔以講述正文大意為主，包亦述大義而訓詁名物之言較孔為多，馬多言綱倫名數，鄭多言禮制，何晏等自注或涉玄學。然此止得大概論之，不可具體細論。如〈子罕〉「**吾未見好德如好色者**」，敦煌本鄭注「疾時人薄於德而厚於色，故發此言」，《集解》同文而不言誰氏。此或何晏等因襲鄭注為自注而乾沒其名，或何晏等「記其姓名」引錄鄭說，版本誤脫「鄭曰」、「孔曰」等字而已，皆不可知。然則在何晏等原本，此注究屬誰氏，且不得明辨，各家注說之異同，自不可深論。總之，《集解》引錄各家說，多有疑義，不易分析。

通觀《集解》，雖引據諸家，但文理一貫，渾然成一家之言，絕無拼湊齟齬之感。如〈為政〉：

子曰：「**多聞闕疑，慎言其餘，則寡尤**。【集解】包曰：尤，過也。疑則闕之，其餘不疑，猶慎言之，則少過也。**多見闕殆，慎行其餘，則寡悔**。【集解】包曰：殆，危也。所見危者，闕而不行，則少悔也。**言寡尤，行寡悔，祿在其中矣**。」【集解】鄭曰：言行如此，雖不得祿，亦得祿之道也。

鄭云「言行如此」，而《集解》乃引包說解其「如此」之義。然上下連讀，自然一貫，若去「包曰」「鄭曰」字，謂皆何氏一家之言，并無可疑。又如〈雍也〉：

> 子曰：「**人之生也直，**【集解】馬曰：言人所生於世而自終者，以其正直也。**罔之生也幸而免。**」【集解】包曰：誣罔正直之道而亦生者，是幸而免。

孔子言兩句，上下連貫，《集解》上用馬說，下用包說，天衣無縫，猶如一人之說，而與鄭玄解「生」為「初生之性」者迥異。又如〈鄉黨〉：

> **祭於公，不宿肉。**【集解】周曰：助祭於君，所得牲體，歸則班賜，不留神惠。**祭肉不出三日，出三日不食之矣。**【集解】鄭曰：自其家祭肉，過三日不食，是褻鬼神之餘。

上周說，下鄭說，均與敦煌本鄭注同。且不論為鄭襲周說，抑為周說據鄭注偽造，上下兩說在鄭玄確為一家之言。今《集解》分標「周曰」、「鄭曰」，其說仍可視為一家之言。

又案《集解》引錄各家說，於原文有所刪節，非即原文，此較敦煌、吐魯番本鄭注與《集解》可知者。如〈鄉黨〉「**衣前後襜如也**」：

> 【鄭注】將揖，必磬折。磬折則衣前垂，小仰則衣後垂，故曰襜如也。
>
> 【集解】鄭曰：一俛一仰，衣前後襜如也。

此皆《集解》欲注文簡明，刪節鄭注原文。經此刪節，鄭釋「衣前後」之具體細節皆不可得見，注文「衣前後襜如也」竟與正文無異。當知《集解》與鄭注之不同，不僅在《集解》之取捨鄭注，即《集解》引鄭注處，已經何晏等刪節，頗失鄭注原貌。清人所見鄭注逸文，除諸經義疏等所引外，仍以《集解》所引為大宗，故皆未能真得鄭學之要領，亦未能真知《集解》之本質。

〈泰伯篇〉「啓予足」一章，集中表現此類問題。

> 曾子有疾，召門弟子曰：「啓予足，啓予手。【鄭注】啓，開也。曾子以為孝子受身體於父母，當完全之。今有疾，或恐死，故使弟子開衾而視之。《詩》云：『戰戰兢兢，如臨深淵，如履薄冰。』【鄭注】言此《詩》者，喻己常戒慎，恐有所毀傷。而今而後，吾知免夫，小子。」【鄭注】今日而後，我自知免於患難矣。言小子者，呼之，欲使聽識其言也。

> 曾子有疾，召門弟子曰：「啓予足，啓予手。【集解】鄭曰：啓，開也。曾子以為受身體於父母，不敢毀傷，故使弟子開衾而視之。《詩》云：『戰戰兢兢，如臨深淵，如履薄冰。』【集解】孔曰：言此《詩》者，喻己常戒慎，恐有所毀傷。而今而後，吾知免夫，小子。」【集解】周曰：乃今日而後，我自知免於患難矣。小子，弟子也。呼之者，欲使聽識其言。

一章三注，《集解》內容皆同鄭注，而稱鄭、孔、周三家。且不論鄭玄以前已有所謂孔、周說，鄭玄襲以為己注，抑或鄭注在先，後人據鄭注假托孔、周，要此三注在鄭玄確為一家之言，今《集解》雖分別稱鄭、孔、周，

內容亦當視為一家之言。又，此《集解》引錄鄭注，亦有所刪節，非皆原文。

　　《集解》既已成一家之言，故下文比較《集解》與鄭注，不析論《集解》所引各家。

二　鄭注組織體系，集解支離分散

1　集解句為之解

　　〈鄉黨〉有數十字長章，鄭注總置一長注，《集解》分散為注，形式顯異者。如「入公門，鞠窮如也」至「復其位，踧踖如也」共七十三字，鄭注連寫正文，下總置一注：

> 入公門，鞠窮如也，如不容。立不中門，行不履閾。過位，色勃如也，足躩如也，其言似不足者。攝齊升堂，鞠躬如，屏氣似不息者。出降一等，逞其顏色，怡怡如也。沒階，趨進翼如也。復其位，踧踖如也。【鄭注】此謂君燕見與之圖事之時。鞠窮，自翕斂之貌也。入公門如不容，自卑小也。立不中門，行不當棖闑之中央。闑，門限也。過位，位揖也。入門北面時，君揖進之，必避逡，故言足躩如也。其言似不足者，謙以待君問也。自此已上，謂圖事於庭。攝齊升堂，謂圖事於堂。降階一等，申其顏色。怡怡如，悅懌貌也。沒，盡也。盡階即庭。翼如，股肱舒張之貌也。復其位，向時揖處。踧踖如，讓君為之降也。

《集解》則分為八句，除「其言似不足者」無注外，每句各置一注。

> 入公門，鞠躬如也，如不容。【集解】孔曰：斂身。立不中門，行不履閾。【集解】孔曰：閾，門限。過位，色勃如也，足躩如也。

【集解】包曰：過君之空位。**其言似不足者。攝齊升堂，鞠躬如**
也，屏氣似不息者。【集解】孔曰：皆重慎也。衣下曰齊。攝齊者，
摳衣也。**出降一等，逞顏色，怡怡如也。**【集解】孔曰：先屏氣，
下階舒氣，故怡怡如也。**沒階，趨進翼如也。**【集解】孔曰：沒，
盡也。下盡階。**復其位，踧踖如也。**【集解】孔曰：來時所過位。

案：鄭云「此謂君燕見與之圖事之時」，說明一章之背景，又云「自此已
上，謂圖事於庭；攝齊升堂，謂圖事於堂」，說明一章之內可分兩段，場
合不同，故儀表亦異。此鄭玄細審正文所言何時何事，章節結構如何，解
釋頗有立體感。因體例所限，注解字詞，必需先述正文，如「立不中門」、
「其言似不足者」等，故注文稍嫌繁複。《集解》則句為之解，全不顧何
時何事，專釋正文各句當如何解。如此解釋，固然簡明，但一章分散為數
句，不說明上下文之關係，經此解釋，仍不知所言何事。可見鄭注與《集
解》，方向正相反，鄭注組織結構，指向有機立體化，《集解》粉碎結構，
指向支離平面化。總一章為一注，每一句為一注，此雖體例形式之異，實
涉鄭何解釋之本質特色，不容忽視。

　　鄭注重視一章中上下文之結構，《集解》傾向分散釋句，指向不同，
故解釋隨之相異。如〈雍也〉：

子游為武城宰。【鄭注】武城，魯下邑。**子曰：「女得人焉耳乎？」**
對曰：「有澹臺滅明者，行不由徑，非公事未嘗至於偃之室。」【鄭
注】澹臺滅明，孔子弟子，子游之同門。徑，謂步道。「汝得人焉
耳乎」，汝為此宰，寧得賢人，與之耳語乎？曰：有澹臺滅明者，
修身正行，為人如此，因公事乃肯來至我室。得與之耳語乎，言
相親昵；非公事而不來，言無私欲。

子游為武城宰。【集解】包曰：武城，魯下邑。子曰：「女得人焉耳乎？」【集解】孔曰：焉耳乎，皆助辭。曰：「有澹臺滅明者，行不由徑，非公事未嘗至於偃之室。」【集解】包曰：澹臺，姓；滅明，名；字子羽。言其公且方。

鄭訓「耳」為「耳語」，可謂非常怪異，故清人見《太平御覽》引此注片段，皆疑有譌誤。今既得鄭注全文，知鄭所以為此解者，正因下文子游答云「非公事未嘗至於偃之室」。問答相應，故「得與之耳語乎，言相親昵；非公事而不來，言無私欲」。《集解》無視對應結構，孔子問，子游答，分別為注，故不取鄭說，遂謂「焉耳乎，皆助辭」。《集解》此解雖簡明易了，但不足以解孔子何以不言「女得人焉乎」而必言「女得人焉耳乎」。又，若據《集解》，則子游答語不直接回答孔子之問，稍嫌迂曲。要之，鄭注、《集解》各有長短，不當專據訓詁怪僻以鄭注為誤。鄭注以上下文對應為解，《集解》以每句分散為解，是其所以不同。

又如〈顏淵〉：

樊遲問仁，子曰「愛人」；問知，子曰「知人」。樊遲未達，子曰：「舉直錯諸枉，能使枉者直。」【集解】包曰：舉正直之人用之，廢置邪枉之人，則皆化為直。樊遲退，見子夏曰：「鄉也吾見於夫子而問知，子曰：『舉直錯諸枉，能使枉者直。』何謂也？」子夏曰：「富哉言乎。【集解】孔曰：富，盛也。舜有天下，選於眾，舉皋陶，不仁者遠矣。湯有天下，選於眾，舉伊尹，不仁者遠矣。」【集解】孔曰：言舜、湯有天下，選擇於眾，舉皋陶、伊尹，則不仁者遠矣，仁者至矣。

此章鄭注已逸，而〈為政〉「舉直錯諸枉，則民服」鄭注云：「措，猶投也。
『諸』之言『於』，謂投之於枉者之上位。」是鄭見子夏言舜舉皋陶、湯
舉伊尹而不仁者遠，不言廢置某人，故知是舉直者投之於枉者之上。《集
解》以「舉措」之常義釋此章，固非不可通，而畢竟與下文子夏之說不甚
符合。此亦鄭注重視上下文對應，《集解》僅就各句為解之例。

又如〈八佾〉：

> 哀公問主於宰我，宰我對曰：「夏后氏以松，殷人以柏，周人以栗，
> 曰使民戰慄也。」【鄭注】主，田主，謂社。哀公失御臣之權，臣
> （中缺）見社無教令於民，而民事之，故（中缺）樹之田主，各以其
> 生地所宜木，遂以為社於其野。然則周公社以栗木者，是乃土地
> 所宜木。宰我言使民戰慄，媚耳，非其（下缺）。**子聞之曰：「成事**
> **不說，遂事不諫，既往不咎。」**【鄭注】哀公失御臣之政，欲使（中
> 缺）宰我之對，成哀公之意，（中缺）諫止其不可解說，不可諫止，
> 言其既往不可咎責。言此失者，無如之何。

> 哀公問社於宰我，宰我對曰：「夏后氏以松，殷人以柏，周人以栗，
> 曰使民戰栗。」【集解】孔曰：凡建邦立社，各以其土所宜之木。
> 宰我不本其意，妄為之說，因周用栗，便云使民戰栗。**子聞之曰：**
> **「成事不說，**【集解】包曰：事已成，不可復解說。**遂事不諫，**【集
> 解】包曰：事已遂，不可復諫止。**既往不咎。」**【集解】包曰：事
> 已往，不可復追咎。孔子非宰我，故歷言此三者，欲使慎其後。

「既往不咎」，鄭注以為孔子無奈，《集解》以為孔子非宰我，理解顯異。

所以然者，鄭注重視「哀公問主於宰我」七字，謂「使民戰慄」為宰我答哀公之辭，非泛論社主之語。故知宰我迎合哀公，成哀公之意。既是哀公之意，責難宰我亦徒然，無如之何也。《集解》不取此說，謂「使民戰慄」純屬妄言，故孔子不可不教訓宰我，「既往不咎」是深責之語。兩說相較，鄭注似鑿，《集解》平實。但若據《集解》，不知《論語》何以不云「宰我曰」，而必云「哀公問社於宰我宰我對曰」。是鄭注結合上下文為解，《集解》摒棄如此牽合之說，猶如杜預非難漢儒解《春秋》濫立義例。又，鄭玄治經，必為校訂文字，一字之微，必求切解，故其注《論語》，亦校《古論語》。若謂「哀公問主於宰我」七字不關內容，竟可有可無，鄭玄尚能校訂文字乎？不能也。《集解》無校字之說，視文字為瑣事，故以「哀公問主於宰我」七字無義意，置而不論。鄭注深切關注《論語》正文之每一文字，並且建立上下文之有機結構，《集解》反其道而行。

鄭注指向有機結構，又有極細微者。如〈八佾〉：

「**祭如在**」，【鄭注】時人所存賢聖之言也。**祭神如神在**。【鄭注】恐時不曉「如在」之意，故為解之。
祭如在，【集解】孔曰：言事死如事生。**祭神如神在**。【集解】孔曰：謂祭百神。

鄭注以「祭如在」為古語，「祭神如神在」為釋「祭如在」之說，所言一事耳。《集解》則以「祭如在」為祭鬼，「祭神如神在」為祭百神，兩事同類而不相同。上句三字，下句五字，僅僅八字，而鄭注必謂其間有立體結構，《集解》必以為兩句平列。

鄭注又有統觀二三章者。如〈子罕〉「**子謂顏淵曰：『惜乎，吾見其進也，未見其止也。』子曰：『苗而不秀者有矣夫，秀而不實者有矣夫。』**

子曰：『後生可畏，焉知來者之不如今也。四十五十而無聞焉，斯亦不足
畏也已。』」此三章，首稱「子謂顏淵曰」，下二章皆僅稱「子曰」。然鄭
注以為第二章「不實者」、第三章「後生」皆指顏淵，是三章連讀為解。《集
解》不取鄭說，而三章分別為解，故第二章注云：「孔曰：言萬物有生而
不育成者，喻人亦然。」第三章注云：「後生謂年少。」若據《集解》，第
二章、第三章皆泛論人材，無所指斥。此上下章之間，鄭注欲建立有機結
構，《集解》欲分散各章單獨視之。

2 集解不牽合經書

上引〈八佾〉「**哀公問主於宰我**」章鄭注「樹之田主，各以其生地所
宜木，遂以為社於其野」，即〈大司徒〉文。鄭注《論語》每據經書為解，
尤以據《周禮》為特色，而《集解》全不取其說。如〈為政〉：

> 子曰：「**人而無信，不知其可。**【鄭注】「不知其可」者，言其不可
> 行。**大車無輗，小車無軏，其何以行之哉？**」【鄭注】大車，柏車；
> 小車，羊車。輗穿轅端以著之，軏因轅端以節之。車待輗軏而行
> 之，猶人之行不可無信也。

> 子曰：「**人而無信，不知其可也。**【集解】孔曰：言人而無信，其
> 餘終無可。**大車無輗，小車無軏，其何以行之哉？**」【集解】包曰：
> 大車，牛車。輗者，轅端橫木，以縛軛。小車，駟馬車。軏者，
> 轅端上曲鉤衡。

鄭注以大車之與小車，輗之與軏，皆相對為說，與《集解》依《論語》正
文順序，大車、輗、小車、軏，依次注解不同。此又鄭注指向立體結構、
《集解》指向支離分散之例。又，此鄭注以大車為柏車，小車為羊車；《集

解》則以大車為牛車，小車為駟馬車。孫詒讓〈車人〉正義以包說為正，舉三證論鄭說不可通。今案：〈車人〉並列大車、羊車、柏車，鄭注〈輈人〉亦云「大車，牛車也」，皆與此注不合，不知鄭說何所依據。然羊車、柏車除〈車人〉外，《十三經》、《史》《漢》諸書皆所不見，則此鄭注即欲牽就《考工記》，明矣；《集解》必不容許此說，亦明甚。又如〈雍也〉：

> 子曰：「**質勝文則野，文勝質則史。**」【鄭注】質謂情實，文謂言辭。野，如野人，言其鄙略也。史，如太史、小史，言多言。
> 子曰：「**質勝文則野，**【集解】包曰：野，如野人，言鄙略也。**文勝質則史。**」【集解】包曰：史者，文多而質少。

此鄭注以兩句相對為解，《集解》分散兩句，句各為解，與「人而無信」章同。鄭注先釋「質」「文」，《集解》蓋以為常語，故不煩注解。《集解》釋「野」與鄭注同，而釋「史」稍異。鄭注言「如太史、小史」，以《周禮》官名解釋「史」之含義。《集解》不欲牽合經書，故止得言「文多質少」，不顧其言「文多質少」與正文「文勝質」無異，如此注釋與不注無異。又如〈述而〉「**德之不修**」鄭注「德謂六德」，「**子以四教，文、行、忠、信**」鄭注「行謂六行」，皆據〈大司徒〉「鄉三物」為解，《集解》全然不取鄭說。蓋鄭注必欲以《周禮》概念限定《論語》詞義，《集解》必定不取鄭說，以為皆泛言之詞，與《周禮》無關。

又如〈雍也〉「**子謂子夏曰『女為君子儒，無為小人儒』**」：

> 【鄭注】「儒」主教訓，謂師也。子夏性急，教訓君子之人則可，教訓小人則慍恚，故戒之。《周禮》曰：「儒以道德教人。」
> 【集解】孔曰：君子為儒，將以明道；小人為儒，則矜其名。

案：《周禮》〈大宰〉「以九兩繫邦國之民：三曰師，以賢得民；四曰儒，以道得民」，〈大司徒〉「以本俗六安萬民：四曰聯師儒」，是《周禮》之「儒」乃以道教人者，非讀書人之泛稱。故鄭注即據以解《論語》此章，並明引《周禮》為說。又，此章首言「子謂子夏」，是孔子謂子夏者，非泛言之辭，故鄭注以君子儒、小人儒為教訓君子、教訓小人者。《集解》解《論語》，不參據經書，拒絕依《周禮》解釋《論語》，故以「儒」為讀書人之泛稱。《集解》之說，簡明易解，但若如其說，「儒」字可有可無，「子謂子夏」亦無義意。鄭玄釋經，字斟句酌，《集解》之訓說，鄭玄必不可受。

鄭注《論語》參據經書，不限《周禮》。〈八佾〉：

> 子曰：「**君子無所爭，必也。**【鄭注】君子上（中缺）與人常（下缺）。**射乎，揖讓而升下而飲，其爭也君子。**」【鄭注】射乎，（中缺）於是乃有爭心。人唯病者不能射。射禮，使中者飲不中者。酒所以養病，故人恥之。君子心爭，小人力爭也。（案：此章據卜天壽抄本。「使中者飲不中者」，原本作「使不中者也酒飲不中者」，義不可通。今錄文以意修改，非謂鄭注原文必當如此，特此說明。）

> 子曰：「**君子無所爭，必也射乎。**【集解】孔曰：言於射而後有爭。**揖讓而升下而飲。**【集解】王曰：射於堂，升及下皆揖讓而相飲。**其爭也君子。**」【集解】馬曰：多算飲少算，君子之所爭。

鄭注末句「君子心爭，小人力爭」，言此一章之立體含義。「酒所以養病，故人恥之」，引用《禮記・射義》解釋君子心爭之義。心爭之義明，乃知「揖讓而升下」謂君子不力爭也。若如《集解》，「揖讓而升下而飲」僅言其儀節，「其爭也君子」《集解》止言所爭之事，不知何以為爭，亦不知君

子小人之別。此章鄭注闡明君子小人之別，釋《論語》正文有立體感，而以《禮記》為依據。《集解》止釋《論語》正文所言之事，既不解釋其義理，又不徵引經書，平明易解，毫無深度，猶如一個平面。

又如〈里仁〉：「子曰：『不仁者不可以久處約。』」

【鄭注】約謂貧。因不仁之人久居貧困則將盜竊。
【集解】孔曰：久困則為非。

案：孔子止言「不可以久處約」，未言其所以然，鄭注知「久居貧困則將盜竊」者，〈坊記〉云：「子云：『小人貧斯約，富斯驕；約斯盜，驕斯亂。』」〈衛靈公〉云：「小人窮斯濫。」故鄭注知「將盜竊」。《集解》拒絕牽合〈坊記〉、〈衛靈公〉而限定為「將盜竊」，故泛言「為非」。《集解》說與鄭注不矛盾而含義更空泛，可見《集解》非不取鄭注之理解，而是拒絕鄭注據經書限定含義。

又如〈述而〉：「子曰：『自行束脩以上，吾未嘗無誨焉。』」

【鄭注】自行束脩，謂年十五之時，（中缺）酒脯。十五以上有（中缺）及《孝經說》曰：「臣無竟外之交。」弟子有束脩（中缺）與人交者，當有所教誨以忠信之道也。（王素先生所校外，參據俄藏敦煌文書05919殘卷。）
【集解】孔曰：言人能奉禮，自行束脩以上，則皆教誨之。

案：孔子止言「未嘗無誨」，鄭注知「教誨以忠信之道」者，〈檀弓上篇〉云「古之大夫，束脩之問不出竟」，注云「以其不外交」。鄭玄據此，以「自行束脩以上」有外交之道，故以「未嘗無誨」謂教誨「與人交」之禮，即

「教誨以忠信之道」也。《集解》拒絕牽合〈檀弓〉，限定「未嘗無誨」為「教誨以忠信之道」，故云「皆教誨之」。正文「未嘗無誨」，《集解》「皆教誨之」，幾無不同，有注與無注無異。

通觀諸例，鄭注、《集解》互有長短，要之，鄭注必欲以經書詞義解釋《論語》，用經書概念限定《論語》含義；《集解》必欲以常訓常義解釋《論語》，不許用經書概念限定《論語》內容，是其不同。

3 集解摒棄體系性訓詁學說

上引鄭注「大車，柏車；小車，羊車」，「質謂情實，文謂言辭」，皆相對為訓詁，而為《集解》所不取，此例甚多。如〈為政〉：

> 子曰：「《書》云『孝乎！惟孝，友于兄弟』，施於有政，是亦為政。【鄭注】「孝乎」者，美大孝之辭。人既有孝行，則能友于兄弟。善父母曰孝，善兄弟曰友。《易》曰：「家人有嚴君焉，父母之謂也。」父母為嚴君，則子孫為臣民，故孝友施為政。奚其為？為政。」【鄭注】我今何為乎？汝使我為政。

> 子曰：「《書》云『孝乎惟孝！友于兄弟』，施於有政，是亦為政。奚其為為政？」【集解】包曰：「孝乎惟孝」，美大孝之辭。「友于兄弟」，善於兄弟。施，行也。所行有政道，與為政同。

上第一節見鄭注以一章取義，《集解》分句注解之例，此章鄭注分出二注，《集解》總置一注者，《集解》見「奚其為為政」，論大旨當與「是亦為政」無異，若論其語法結構則頗不易分析，故略而不談，是以《集解》無注而已。上第二節論鄭注必欲參據經書為解，《集解》必不為此，此章鄭注引《周易》證孝友之可以為政，《集解》不取其說，亦其例也。此章鄭注「善

父母曰孝，善兄弟曰友」出《爾雅》，鄭玄以為「孝」「友」之定訓，故注《周禮》、《儀禮》皆引以為說，此章亦然。《集解》「『友于兄弟』，善於兄弟」，理解與鄭注無異，而不用《爾雅》定訓，僅僅解釋正文詞義而已。此類定訓，鄭學之徒必須熟悉，而《集解》以為與《論語》無關，遂摒棄不錄。

又如〈子路〉「**必也正名乎**」，鄭注：「正名謂正書字也。古者曰名，今世曰字。《禮記》曰：『百名以上則書之於策。』孔子見時教不行，故欲正其文字之誤。」案：〈聘禮記〉「百名以上書於策，不及百名書於方」，鄭注：「名，書文也，今謂之字。」〈大行人〉「王之所以撫邦國諸侯者，九歲屬瞽、史諭書名」，鄭注：「書名，書之字也，古曰名，〈聘禮〉曰『百名以上』。」是鄭玄以「古曰名，今曰字」為定訓。〈外史〉「掌達書名于四方」，鄭注則云：「謂若『堯典』、『禹貢』，達此名使知之。或曰：古曰名，今曰字，使四方知書之文字，得能讀之。」知鄭玄非謂所有「名」字可當「文字」解，但必先探討可否用「名，書文也，今謂之字」之訓詁。故「正名」解釋為「正書字」，（「書字」即「書之字」，亦即「書文」。）並云「古者曰名，今世曰字」。

鄭玄訓詁體系性強，一字之訓，往往關涉諸經，拙作《義疏學衰亡史論》曾有論及。如〈子罕〉「**麻冕禮也，今也純**」，鄭注：「『純』當為『緇』，古之『緇』字以『才』為聲。此『緇』謂黑繒也。」此乃鄭玄解經之定訓，故〈媒氏〉注『純』實『緇』字也，古『緇』以『才』為聲」，與《論語》注同。賈公彥（〈媒氏〉、〈冠禮〉、〈昏禮〉疏）、孔穎達（〈都人士〉、〈玉藻〉、〈祭統〉疏）等皆述此義，更有甚者，或謂「『純』止可為絲為緇」（〈質人〉疏），可見此訓詁關涉諸經解釋。又如〈子罕〉「**子絕四，毋億，毋必，毋固，毋我**」，鄭注：「億，謂以意，意有所疑度。必，謂成言未然之事。固，謂已事因然之。我，謂已言必可用。絕此四者，為其陷於專愚也。」案：鄭注

《儀禮》屢言「禮不必」，如〈昏禮〉「擯者出請事」注：「請猶問也。禮不必事，雖知猶問之，重慎也。」其言「不必事」與鄭注〈子罕〉吻合。若《集解》，釋「毋必」云「用之則行，舍之則藏，故無專必」，則與鄭云「禮不必事」毫不相干。又如〈曲禮〉「將適舍，求毋固」，注：「謂行而就人館。固猶常也。求主人物，不可以舊常，致時乏無。」其解「毋固」，又與鄭注〈子罕〉吻合。若《集解》，釋「毋固」云「無可無不可，故毋固行」，不可以解〈曲禮〉。〈八佾〉「子曰：居上不寬，為禮不敬，臨喪不哀，吾何以觀之哉」，鄭注：「居上不寬，則下無所容。禮主於敬，喪主於哀也。」其言「禮主於敬」與〈曲禮〉注同，「喪主於哀」與〈玉藻〉注同，是鄭玄禮學之原理。《集解》則此章無注。又如〈公冶長〉：

> 子貢問曰：「**賜也何如？**」子曰：「**汝器。**」【鄭注】「何如」者，自問何所像似。曰：「**何器？**」曰：「**瑚璉。**」【鄭注】瑚璉，黍稷之器。夏曰瑚，殷曰璉，周曰簠簋。（中缺）食之主，若云汝有養民之器也。（卜天壽抄本「養民」作「養仁」，是「民」避諱作「人」，又假「仁」字為之。故〈公冶長〉正文「其養民也惠」，卜天壽抄本亦作「養仁」。）
>
> 子貢問曰：「**賜也何如？**」子曰：「**女器。**」【集解】孔曰：言女器用之人。曰：「**何器？**」曰：「**瑚璉。**」【集解】包曰：瑚璉，黍稷之器。夏曰瑚，殷曰璉，周曰簠簋。宗廟之器貴者。

案：黍稷為食之主，見〈掌客〉、〈特牲〉注，此亦鄭玄禮學之基本概念。鄭注據此概念，始得以解「瑚璉」為「養民之器」。《集解》「瑚璉」至「簠簋」全同鄭注，而下云「宗廟之器貴者」，蓋嫌鄭注穿鑿。然宗廟之器甚多，不以簠簋為最貴，如此解釋，雖則簡明，但不得解釋孔子必言「瑚璉」之含義。此章鄭注必欲據其經學理論，附會「食之主」之含義；《集解》

必不容許借助經學始可明之說，故泛言寶器為解。

4 集解不取鄭玄禮學理論

上引〈公冶長〉「瑚璉」節，已見鄭注據禮學概念發明《論語》，《集解》不取其說。然鄭注中，更有關涉鄭玄禮學之專有理論者。如〈八佾〉：

> 子曰：「射不主皮，為力不同科，古之道也。」【鄭注】射不主皮者，謂禮射。大射、賓射、燕射，謂之禮射。今大射（中缺）主皮之射，不勝者降。然則禮射，雖不勝猶復升射。今大射、鄉射、燕射是主（中缺）將祭於君，班餘獲，射獸皮之射。禮射不主皮，優賢者，為力役之（中缺）科不因人力。古之道，隨事宜而制祭之。疾今不然。（「不勝者降」卜天壽本脫「不」，「猶復升射」卜天壽本作「由復勝射」，今訂正。）

> 子曰：「射不主皮，【集解】馬曰：射有五善焉：一曰和，志體和。二曰和容，有容儀。三曰主皮，能中質。四曰和頌，合雅頌。五曰興武，與舞同。天子有三侯，以熊、虎、豹皮為之。言射者不但以中皮為善，亦兼取和容也。為力不同科，古之道也。」【集解】馬曰：為力，力役之事。亦有上中下，設三科焉，故曰不同科。

案〈鄉射記〉：「禮射不主皮。主皮之射者，勝者又射，不勝者降。」鄭注：「禮射，謂以禮樂射也，大射、賓射、燕射是矣。不主皮者，貴其容體比於禮，其節比於樂，不待中為雋也。言不勝者降，則不復升射也。」射分兩類，一主皮之射，一不主皮之射，不主皮之射又謂禮射，有大射、賓射、燕射。此鄭玄據《詩》、《周禮》、《儀禮》等經書中散見有關射禮諸文，經過綜合研究始得建構之禮射概念，非經書所固有。每當解釋諸經文，鄭玄

運用此禮射概念，辨析其大射、賓射、燕射之別，以避諸經之間互相牴牾矛盾，精微巧妙，頗見苦心。（刁小龍學兄近作博士論文有論。）故其注〈八佾〉，亦述論此禮射概念。《集解》以為〈八佾〉此章與鄭玄禮射概念無關，大射、賓射、燕射三射之分，於理解此章毫無意義，故摒棄鄭說，而泛論「射有五善」。所言「五善」，實本〈鄉大夫〉「五物」。然孔子明言「射不主皮」，自不當與「三曰主皮」牽合論之，《集解》云「以中皮為善，兼取和、容」，未免含混。鄭注精密，故不免拘束；《集解》自由，故不免疏漏。

又如〈八佾〉：

> 子語魯大師樂曰：「樂其可知也。【鄭注】大師，樂官名也。**始作翕如，**【鄭注】始作，謂金奏之時。人聞金奏之聲，人皆翕如，變之貌。**從之純如，皦如，繹如，以成。」**【鄭注】從，讀曰縱。縱之，謂既奏，八音皆作。純如，咸和之貌。皦如，清別之貌。繹如，志意條達之貌。此四者皆作應，而樂以成。成猶終。《書》曰：「簫韶九成，鳳凰來儀。」

> 子語魯大師樂曰：「樂其可知也。始作翕如也。【集解】大師，樂官名。五音始奏，翕如盛。**從之純如也，**【集解】從，讀曰縱。言五音既發，放縱盡其音聲，純純和諧也。**皦如也，**【集解】言其音節明也。**繹如也，以成。」**【集解】縱之以純如，皦如，繹如，言樂始作翕如，而成於三者。

鄭注云「八音」，《集解》云「五音」，乍看相類似，其實意義迥別。鄭注以「始作」為金奏，「從之」為八音皆作；《集解》以「始作」為五音始奏，「從之」為五音既發。八音謂眾樂器，五音謂音階。據《集解》，「始作」、

「從之」皆五音，止有始奏、既發之別。「五音」猶言樂音，別無含義，故《集解》「五音始奏」與正文「始作」無異，《集解》「五音既發」與正文「從之」無異。鄭注以為，凡禮之正樂，始於金奏，金奏之後，乃有合奏。此鄭玄據《詩》、《周禮》、《儀禮》等經書中散見有關禮樂諸文，經過綜合研究始得建構之禮樂概念，非經書所固有。（可參金鶚《求古錄》等。）鄭玄知此孔子專論禮之正樂，非泛論樂音者，章首云「子語魯大師樂」，既與大師樂言，所論必當是禮之正樂，不容以為泛論樂音。此又鄭玄細審上下文關聯之例，如上第一節所論。《集解》訓釋「樂其可知」以下，不牽合「子語魯大師樂」，更不欲依據鄭氏一家之禮樂理論，故不言「八音」而言「五音」，貌似而義迥異。

又如〈鄉黨〉：「**鄉人飲酒，杖者出，斯出矣。**」

【鄭注】鄉人飲酒，謂黨正飲酒於序，以正齒位。禮，六十杖於鄉。正齒位之禮，主於老者。禮畢出，孔子從而後出也。
【集解】孔曰：杖者，老人也。鄉人飲酒之禮，主於老者。老者禮畢出，孔子從而後出。

《集解》與鄭注後半略同。鄭注先解此章所言為黨正飲酒之禮，《集解》摒棄此說。鄭玄分析《周禮》、《儀禮》、《禮記》等經書中散見有關鄉飲酒諸文，認為鄉飲酒有鄉大夫獻賢能於其君，與之飲酒者，亦有黨正飲酒於序，正齒位者，又有州長鄉射禮畢，乃飲酒者，及卿大夫士飲國中賢者，其禮各異，不容混淆。（參見〈鄉飲酒禮〉賈疏。）每遇經書有涉及鄉飲酒處，鄭玄無不辨論是何種鄉飲酒禮。區分鄉飲酒禮為四種，此乃鄭玄禮學理論體系有關飲酒禮之基本概念，非經書有明文辨析者。因此之故，鄭玄注此章必須說明是黨正飲酒於序，以正齒位之禮，（「飲酒於序，以正齒位」，《黨正

職》文。）又因此之故，《集解》解釋此章大體與鄭注同，而必欲剔除其限
定此禮為黨正飲酒之說。又，〈王制〉云「五十杖於家，六十杖於鄉，七
十杖於國」，鄭注取以證「杖者」為老人，《集解》取其結論，不取其經書
證據，如上第二節所論，故改言：「杖者，老人也」。鄭注云「正齒位之禮，
主於老者」，謂黨正飲酒是正齒位之禮，故以老者為主。若鄉大夫獻賢能
之禮，自以賢者、能者為主，不以老者為主。《集解》排除鄭玄禮學理論
之限定性解釋，故必欲改言「鄉人飲酒之禮，主於老者」，不顧並非所有
鄉人飲酒均以老者為主。此亦見鄭注精密而拘束，《集解》自由而疏漏。

5　集解竄改鄭注

　　上文論《集解》不取鄭注之經學因素，致使解釋無體系性。或問：鄭
玄與何晏等人性格不同，解釋具有不同特色，事屬自然，其何足深論？答
曰：鄭玄與何晏等人，性格不同，思想不同，固然矣。可異者，《集解》
明明依賴鄭注，而從中剔除經學因素。其最顯者，如〈為政〉「**子曰：『非
其鬼而祭之，諂也。』**」

　　【鄭注】天曰神，地曰祇，人曰鬼。非其祖考而祭之者，（中缺）
　　媚求淫祀之福。鄭易祊田而祀周公（下缺）。
　　【集解】鄭曰：人神曰鬼。非其祖考而祭之者，是諂求福。

鄭注「天曰神，地曰祇，人曰鬼」，對比為訓，始可知神、祇、鬼之別，
詞語解釋具有體系性，而且如此理解亦有其經學根據。《集解》見其「天
曰神，地曰祇」不關此章，直言「人曰鬼」又不成文，故改作「人神曰鬼」。
鄭注依據經學，為體系性注釋。《集解》反此，指向分散平面化解釋，是
性格不同，志趣不同。然此《集解》標引鄭說，明引鄭注而竄改「天曰神，

地曰祇，人曰鬼」作「人神曰鬼」，混論神鬼，是有意否定鄭注之指向。鄭注又云「非其祖考而祭之者，（中缺）媚求淫祀之福」，即本〈曲禮下篇〉曰：「非其所祭而祭之，名曰淫祀。淫祀無福。」《集解》標引鄭注，而改「媚求淫祀之福」作「諂求福」，是因襲其說而不許鄭注用〈曲禮〉之詞語，故為剔除。《集解》之竄改，可謂細心周詳。末句「鄭易祊田而祀周公」云云，引《左傳》證「非其鬼而祭之」之事，《集解》亦不取，故刪省不錄。鄭注以經書、經學釋《論語》，《集解》襲用鄭注，而有意剔除經書、經學因素，灼然可見。

又如〈子罕〉「**吾自衛返於魯，然後樂正，〈雅〉〈頌〉各得其所**」：

> 【鄭注】是時道衰樂廢，孔子來還乃正之，故〈雅〉〈頌〉之聲各應其節，不相奪倫。
>
> 【集解】鄭曰：是時道衰樂廢，孔子來還乃正之，故〈雅〉〈頌〉各得其所。

鄭注「〈雅〉〈頌〉之聲各應其節，不相奪倫」，「不相奪倫」用〈虞書〉文。《集解》求簡，不欲牽涉經書，故刪此句，改作「〈雅〉〈頌〉各得其所」，注文竟與正文無異。上第一章引〈鄉黨〉「衣前後襜如也」章，見《集解》引鄭注而刪節其文，鄭注與《集解》之間，似乎止有繁簡之別。若此鄭注「〈雅〉〈頌〉之聲各應其節，不相奪倫」《集解》改作「〈雅〉〈頌〉各得其所」，以及上舉《為政》鄭注「媚求淫祀之福」《集解》改作「諂求福」等，則皆鄭玄牽合經書為注，故以為繁，《集解》引鄭，剔除其涉經書之語句，故以為簡。然則上第四節末引鄭注〈鄉黨〉「禮，六十杖於鄉」，《集解》改作「杖者，老人也」者，《集解》雖稱孔注，例亦同此。

又如〈鄉黨〉：

執珪，鞠躬如也，如不勝。上如揖，下如授。勃如戰色，足蹜蹜
如有循。享禮有容色，私覿愉愉如也。【鄭注】執珪，謂以君命聘
於鄰國。執珪如不勝者，敬慎之至。執輕如執重。上如揖，授玉
宜敬也。下如授，不敢忘禮也。勃如戰色，恐辱君命。足蹜蹜如
有循，舉前曳踵，圈豚而行。享，獻。聘禮，既聘而享，享用珪
璧，有庭實，皮馬相間也。覿，見也。既享，以私禮見，用束帛
乘馬。

執圭，鞠躬如也，如不勝。【集解】包曰：為君使聘問鄰國，執持
君之圭。鞠躬者，敬慎之至。上如揖，下如授。勃如戰色，足蹜
蹜如有循。【集解】鄭曰：上如揖，授玉宜敬。下如授，不敢忘禮。
戰色，敬也。足蹜蹜如有循，舉前曳踵行。享禮有容色，【集解】
鄭曰：享，獻也。聘禮，既聘而享，用圭璧，有庭實。私覿愉愉
如也。【集解】鄭曰：覿，見也。既享，以私禮見。愉，顏色和。

鄭注以正文三十六字總置一注，《集解》分四段為注。《集解》第一段稱包，
與鄭注略同，其不同者，鄭注「執珪如不勝者，敬慎之至」，《集解》則云
「鞠躬者，敬慎之至」，此當以鄭注為恰切。「上如揖」以下，《集解》分
三段，皆引述鄭注，而有刪節。鄭注「足蹜蹜如有循，舉前曳踵，圈豚而
行」者，〈玉藻〉云「圈豚行，不舉足，齊如流」，鄭注：「圈，轉也。豚
之言若有所循。不舉足，曳踵則反之。齊如水之流矣。孔子執圭則然。此
徐趨也。」又云「執龜玉，舉前曳踵，蹜蹜如也」，鄭注：「著徐趨之事。」
是鄭玄以〈鄉黨〉與〈玉藻〉互注。《集解》引錄鄭注，取「舉前曳踵」
而不取「圈豚」，「舉前曳踵，圈豚而行」省作「舉前曳踵行」者，「舉前

曳踵」事理明白，而「圈豚」詞義特殊，必習〈玉藻〉乃知其義，故也。又，鄭注「皮馬相閒」，「用束帛乘馬」，《集解》均刪去不錄者，此皆鄭玄帶言禮學理論，「皮馬相閒」〈聘禮記〉文，「用束帛乘馬」本〈聘禮〉經文（「束帛」疑當作「束錦」。）。此鄭學之徒須知之事，而與《論語》正文詞義無關，故《集解》必欲刪之。此等刪省，皆可見鄭注《論語》為經學之書，讀鄭注可以學經學理論，不讀經又無以理解鄭注；《集解》則與經學無關，讀《集解》不需經學知識，亦無益於學經。

又如〈八佾〉「繪事後素」章：

> 子夏問曰：「『巧笑倩兮，美目盼兮，素以為絢兮』，何謂也？」【鄭注】倩兮、盼兮，（中缺）容貌。素（中缺）成曰絢。言有好女如是，欲以潔白之禮成而嫁之。此三句，《詩》之言。問之者，疾時淫風大行，嫁娶多不以禮者。子曰：「繪事後素。」曰：「禮後乎？」【鄭注】繪，畫文。凡繪畫之事，先布衆綵，然後素功。（中缺）《詩》之意，欲以眾綵喻女容貌，素功喻嫁娶之禮。（中缺）後素功，則皆曉其為禮之意也。子曰：「起予者商也。始可與言《詩》已矣。」【鄭注】（上缺）云「繪事後素」時，忘其意以素喻禮。子夏云曰「禮後乎」，孔子則覺，故曰：「起予者商。」商，子夏之名也。

> 子夏問曰：「『巧笑倩兮，美目盼兮，素以為絢兮』，何謂也？」【集解】馬曰：倩，笑貌。盼，動目貌。絢，文貌。上二句在〈衛風·碩人〉之二章，其下一句逸也。子曰：「繪事後素。」【集解】鄭曰：繪，畫文也。凡繪畫，先布衆色，然後以素分布其間，以成其文。喻美女雖有倩盼美質，亦須禮以成之。曰：「禮後乎？」【集解】孔曰：孔子言「繪事後素」，子夏聞而解知以素喻禮，故曰：

「禮後乎?」子曰:「**起予者商也。始可與言《詩》已矣。**」【集解】包曰:予,我也。孔子言:子夏能發明我意,可與共言詩。

案:〈碩人〉,莊姜之詩。子夏引《詩》,孔子云「後素」,子夏又云「禮後」,鄭玄綜合為解,故以此《詩》為疾時嫁娶不守禮,「禮後」謂美女尚需以嫁娶之禮約束之乃為善。《集解》以為引《詩》止取比喻,「禮後」之「禮」,無需限定為嫁娶之禮,不如泛化以為凡作人皆需用禮義約束自己。可見鄭注與《集解》,所言此章含意顯殊。然《集解》釋「繪事後素」仍標引鄭注,而且竄改其文。鄭注以孔子答、子夏再問為一段,統置一注,論旨一貫,「禮後」之「禮」謂嫁娶之禮,故「繪事後素」之「素」亦喻嫁娶之禮。《集解》以「繪事後素」為一段,標引鄭注,「禮後」又一段,標引孔注。一段分為二段,分別解釋,「繪事後素」引鄭注,竄改原文,剔除「嫁娶」義,「禮後」更釋為泛言禮義。讀者不見鄭注原文,止見《集解》,則莫不皆謂鄭玄說與孔安國同,《集解》吸收鄭玄說,又引孔安國為之補證。《集解》融匯囊括鄭、孔諸家之長,讀《集解》勝過讀鄭注。此即《集解》之詐術,不得不辨。鄭說與《集解》孔說截然不同,《集解》之孔注既偽,其引鄭注亦失鄭說之本意。《集解》雖標引各家,其實皆何晏等一家之說,而且何晏等有意否定鄭說。欲非鄭說,而不明言駁難,不僅不駁難,更標引鄭注,其不合己意者刪之,改之,僅存其合己意者,所錄鄭注皆非鄭玄主旨所在,是其詐術高明之處。

又如〈八佾〉「**子貢欲去告朔之餼羊**」:

【鄭注】牲生曰餼。禮,人君每月告朔於廟,有祭事,謂之朝享。魯自文公始不視朔,視朔之禮,以後遂廢。子貢見其禮廢,故欲去其羊。諸侯告朔以羊,則天子特牛與。(案:卜天壽抄本「於廟」上

有「以羊」。若然，則「於廟」當屬下讀。《通典》卷七十等諸書所引皆無「以羊」，疑卜天壽抄本涉下文誤衍。）

【集解】鄭曰：牲生曰餼。禮，人君每月告朔於廟，有祭，謂之朝享。魯自文公始不視朔。子貢見其禮廢，故欲去其羊。

《集解》引鄭注，於鄭注原文有所刪省。錄「魯自文公始不視朔」而刪「視朔之禮，以後遂廢」，求簡也。鄭注末尾云「諸侯告朔以羊，則天子特牛與」，是鄭玄據〈八佾〉此文，推論天子禮，是禮學體系之說，鄭學之重要定論，故〈司尊彝〉疏、〈我將〉疏、〈玉藻〉疏等皆述此說。但〈八佾〉此章言魯事，初不關天子禮，故《集解》不容不刪除之。

〈八佾〉又有一事，可謂《集解》竄改鄭注之顯例。「**邦君樹塞門，管氏亦樹塞門。邦君為兩君之好，有反坫，管氏亦有反坫。管氏而知禮，孰不知禮。**」

【鄭注】塞猶弊。禮，天子外屏，諸侯內屏。
反坫，反爵之坫，在兩楹之間。
人君辨內外，於門樹屏以蔽之；
若與鄰國君為好會，其獻酢之禮，（中缺）爵於坫上：
今管仲奢僭為之，是不知禮也。

【集解】鄭曰：反坫，反爵之坫也，在兩楹之間。
人君別內外，於門樹屏以蔽之。
若與鄰國為好會，其獻酢之禮更酌，酌畢則各反爵於坫上。
今管仲皆僭為之，如是是不知禮。

《集解》引鄭注，大體與鄭注原文相同，唯刪省「塞猶弊；禮，天子外屏，諸侯內屏」十二字為異。案鄭注原文，先述塞門之制，次述反坫之制，次言人君樹塞門之義，次言人君有反坫之義，最後論管仲僭禮，解釋井然有序。《集解》引鄭注，刪省首十二字，則先言反坫，次言塞門，次又言反坫，互錯其言，自亂倫次，頗失注書之體。「天子外屏，諸侯內屏」，說出緯書，亦是禮學體系之說，鄭學之重要定論，故〈郊特牲〉注亦引述之。然此章不涉及天子，「天子外屏，諸侯內屏」非解釋此章所需，因此《集解》剔除此說，不顧剔除之後，論述結構坍塌，猶如四腿桌子去其一腿也。可見《集解》不取鄭玄經學體系之說，甚為徹底，似若有仇，其引鄭注亦必剔除經學體系之說，細心周詳，似若剔除小魚骨刺，唯恐剔除不盡。

6　小結

本章對校鄭注與《集解》，見其不同特點。鄭注於《論語》正文上下文之間，探尋有機結構，又牽合經書為解，注釋中，常述其禮學體系之說。鄭玄以其龐大複雜之經學體系解釋《論語》，故其說皆有理據，精密至極，不容改易。但《論語》文義為之限定為符合經學之固定內容，故自後人習慣於《集解》、《集注》者視之，不免有僵硬偏頗之感。

筆者去年作〈論鄭王禮說異同〉一文（2013 年注：本書第十篇），認為鄭玄建立精密複雜之經學理論體系，區分概念以保存經書原有之複雜性，是屬於純理論性文獻研究；王肅見鄭玄經學理論體系脫離實際之缺點，於鄭玄區分之多種概念進行合情合理之合併整理，是注重實踐性之經學理論研究。然研究經書，區分概念，建立一套可以解釋所有經文而且能避免不同經文互相矛盾之理論體系，首需確定經書範圍。因為互相矛盾之經文多少，隨範圍大小而異故也。其在經書範圍外者，如《孟子》是也。案〈公冶長〉：

子在陳，曰：「歸與，歸與，吾黨之小子！【鄭注】吾黨之小子，魯人為弟子，從孔子在陳者。欲與之俱歸於魯也。狂簡，斐然成章，吾不知所裁之。」【鄭注】狂者進取，而簡略於時事，謂時陳人皆高談虛論，言非而博，我不知所以裁制而止之，毀譽於日眾，故欲避之歸爾。

子在陳，曰：「歸與，歸與！吾黨之小子狂簡，斐然成章，不知所以裁之。」【集解】孔曰：簡，大也。孔子在陳，思歸欲去，故曰：吾黨之小子，狂者進取於大道，妄作穿鑿，以成文章，不知所以裁制，我當歸以裁之耳。遂歸。

鄭注與《集解》迥異。據鄭注，「吾黨之小子」謂弟子在陳者，「狂簡斐然成章」者謂陳人。若據《集解》，「吾黨之小子」謂弟子在魯者，「狂簡斐然成章」者亦即弟子在魯者。鄭注正文「不知所裁之」上有「吾」字，與《史記》同，故不得如《集解》說。又，此章首云「子在陳」，若如《集解》說，此三字並無深意，可有可無。鄭玄欲結合此三字解釋孔子語，故以為孔子疾陳人狂簡。此章鄭注分出二注，《集解》統置一注，所以然者，鄭注以「吾黨之小子」句斷故爾。其實鄭玄正因將章首「子在陳」與後段「狂簡，斐然成章，吾不知所裁之」結合為解，始有如此斷句。《集解》不取鄭說，是因《孟子・盡心》云：「萬章問曰：『孔子在陳，曰：「盍歸乎來。吾黨之小子，狂簡進取，不忘其初。」孔子在陳，何思魯之狂士？』《孟子》曰：『孔子「不得中道而與之，必也狂獧乎。狂者進取，獧者有所不為也」。孔子豈不欲中道哉。不可必得，故思其次也。』」此《孟子》明言「孔子在陳，思魯之狂士」，不得如鄭注解也。鄭玄非不讀《孟子》者，故鄭注《周禮》屢引《孟子》文。然鄭玄不以《孟子》為經，故不求

《孟子》所言符合其經學理論，亦不以其解《論語》與《孟子》相矛盾為意。可見鄭玄之經學理論為封閉之體系，經書範圍有明確界限。鄭學之精密，即在此經書範圍內，細心研究避免經文互相矛盾之結果。

《集解》與鄭玄正相反，盡量不援據經書，徹底摒棄用經學解釋《論語》，可謂將《論語》獨立於經學之外。又不取上下文有機結構之說，各句分別解釋，是以全無體系性。加以注文尚簡，力求平明，往往注文與正文幾同，有注與無注無異。《集解》不限定解釋，故容許讀者自由理解。然當鄭注盛行之日，而撰輯《集解》，何晏等不得忽視鄭注，故《集解》中多引鄭注。今覈查其引鄭注，即知何晏等或刪或改，脫胎換骨，上述鄭注特點全然消失。當知《集解》借集錄先師舊說之形，遂成就何晏等一家言之實。

三　鄭注與集解之思想異趣

近代以來，學者重思想，輕經學，故鄭學特點及《集解》反對鄭注之特點，均未為世人所知。談論思想者，見古書中所言之事，參照哲學、政治等外在概念，分析其思想。蓋古書中所言之事，乃古人思慮之後果，猶雪泥鴻爪而已。筆者讀其經學，透過所言之事，探討其言所以然之故。探討所以然，即求古人思慮之過程。古人之思慮在此，不在彼也。

雖然，思想亦影響經學之一端，不妨稍稍留意。金谷治〈鄭玄與論語〉一文（見《唐寫本論語鄭氏注及其研究》下卷。）言鄭注描繪孔子為「具體實踐者的活生生的」、「與當時時勢深刻關聯的歷史人物」。其所舉例如：〈八佾〉「林放問禮」章鄭注「疾時人失禮」，「夷狄之有君」章鄭注「為時衰亂，以矯人心」，「繪事後素」章鄭注「疾時淫風大行，嫁娶多不以禮者」，「射不主皮」章鄭注「疾今不然」等，皆《集解》等所不言者。金谷又引陳澧說，《毛詩箋》可見鄭玄傷漢末亂世之憂思，以為《論語注》描述孔子，

實鄭玄以己身影射孔子。今案：金谷云「實踐者」云云，無所根據，至其云「以己身影射孔子」，則似得鄭意。蓋二十世紀六七十年代，政治運動風靡全球，要求學者關注時勢，談論歷史以生動為價值。金谷前說，即此思潮之產物。平心而論，所列鄭注諸條，皆止見疾時傷感，絕非積極參與政治之態度。金谷亦引〈公冶長〉「歸與歸與」章鄭注（見上第二章第6節）及〈子罕〉「沽之哉」章鄭注「寧有自炫賣此道者乎，我坐而待價者」，謂孔子形象非常消極，亦反映鄭玄回避參與政治之心態。此說是也。然金谷又云「鄭玄一直關心國家大事，並且胸懷明確的政治理想」，以注中屢見周公致太平之說為證。今謂：周公致太平為有關《周禮》之基本概念，不得僅據此言，遽論有政治志向。《三禮》本以政教為重，禮學、經學不容不涉及政治，鄭學又以《周禮》為理論框架之基礎，注中表述周公致太平說，不足為異。鄭玄之政治理想，未嘗有實踐意義，其注諸經及《論語》，以建立完美之理論體系為宗旨，非所以主張其政治立場。

金谷又舉〈為政〉「十世可知」章鄭注「所損益可知者，據時篇目皆在，可校數也」，〈子路〉「必也正名乎」章鄭注「孔子見時教不行，故欲正其文字之誤」（參見上第二章第3節），認為「與作為古典學者的鄭玄自身立場有關」。今謂金谷此說，蓋得鄭玄之意。〈述而〉「**久矣吾不夢見周公**」，鄭注：「孔子昔時，庶幾於周公之道，汲汲然常夢見之。末年以來，聖道已備，不復夢見之。」（王素先生所校外，參據俄藏敦煌文書05919殘卷。）是孔子晚年得道，已為聖人，與周公等。故〈述而〉「天生德於予者」，鄭注：「謂授我以聖性，欲使我制作法度。」但「孔子見時教不行，故欲正其文字之誤」（〈子路〉注，見上）。〈述而〉「汝奚不曰，其為人也，發憤忘食，樂以忘憂」，鄭注云：「汝何不云，我樂堯舜之道，思六藝之文章。」正文「發憤忘食」不言所為何事，鄭玄以為「思六藝之文章」。〈公冶長〉「夫子之文章可得聞」，鄭注：「文章，謂六藝之義理也。」是謂孔子研究六藝之義理，

亦即經學。汲汲研究六藝之義理，校古禮篇目，正經書文字，是孔子所為
與鄭玄正同。「不夢周公」，後人解釋皆謂孔子至晚年，政治抱負未得實現，
故為慨嘆如此。惟獨鄭玄謂孔子因為已經得道為聖人，編訂經書以示後
人，故不復夢周公，孔子是成功者，非失敗者。知鄭玄之追求，在研究經
書文字，不在政治實踐，最有明證。（筆者並無意否定研究鄭玄政治思想之意義。）
鄭注〈學而〉又云：「自周之後，雖百世，制度猶可知。以為變易損益之
極，極於三王，亦不是過。」鄭玄建立《三禮》理論體系，以《周禮》最
具嚴密體系，遂據以為基本框架，《禮記》中與《周禮》不合者，輒謂夏
殷禮，以避矛盾。正因認為「損益之極，極於三王」，三王為典型，古禮
不外此三王制度，故得以不合《周禮》者為夏殷禮。若無「極於三王」說，
鄭玄無以合《周禮》、《禮記》、《儀禮》為《三禮》，建其經學體系。可見，
此鄭玄述孔子語義，實述鄭玄自己之思想。金谷謂鄭玄以己身影射孔子，
蓋是也。筆者感覺鄭玄知時政時俗混亂已極，教化致太平，止得寄希望於
後世，故放棄社會實踐，埋頭研究經學，自校訂文本起，字斟句酌，求諸
經之解釋不互相矛盾，為此建立精密複雜之理論體系。止有絕望於現世
者，盡全力沉潛，始得完成如此龐大之文獻研究。

　　今世人談論《集解》，必言其玄學。今案：《集解》固有玄學因素。如

　　〈為政〉「攻乎異端」【集解】善道有統，故殊途而同歸。
　　〈為政〉「雖百世可知也」【集解】物類相召，勢數相生，其變有
常，故可預知。
　　〈公冶長〉「性與天道」【集解】天道者，元亨日新之道，深微故
不可得而聞也。
　　〈述而〉「志於道」【集解】道不可體，故志之而已。
　　〈子罕〉「子絕四，毋意」【集解】以道為度，故不任意。「毋我」

【集解】唯道是從，故不有其身。

〈子罕〉「吾有知乎哉」【集解】知者，知意之知也。知者言未必盡，今我誠盡。

此等《集解》皆不標「某曰」，當是何晏等自為之說。若〈公冶長〉「孟武伯問子路仁乎，子曰，不知也」【集解】孔曰：「仁道至大，不可全名。」是何晏等稱引先儒注說，亦不無涉玄之說。然通觀《集解》，未必以玄學為宗旨，故王弼說（《集解》不引王弼，今見皇侃《義疏》引。）往往出《集解》之外。

又，上引《集解》文中「元亨日新」，「殊途而同歸」，又如〈述而〉「五十以學《易》」【集解】「《易》，窮理盡性以至於命」等，皆引《周易》經傳文。但《集解》引《易》，亦不過借以表述思想概念，與鄭玄引經文互證、具有體系性者不同。案：〈學而〉「**道千乘之國**」

【集解】馬曰：道謂為政教。《司馬法》：「六尺為步，步百為畝，畝百為夫，夫三為屋，屋三為井，井十為通，通十為成，成出革車一乘。」然則千乘之賦，其地千成，居地方三百一十六里有畸，唯公侯之封乃能容之。雖大國之賦，亦不是過焉。包曰：道，治也。千乘之國，百里之國也。古者井田，方里為井，十井為乘。百里之國，適千乘也。融依《周禮》，包依〈王制〉、《孟子》。義疑，故兩存焉。

諸書所引鄭注與《集解》引馬注同。且不論是鄭注因襲馬融，抑《集解》據鄭注為馬說，此《集解》並列二說，後下案語，分析兩說稱「融依《周禮》，包依〈王制〉、《孟子》」，此固不誤。然此乃經學上之一大問題，經

學家必需選擇其中一說，以建設其經學理論體系。而何晏等竟云「義疑，故兩存焉」，此何言哉？是何晏等不為經學也。不為經學，無意建立經學理論體系，始可為此言。何晏等不僅不為經學，又欲解放《論語》，將《論語》擺脫經學之限制，因此之故，《集解》乃有上第二章所述種種現象。竊謂《論語集解》之目的，即在《論語》之「去經學化」，不知讀者以為如何。

四　論語史上之鄭注與集解

　　西漢人學《論語》，與學諸經同，皆以援引經書為談論之資，非謂討論經文解釋。東漢始有對校諸經解釋，探討其間融貫者。至鄭玄而建立龐大精密之經學理論體系，得以解釋所有經書而無矛盾。鄭玄亦取《論語》納入其體系，故其注《論語》即以經學體系解釋《論語》。鄭學之長，在其精密。其說貫通諸經，無所牴牾，甚至一字之微，盡得與其體系相應。然鄭學之短，在其拘束。鄭玄專就經書文本研究理論，為求符合其體系，經書文義頗受限制，乖離人情甚遠。魏明帝頗好鄭學，朝廷制度多依仿鄭說（古橋紀宏學兄有論，參拙作〈論鄭王禮說異同〉。）。逮明帝辭世，改元正始（明帝依鄭玄三統說，用殷正。明帝崩，復夏正，改元正始。年號正始，意謂推翻明帝依從鄭玄之制，頗有象徵意義。），朝廷改復明帝以前之制，王肅抨擊鄭學拘泥之弊，於鄭說多所改造，以求經學禮說接近人情自然。何晏等作《論語集解》，則全然不取鄭學，釋《論語》不用經學，使《論語》獨立於經學體系之外。王肅之與何晏等，其反鄭學是同，所以反鄭學則異。王肅駁難鄭學之拘泥，欲將己說施於朝廷禮制。論學理則鄭學精密，論制度則王說合理，故後之研究經書理論者，以為鄭說不可奪，而議論朝廷制度，則往往以王說為妥。至《論語》，無關制度，書本文字而已，既有鄭注精密如此，何晏等欲自作新注，取而代之，殊不容易。故用《集解》之體，謂此新注囊括孔安國

以來名儒學說，鄭注亦在採擇之列，薈萃精華而成，可以勝過鄭注。沈濤自序《論語孔注辨偽》云：「蓋當塗之世，鄭學盛行，平叔思有以難鄭，而恐人之不信之也。於是託於西京之博士、闕里之裔孫，以欺天下後世。」沈說孔注為何晏等自造，未為定論，然其論何晏等引錄孔注之用意，蓋不誤也。

《集解》引錄鄭注，於鄭注涉經學之處，或刪或改。鄭玄建立龐大複雜之理論體系，以釋《論語》，而《集解》拆毀其體系，使《論語》文字，句句分散獨立，滌除一切附加理論。因此，《集解》注《論語》，往往與《論語》正文無異，《論語》正文所不言，《集解》亦不說明，有注與無注無異。若然，《集解》之意義何在？竊謂即在否定經學。何晏等欲將《論語》獨立於經學之外，《論語》應當直接閱讀，不需參考任何理論，是可以無注。但若無注，世人不知可以直接閱讀，仍讀鄭注。故何晏等不得不作有注猶若無注之《集解》。

鄭注為龐大複雜之體系結構，《集解》將此結構拆毀之，剷除之，徹底乾淨。因有《集解》，《論語》始變為任人隨意解釋之古文，至晉代乃出現百家爭鳴、百花齊放之局面。晉人江熙集注《論語》，匯集晉人解釋《論語》諸說，今見皇侃《義疏》所引。晉人解釋《論語》，豐富多彩，各種異說盡現於一時。此皆可謂《集解》否定鄭注《論語》，解放《論語》之結果。若以鄭注《論語》為基礎，必不能產生晉人各種解釋。因晉人解釋多岐，至梁有皇侃《義疏》，疏理眾說之異同。皇侃《義疏》以疏理晉人以來眾說為主，非所以研究《集解》，因為《集解》空洞，有注若無注故也。

然則，南北朝至唐代中期，鄭注與《集解》並行，《集解》未嘗壓倒鄭注者，唐代中期以前，經學仍在，仍有學者研究經學理論，故鄭注未被廢置。賈公彥、孔穎達等義疏，皆所以研究經學體系理論，故所引《論語》

皆鄭注。鄭注《論語》為鄭學體系之一部分，若為鄭學，不得不學鄭注《論語》。直至啖助、趙匡等，始用聖人「大義」解釋經書，經書內容不合「大義」輒謂經書之誤，於是根據經書文字研究理論體系之鄭學、義疏學漸衰，鄭注《論語》亦日微，至宋更不為學者所重。鄭注《論語》宋代已微，故無刻本，其書遂亡。今可見者，敦煌、吐魯番所出唐代以前抄本及諸經義疏所引為主。義疏學與鄭注《論語》同其盛衰，亦可見鄭注《論語》之性質。

有注若無注之《集解》，因其簡明，頗有傳習者。至朱熹撰《集注》，仔細周詳，既完備又易解，本可以壓倒《集解》，而《集解》仍有流傳，不似鄭注之亡佚者，北宋時《集解》仍有讀者，甚至有邢昺疏，故《集解》即有刻版。因此南宋以下雖讀者無多，而其書流傳不絕。

附錄：鄭注孔氏本辨

敦煌、吐魯番出土鄭注《論語》，有題「孔氏本」者。王國維《書論語鄭氏注殘卷後》云：「鄭氏所據本固為自《魯論》出之《張侯論》，及以《古論》校之，則篇章雖仍《魯論》，而字句全從《古文》。」今案：此說非是。鄭玄校改正文，輒出注云：「《魯》讀某為某，今從《古》。」其未有此注者，正文當仍同《魯論》。《古論》與《魯論》同者，固無論矣，若鄭從《魯》不從《古》者，鄭亦不出校，其文即《魯論》，非《古論》也。上題篇名，下題「鄭氏注」，是古書題名之常式。今敦煌、吐魯番本，中間更題「孔氏本」，當非鄭氏自題，而是後人所加。然則「孔氏本」何義乎？竊疑此題出抄錄鄭注《論語》而刪去校語者所加。案《釋文》云「鄭以《齊》《古》正讀凡五十事」，其校語見今本《釋文》者僅二十餘條，而敦煌、吐魯番本所存僅數條而已。是知曾有人抄錄鄭注《論語》，刪去校

語者。蓋《論語》非五經比，文字異同本非學者所重，況童蒙學習，更不需校語，故盡刪之。今敦煌、吐魯番本，尚有數條校記者，不知是刪除不盡，抑或後之轉抄者據別本補錄，皆未可知。今盡刪校語，持讀此本者，不知鄭玄如何校改。但刪去校記之處，此本已皆從《古文》，故且題「孔氏本」，以示區別於足本。然則「孔氏本」三字標題，所以取代注中五十條「今從《古》」校語也。竊為猜測如此，不知是否。

《毛詩正義》的歷程

李霖、喬秀岩合撰

一 南北學術的整合與《毛詩正義》的形成

縱覽《南北史・儒林傳》，南北朝至隋代，學者輩出，各成一家之學，諸經義疏層出不窮，可謂一段經學蓬勃發展的時期。然義疏之學再向前推進，則不免出現脫離本旨、畸形發展之弊。錢穆撰〈兩漢博士家法考〉，末尾立「博士餘影」一章，說「博士家法，實不盡於兩漢」，引錄顏之推《家訓》、《隋書・房暉遠傳》，謂「皆可見兩漢博士家法之餘影」，就是說南北朝義疏學的畸形發展，猶如兩漢博士家法章句之學。

顏之推云「聖人之書所以設教，但明練經文，粗通注義，常使言行有得，亦足為人，何必『仲尼居』即須兩紙疏義，……光陰可惜，譬之逝水」（《顏氏家訓・勉學篇》），所論與《漢書・藝文志》「古之學者耕且養，三年而通一藝，存其大體，玩經文而已」並無二致。「『仲尼居』即須兩紙疏義」，又與「秦延君說『曰若稽古』至二萬言」（《太平御覽・學部》引桓譚《新論》）如出一轍。這種風氣不僅顏之推反對，隋代有一批學者都感到有必要糾正。王劭有一段話經常被引用：「魏晉浮華，古道夷替。洎王肅、杜預更開門戶，歷載三百，士大夫恥為章句。唯草野生以專經自許，不能究覽異議，擇從其善，徒欲父康成、兄子慎，寧道孔聖誤，諱聞鄭、服非。然於鄭、服甚憒憒，鄭、服之外皆讎也。」（《舊唐書・元行沖傳》錄元氏《釋疑》所引王劭《史論》）漢代經學學說的畸形發展，主要以章句的形式出現；東漢後期，何休、鄭玄等打破家法，不為章句，而作解故、箋注；至魏晉，王肅、杜預等擺脫

經學傳統的束縛，從更自由的立場解釋經文。南北朝經學學說的畸形發展，則主要以義疏的形式出現，其內容是對鄭玄、服虔等學說的理論研究，然研究愈深，脫離經書本義愈遠，跡同漢代家法章句。所以王劭批評當時佔多數的二三流學者為「草野生」，並尊崇王肅、杜預為開創風氣的榜樣。

曾與王劭同修國史的劉炫、劉焯，各自鑽研經學，對南北朝義疏學進行了徹底的解構。劉炫、劉焯於諸經皆有義疏，後多散佚不傳。所幸二十世紀在日本發現劉炫的《孝經述議》，在此摘錄其中有關「仲尼居」的一小段：

> 江左朝臣各言所見：謝萬云：「所以稱『仲尼』，欲令萬物視聽不惑也。」——《記》云「孔子閒居」，何獨不慮惑哉？曾參若避仲尼，何以不稱其名而稱「子」也？
> 車胤云：「將明一經之義，必稱字以正之。直稱『孔子』，恐後世相亂。」——然則諸稱「孔子」，豈可皆被亂乎？
> 殷仲文云：「夫子深敬孝道，故稱字以說。」——然則名尊於字，若其深敬孝道，何以不自稱名？且諸賢等皆以《孝經》為弟子所錄，此非夫子自稱，復何云「深敬孝道，稱字以說」也？

相關討論還很長，不啻顏之推所說「兩紙」。在此，劉炫一一指出江南學者論說的不合理，頗有一點擡槓的味道。實際上，那些江南學者，本來沒有追求這種合理性。義疏學本來有自己的遊戲規則，現在劉炫故意忽視這些遊戲規則，大聲疾呼這些學說都不合理，不足取。還有一點值得留意的是，劉炫只有在批評舊說的基礎上，才能提出己見，并非完全另起爐竈。劉炫對舊學說的批評導致了兩方面結果：首先，自然引起了學者們的反感。《隋書‧儒林傳》云「劉炫性躁競，頗俳諧，多自矜伐，好輕侮當時」，

我們看到《孝經述議》之後，很容易認同這種評價。第二點更重要的是，儘管如此，劉焯、劉炫的合理主義學術批評，總體上還是為當時的學界所接受，對唐初學術有最深遠的影響。所以《隋書・儒林傳》說：「二劉拔萃出類，學通南北，博極今古，後生鑽仰，莫之能測。所製諸經義疏，搢紳咸師宗之。」這說明南北朝義疏學的舊遊戲規則已經失效，而其具體成果已被轉型。

經學的南北整合，沒有在隋代完成，而要持續到唐太宗時期。太宗在貞觀四年（630）詔顏師古校訂五經，七年頒新定《五經》於天下。之所以需要校訂，是因為南北各地長期傳承襲用的文本之間，存在較大差異。十二年詔孔穎達等撰修《五經正義》，十四年撰成，初名「義讚」。隨即有馬嘉運言其編撰之失，太宗遂於十六年又詔，復加詳定，賜名「正義」。高宗永徽二年，詔長孫無忌等再次刊定，此時孔穎達已卒四年。至四年（653）完成，詔頒於天下，每年明經，令依此考試。《五經正義》規模頗大，而主要的編纂工作，自貞觀十二年至十四年，先後僅三年。能在這麼短的時間內完成編纂，是因為他們選用前代學者的現成義疏為底本，稍加調整而成。清人劉文淇撰《左傳舊疏考正》，詳論《春秋正義》中大部分內容直接襲用劉炫、劉焯所寫文字，孔穎達等人新寫的內容很少。除了《春秋正義》外，《尚書正義》、《毛詩正義》也都以劉炫、劉焯二人的義疏為底本，因此可以推測《毛詩正義》的大部分內容也因襲了劉炫、劉焯所撰。就總體而言，不妨認為孔穎達等在接受二劉學術方法的前提下，對二劉矯枉過正的偏激批評進行調整，以便作為官方定本，頒佈天下。這一點，孔穎達的序也說得很清楚：「焯、炫等負恃才氣，輕鄙先達；同其所異，異其所同；或應略而反詳，或宜詳而更略。準其繩墨，差忒未免；勘其會同，時有顛躓。今則削其所煩，增其所簡；唯意存於曲直，非有心於愛憎。」

《毛詩正義》的主要內容，以南北朝時期逐漸發展的義疏學說為基

礎，經過隋代二劉的徹底批評以及唐初孔穎達等的綜合調整而成。如果說一部《毛詩正義》體現著南北朝、隋、唐初數百年間學術發展的歷程，并不過分。

二　南北抄本的匯合與《毛詩正義》的完成

唐朝頒佈的《毛詩正義》，作為官方指定教材，廣為流傳。我們今天還能看到敦煌出土的唐抄殘本以及日本流傳的唐抄（或其轉抄）殘本（參見本書附錄圖版）。敦煌與日本，東西相隔八千里，永徽至今，時間逾千年，尚有傳本，足以見其在唐代的普及程度。然廣泛流傳，輾轉抄錄，勢必出現各種不同文本。尤其因為《正義》是教材，學者往往邊學邊抄，未必嚴格照抄底本，因此到宋代初期，各種抄本之間差異甚大。正如端拱元年（988）孔維上表所說：「講經者止務銷文，應舉者唯編節義；苟期合格，志望策名。出身者急在干榮，食祿者多忘本業；一登科級，便罷披尋。因循而舛謬漸滋，節略而宗源莫究。」（見《尚書正義》單疏本卷首。）

經過唐末、五代的動盪時期，宋初朝廷所藏典籍文本，并不精良完好。宋太宗積極經營文化政策，希望校定各種重要典籍。開寶八年（975）征服南唐而得來的南方傳本在此時發揮了重要作用。馬令《南唐書》云：「皇朝初離五代之後，詔學官訓校《九經》，而祭酒孔維、檢討杜鎬苦於訛舛。及得金陵藏書十餘萬卷，分布三館及學士舍人院，其書多讎校精審，編秩完具，與諸國本不類。」（卷二十三〈歸明傳下〉）《事實類苑》引《談苑》云：「雍熙中，太宗以板本《九經》尚多譌謬，俾學官重加刊校。史館先有宋藏榮緒、梁岑之敬所校《左傳》，諸儒引以為證。祭酒孔維上言，其書來自南朝，不可案據。章下有司。檢討杜鎬引貞觀四年敕以『經籍訛舛，蓋由五胡之亂，天下學士率多南遷，中國經術浸微之至也。今後並以六朝舊本為證。』持以詰維，維不能對。王師平金陵，得書十餘萬卷，分配三館及學

士舍人院，其書多讎校精當，編帙全具，與諸國書不類。」(卷三十「江南書籍」條) 貞觀四年顏師古校訂《五經》，上節已介紹，現在看到杜鎬所引唐太宗敕，更能明白唐初校訂典籍文本的主要問題就是如何處理南北傳本之間的巨大差異。時隔三箇半世紀之後，宋初儒臣又一次面臨南北傳本之間巨大的差距，而且仍然以南方傳本為精良完善，是又一次南北經籍文本的大匯合。

　　《玉海》云「端拱元年 (988) 三月，司業孔維等奉敕校勘孔穎達《五經正義》百八十卷，詔國子監鏤板行之」(卷四十三「端拱校《五經正義》」條)，以下記載校勘人數、刻板完成時間。結合端拱元年三月孔維上表云「臣等先奉敕校勘《五經正義》，今已見有成，堪雕印版行用者」(見《尚書正義》單疏本卷首)，知端拱元年三月是孔維等完成校勘，下詔刻版的時間。查李覺傳(《宋史·儒林傳》)記述「太宗以孔穎達《五經正義》刊板，詔孔維與覺等校定」一事，在「王師征燕薊」、「雍熙三年 (986) 與右補闕李若拙同使交州」之前，再結合上引《談苑》云「雍熙中，太宗以板本《九經》尚多譌謬」云云，則太宗敕令孔維等校勘的時間，應該在雍熙年間或更早(開寶八年 (975) 征服南唐，第二年太宗即位，改元太平興國 (976 至 984))。至於刻版，《玉海》云：「《詩》則李覺等五人再校，畢道昇等五人詳勘，孔維等五人校勘，淳化三年壬辰 (992) 四月以獻。」此次影印的《毛詩正義》單疏本，卷末有北宋刊刻時相關官員銜名，與《玉海》所言相符。銜名首四行列「書」者四名，最後一位趙安仁，就是《玉海》云「國子監刻諸經《正義》板，以趙安仁有倉雅之學，奏留書之，踰年而畢」(同上條小字注。事亦見《宋史》本傳。) 者。第四行以下「勘官」，第十行以下「詳勘官」，第十五行以下「再校」，都是刻版時負責校對文字的官員。「孔維都再校」之後，空一行又有「李覺都再校」，應該是因為孔維於淳化二年去世，由李覺來接管「都再校」任務。《周易正義》單疏本刊書銜名的形式與《毛詩正義》基本一致，「勘官」和「再

校」的最後也都是孔維，說明初校、再校都由孔維負責。據孔維傳，孔維曾有挪用印書經費等問題，臨終前「口授遺表，以《五經疏》未畢為恨」（《宋史·儒林傳》）。孔維含恨而死，正在刊刻《毛詩正義》的過程中。因此，在《毛詩正義》之後繼續刊刻的《禮記正義》，單疏本刊書銜名中已經不見孔維之名。

正如當年孔穎達編撰《五經正義》之後，馬嘉運指出問題，再次校訂，高宗即位之後又一次經過審訂一樣，《五經正義》刻版完成之後，淳化五年、至道二年（996）李至先後兩次申請令人覆校，到真宗即位，咸平元年、二年（998、999）又有審訂校改之舉（均見《玉海》同上條），這樣才算完成刊刻《五經正義》的工程。官方辦事的模式，幾百年不變。

《毛詩正義》形成之後三百多年，一直以抄本的形式流傳，出現各種異本，相互之間的文本差異不小。在宋太祖征服南唐，獲得了流傳在南唐的高質量傳本之後，太宗命孔維等校訂《五經正義》。經過孔維等的校訂，南北各地各種抄本之間的差異被統一，隨即將此定本刻版，至淳化三年完成刻版，再經咸平元年、二年的審訂，刻本文字於是確定，以印本的形式廣泛流傳，後來出現的《毛詩正義》刊本及其轉抄本都以這一版本為祖本。《毛詩正義》經過了多年大幅度搖擺不定的青年時期，終於到達了最成熟穩定的階段。

三 舊抄本的失傳與南宋初年的覆刻

北宋朝廷陸續校訂諸經《釋文》、義疏、正史等重要典籍，都由國子監、館閣等中央機構負責校訂、刻版，文本由朝廷校訂統一，刻版由朝廷管理印行，所以北宋幾乎沒有地方官衙或民間發行的版本。隨著朝廷定本的版刻印行，之前流傳的各種抄本迅速被淘汰。仁宗景祐元年（1034）左右，已經有人提出這樣的問題：

> 前代經史，皆以紙素傳寫，雖有舛誤，然尚可參讎。至五代，官始用墨版摹印《六經》，誠欲一其文字，使學者不惑。至太宗朝，又摹印司馬遷、班固、范曄諸史，與《六經》皆傳，于是世之寫本悉不用。然墨版訛駁初不是正，而後學者更無他本可以刊驗。（《續資治通鑑長編》卷一百十七、《麟臺故事》、《玉海》卷四十三）

這并不是說有了刻本之後，學者都拿刻本來閱讀學習。因為要拿到一部印本并不容易，所以學者誦習的往往是抄本，一直到近代，抄本的使用率還是很高。但宋代以後的抄本絕大多數是據刻本抄寫的，這一點與唐代以前不一樣。刻本不僅清晰漂亮，而且是朝廷校訂的權威定本，學者都想要找刻本抄寫。在這種情況下，舊抄本的普遍失傳是不可避免的，所以今天我們能夠看到的唐代抄本，不是敦煌、吐魯番等地方出土的，就是流傳在日本的，只有在邊遠地區特殊環境裡才幸免於毀滅。

靖康之變，北宋刻版或者毀壞，或者被金人攜去，基本全失。於是在南宋初期，出現大批主要由朝廷倡導各地官衙刊刻的覆北宋本。《玉海》說「紹興九年（1139）九月七日，詔下諸郡索國子監元頒善本，校對鏤板」（卷四十三），《朝野雜記》也說：「監本書籍者，紹興末年所刊也。國家艱難以來，固未暇及。九年九月，張彥實待制為尚書郎，始請下諸道州學，取舊監本書籍，鏤板頒行。從之。」（甲集卷四）南宋最初幾年，百廢待興，朝廷無暇大舉刻書。後來大量覆刻北宋監本，可以理解為倉促之間無法重新校訂。但也應該注意，經過北宋一百數十年的刻本時代，到此時已經沒有或極少有唐代以前的抄本流傳。此時要對這些重要典籍進行校勘，刻本只有北宋朝廷校訂的版本，抄本也不過依據刻本抄寫的，沒有唐抄本或唐抄本的轉抄本，只好拿北宋刻本直接覆刻，頂多修改明顯訛誤而已。這次影

印的《毛詩正義》，就是紹興九年紹興府用北宋版覆刻的。因為紹興九年
以前也有各地官衙刻書的實例（如紹興二年浙東茶鹽司公使庫刻《資治通鑑》等），此
部《毛詩正義》也未必是《朝野雜記》所述紹興九年九月詔之結果。至於
王國維說「蓋南渡初，監中不自刻書，悉令臨安府及他州郡刻之，此即南
宋監本也」（《兩浙古刊本考》、《五代兩宋監本考》），則此《毛詩正義》版片刻成後
應該也歸國子監。

　　《毛詩正義》到南宋初，有了紹興九年紹興府覆刻北宋版。出現這樣
一種版本的直接原因自然是靖康之變，而更重要的背景因素是北宋印行國
子監刻本一百多年，唐代以來的抄本被淘汰不存，以致刻本單傳，參校無
由。《毛詩正義》再也不能像在唐代那樣有變化的活力，紹興九年紹興府
刊本代表的是成熟之後的僵化與孤寂，老化已經開始了。

四　《毛詩正義》與《毛詩鄭箋》的結合

　　繼紹興府覆刻《毛詩正義》，約五十年之後，光宗紹熙三年（1192），同
在紹興府的「提舉兩浙東路常平茶鹽司」刊行了《毛詩正義》與《毛詩》
鄭箋的彙刻本，即所謂越刊八行本注疏。越刊八行本《禮記》上有紹熙三
年「提舉兩浙東路常平茶鹽公事」黃唐寫的識語：

> 　　《六經》疏義自京監、蜀本皆省正文及注，又篇章散亂，覽者病
> 焉。本司舊刊《易》、《書》、《周禮》，正經注疏萃見一書，便於披
> 繹，它經獨闕。紹熙辛亥（二年）仲冬，唐備員司庾，遂取《毛詩》、
> 《禮記》疏義，如前三經編彙，精加讐正，用鋟諸木，庶廣前人
> 之所未備。乃若《春秋》一經，顧力未暇，姑以貽同志云。壬子
> 秋八月三山黃唐謹識。

這一則非常有名的識語（圖版見《中國版刻圖錄》），為我們瞭解諸經注疏刊本的歷史提供了特別重要的信息。黃唐說當時流傳的六經疏義（即《五經正義》加《周禮疏》）刊本「皆省正文及注，又篇章散亂，覽者病焉」，就是說經注文被省略，篇章結構也被打散，不便閱讀。越刊八行本推出新的體裁，按照經文篇章，先具錄經注全文，下繫該段疏文，結構清楚，文本具備，所以「便於披繹」。原來，義疏類著作，儘管在形式上順著經注文進行說解，但并非單純以講解經注文義為目的，而是通常都要展開各種經學理論問題的討論，如上文第一節介紹。「注」要附在經文下，與經文結合為有機的一體，因此「注」無法離開經文獨立存在。義疏則與此相反，在本質上是獨立的學術著作，南北朝以來一直到南宋初，都以單獨流傳為常態。《魏書·儒林傳》說徐遵明「每臨講坐，必持經執疏，然後敷陳」，說明北魏時期經注文本與義疏的分別成卷。事先熟讀經注文，無疑是閱讀《正義》的必要前提，正如要閱讀講解數學題的參考書，必須先將相關公式、定理理解清楚。不料南宋前期的讀者開始覺得如此學習，太過費事，想要走捷徑，跳過熟讀經注文的階段，直接去理解《正義》所講的內容。為了滿足這些讀者的需求，「提舉兩浙東路常平茶鹽司」提供了分篇章配入經注文的新讀本。

越刊八行本的目標就是提供便於理解的義疏讀本，編輯所用底本應該是國子監刊印的單疏本和經注本。「提舉兩浙東路常平茶鹽司」經費充足，不僅刻版漂亮，編輯校對工作也相當認真，所以後世都認為是質量最高的一系列注疏版本。越刊八行本注疏當中，《易》、《書》、《周禮》的刊刻時間較早，據昌彼得先生、張麗娟先生分析刻工時代，則大致在紹興後期到乾道年間，而《毛詩》、《禮記》可以確定是紹熙三年黃唐任「提舉兩浙東路常平茶鹽公事」時所刊。黃唐沒能刊行的《春秋》，在數年之後（慶元六年（1200）），由紹興府完成。在這六經當中，《易》、《書》、《周禮》、《禮記》、

《春秋》至今都有宋版傳世，惟獨《毛詩》失傳。

有一部日抄《毛詩注疏》殘本，曾見於《經籍訪古志》、《留真譜》，後歸楊守敬所有，今在臺灣故宮。如果這部殘抄本給我們傳達的是越刊八行本真正面貌的話，《毛詩注疏》的分卷、卷首題的體式等，均從經注本，而不同於單疏本。越刊八行本系列當中，《書》、《周禮》、《禮記》、《左傳》屬於一類，基本上依照單疏本的提示插入經注文，編輯體例較為單純。《周易》和《毛詩》與此不同，在分卷等細節上更多參考經注本，尤其是《毛詩》，經注本與單疏本的分卷法截然不同，而八行本卻依從經注本。這一問題，可以理解為《毛詩正義》的特殊體例所致。孔穎達等完全忽視經注本的分卷以及《詩》篇分組，以鄭玄《詩譜》為組織全書的大綱，《詩》篇分組用鄭玄《詩譜》，分卷主要以《正義》字數為準。因此要將《毛詩正義》與《毛詩》鄭箋合編，方枘圓鑿，必須用特殊方式處理。越刊八行本的編輯體例，具體問題相當複雜，今且不詳論。（詳參李霖〈南宋越刊八行本注疏編纂考〉，見《文史》2012 年第 4 期。）

正當「提舉兩浙東路常平茶鹽司」刊刻八行本的紹熙年間，陸游也在紹興，寫過《老學庵筆記》。書中記乃祖陸佃之言，曰「荊公有《詩正義》一部，朝夕不離手，字大半不可辨」（卷一）。更早成書的《家世舊聞》中記載的陸佃原話則更詳細：「吾治平中至金陵，見王介甫有《詩正義》一部在案上，揭處悉已漫壞穿穴，蓋繙閱頻所致。」英宗治平年間（1064 至 1067）王安石反復研讀的《毛詩正義》，應該就是北宋國子監刻本。此時王安石正當壯年（四十六歲至四十九歲，因服母喪在金陵），對《毛詩》本身早已經熟悉，讀《毛詩正義》是為了研究經學理論問題，絕不是為了理解《毛詩》經注文的參考。對這樣的讀者來說，經注本是誦讀、覈查用的，《正義》是研究經學理論的專著，用途本來不同。若像越刊八行本，《正義》當中一段一段地插入經注正文，當研讀《正義》時，大段的經注文顯得累贅，要誦

習經注文，又被《正義》寸斷不成整體，豎橫不方便。到了南宋前期，大多數讀者的經學水準已經很低，都想要速成，所以插入經注文的八行本應運而生，並且大受歡迎。

《毛詩正義》曾經擁有王安石那樣認真研讀、真正識得箇中真味的高水準讀者，一百多年之後，已經很難獨立行走江湖，必須請經注文作搭檔，二人組才受讀者歡迎。紹熙三年越刊八行本體現的是，《毛詩正義》被冷落的開始。

五　《毛詩正義》與建刊《附音毛詩鄭箋》的結合

正當「提舉兩浙東路常平茶鹽司」刊刻《詩》、《禮記》八行注疏本之時，遠在福建，余仁仲編刻了《易》、《書》、《詩》、《周禮》、《禮記》、《左傳》、《公羊》、《穀梁》經注附釋音本。現存只有《禮記》、《左傳》、《公羊》、《穀梁》的傳本，其中只有《公羊》有一則題識，也是理解諸經版本源流的重要資料（圖版亦見《中國版刻圖錄》）：

> 《公羊》、《穀梁》二書，書肆苦無善本，謹以家藏監本及江浙諸處官本參校，頗加釐正。惟是陸氏釋音字，或與正文字不同，如此序「釀嘲」陸氏「釀」作「讓」，隱元年「嫡子」作「適」，「歸含」作「唅」，「召公」作「邵」，桓四年「曰蒐」作「廈」。若此者眾，皆不敢以臆見更定，姑兩存之以俟知者。紹熙辛亥孟冬朔日，建安余仁仲敬書。

「紹熙辛亥」即二年，也就是黃唐到任「提舉兩浙東路常平茶鹽公事」那一年。依常理推測，編刊諸經，《公羊》、《穀梁》應該在最後，《禮記》等

其他經書在前，不妨認為余仁仲在淳熙、紹熙年間編刊諸經。余仁仲本的特點是，將《經典釋文》分散插入到經注本相應段落之下，以便參考。從《公羊》題識看來，雖然尚無確證，分散插入《釋文》似乎是余仁仲的創舉。余仁仲附加釋音之後，福建書肆又附加便於學習的各種小提示，南宋中後期競相推出多種「纂圖互注」、「重言重意」類經書版本。對校《禮記》的余仁仲與「纂圖互注」本，可以看到「纂圖互注」本的經注、《釋文》與余仁仲本一致，連編輯上有特色的細節都一一吻合。據此推測，或許是余仁仲推出附釋音本，開了風氣之先，後來福建書肆在余仁仲本的基礎上發展各種增加參考信息的通俗版本。（2013 年補注：鐵琴銅劍樓中弆冕群籍的宋刊本《周易》散附《釋文》，《中國版刻圖錄》定為南宋初葉建陽坊本。但據云避諱至慎字，則其與余氏孰先，尚不敢定。）

　　南宋中後期福建書肆刊刻的十行本注疏，即應放在「纂圖互注」、「重言重意」本發展的潮流當中理解。現存南宋版十行本注疏只有三部，《毛詩》、《左傳》各一部在日本足利學校，《穀梁傳》一部在中國國家圖書館。（2013 年補注：尚有一部《左傳》分藏北京圖書館與臺北故宮。）其餘諸經都沒有傳本，而有元代重刊本（《儀禮》、《爾雅》無十行注疏本），可借以推測南宋版的大體面貌。首先，我們可以看到十行本每卷的標題多承襲經注本的體例，而與單疏本、八行本差別較大（《論語》、《孟子》情況特殊，今不詳論）。再仔細對校《毛詩》、《禮記》、《公羊》十行本的經注及《釋文》，都與余仁仲本、「纂圖互注」本（《毛詩》無余仁仲本，有「纂圖互注」本。《公羊》有余仁仲本，無「纂圖互注」本。）高度一致。又如《周禮》，八行本等於以單疏為底本，用經注全文取代單疏標起止的文字，因而標起止的文字已被刪除；而十行本當是以經注釋音本為底本，插入疏文，因而標起止的文字仍照抄單疏。又如《左傳》哀公元年「哀公」二字，《正義》的解釋與《釋文》幾乎全同，十行本在一「疏」大字下，竟稱「同上」而省略《正義》。於是我們可以推論，十行本注疏

在本質上與「纂圖互注」、「重言重意」屬於同一類產品，是以余仁仲附釋音本（或其翻刻本）為主體，附加《正義》而成的。《正義》比起「纂圖互注」、「重言重意」字數多很多，但作用、意義則相同，純粹是為了便於學習經書，多提供參考信息而已。不求甚解的讀者要學經書，不懂文義先看注，不知讀音就看釋音，再有疑問也不妨瞄一眼《正義》，十行本沒有預設讀者會仔細閱讀《正義》。值得注意的是，當時建安黃善夫合刻《史記》三家注，往往節略張守節《正義》，以遷就《集解》、《索隱》二注，其性質正與閩刊注疏相通。就連二者的版式、字體也非常接近。

十行本為民間營利出版的通俗經書讀本，錯字、脫字甚多，自來為學者詬病。過去的學者仍然懷疑南宋最早的十行本未必那麼糟糕，只有經過元、明的翻刻、補修，才出現那麼多問題。現在我們能夠看到南宋版《毛詩注疏》十行本的影印本，知道很多問題原本就出自南宋十行本。野閒文史先生覈對南宋版《左傳注疏》十行本的膠卷，張麗娟先生覈對南宋版《穀梁注疏》十行本，都已確認阮元《校勘記》曾經指出的大量錯字，以及往往有二十幾字的大段脫字等問題，大部分都是宋版十行本最早編刊時的失誤。其實這種錯訛、脫衍的情況，在黃善夫本《史記》中也一再出現。編者校對馬虎，讀者也不在乎，所以才導致這種情形。

令人慨嘆的是，正如合刻三家注變成了《史記》的常態，這種通俗經書讀本，居然成為明清各種注疏版本的祖本。明成化二十三年（1487），憲宗去世，丘濬向剛即位的孝宗進上所著《大學衍義補》。其中有云：

> 今世學校所誦讀，人家所收積者，皆宋以後之五經。唐以前之註疏，講學者不復習，好書者不復藏。尚幸《十三經註疏》板本，尚存於福州府學，好學之士，猶得以考見秦漢以來諸儒之說。臣願特敕福建提學憲臣，時加整葺，使無損失，亦存古之一事也。

可見明朝建立一百多年，人們學經書都讀宋元人新注本，幾乎沒有人讀漢唐注疏。世間僅存的《十三經注疏》書版在福州府學，應該就是元代翻刻的十行本注疏（《儀禮》、《爾雅》、《孝經》有特殊情況）。清代學者往往將十行本注疏叫做「正德本」，是因為他們看到的印本中大量包含正德年間（1511、1517 等）的補版。正德年間進行大規模修版，恐怕與丘濬的建議有關。至嘉靖年間，李元陽在任福建巡按時，以十行本為底本，重新刊行九行本《十三經注疏》，萬曆年間北京國子監版注疏、崇禎年間汲古閣版注疏，又輾轉相因，一脈相承。明代南京國子監非無單疏本、八行本、十行本版片，但殘缺嚴重（可參《南雍志·經籍考》）。成套可印的版片只有藏在福州府學的元翻十行本，真可謂不絕如縷。直到李元陽推出新版九行本，注疏刻本的命脈才重振起來，從此以後，《十三經注疏》屢經翻刻，廣為流傳。但無法忽視的事實是，明清所有的注疏叢刻都以南宋福建刊十行本為祖本。

清代前半期流傳最廣的是國子監版以及汲古閣版的多種翻刻本。嘉慶年間，阮元組織學者，編撰《十三經注疏校勘記》，參考了多種版本的信息，對汲古閣版的訛誤進行較全面的校正。其中《毛詩校勘記》由顧千里、段玉裁負責編撰，學力極高而條件有限，單疏、八行本及宋刊《毛詩要義》這三種最重要的版本一種都沒能參考，十行本也誤以元版當宋版，自然無法校好。隨後阮元主持編刊一套新的注疏版本，則多以經過多次補修之元版十行本為底本，仍然無法令人耳目一新。

就《毛詩正義》而言，單疏刻本算是最正規的面貌，越刊八行本已經是加水勾兌的普及版。至於閩刊十行本，只是通俗經書讀本，《毛詩正義》在其中變成與「纂圖互注」、「重言重意」同質的加料，也就是幫助入門讀者理解經注文義的參考。不幸的是，閩刊十行本及其末流全面覆蓋明清市場，一般讀者只有通過十行本來認識《毛詩正義》。因而在世人眼裡，《毛詩正義》就是對經注文的注釋，而且是非常囉嗦、不夠精練的注釋。今人

言及《正義》，往往用「繁瑣」、「枯燥」等評語，就是這樣形成的印象。

六　《毛詩正義》的知音──「要義」

　　福建書肆的「纂圖互注」、「重言重意」以及十行本注疏雖然很受歡迎，但南宋中後期自然也有不少認真研讀諸經義疏的學者。如朱熹素來很重視諸經注疏，曾經評論說「五經中《周禮》疏最好，《詩》與《禮記》次之」《朱子語類》卷八十六），對《毛詩正義》評價頗高。紹熙五年（1194）孝宗去世，朱熹上奏主張寧宗當為孝宗服三年之喪，回家查書，才發現《儀禮》疏中引用《鄭志》的話，正是支持自己主張的最佳材料，自我反省道「學之不講，其害如此」《文集》卷十四〈乞討論喪服劄子〉），這是朱熹六十五歲時的事情。朱熹回家查義疏，自然不是想溫習《儀禮》，而是因為他深知義疏包含豐富的經學理論資源。

　　寶慶二年（1226）至紹定三年（1230），魏了翁被貶在靖州，編《九經要義》。其中有宋版傳世的，僅《易》、《毛詩》、《儀禮》、《禮記》四種而已。就此四種來看，《要義》先標出題目，經注文只摘錄必要的部分，然後引錄一段義疏原文。摘錄的內容，不是經注文義的直接解釋，而是有關這一問題的專題討論，恰好是十行本的讀者感到義疏很囉嗦的部分。可見魏了翁編《九經要義》，絕非為了誦讀經書的方便，而是要學習專門的經學理論問題，預設的讀者應該是真正的有志之士，而不是夢想金榜題名的庸俗之徒。魏了翁到了靖州，建立鶴山書院，「湖湘江浙之士，不遠千里負書從學」《宋史》本傳）。應該就是這些年輕人的存在，促使魏了翁編輯了《九經要義》。

　　閩刊十行本收錄《毛詩正義》，只是作為經注的附錄。同一時期，魏了翁在靖州編《九經要義》，捨棄直接解釋經注文的部分，專挑《正義》中的經學理論專題，並且命名為「要義」。魏了翁似乎要告訴世人，這些

經學理論專題才是《正義》的精華所在,《正義》不是幫我們理解經文的工具。可以說,《毛詩正義》在這困難的時代,也遇到了知音。

七　近代的社會巨變與舊本的重現

在西方帝國主義要求日本開放港口的壓力下,造反集團借用天皇的名義推翻德川政府,開始建立帝國主義國家。他們要發展「神道」(以天皇神話為核心內容),縱容「神道」分子欺壓佛廟,「明治維新」(1868) 以來,數年之間,日本各地的佛廟受到毀滅性打擊。在這段時期,各地佛廟長年秘藏的寶物紛紛流出,其中包括這部南宋刊單疏本《毛詩正義》。據日本學者推測,當初藏在金澤文庫的《毛詩正義》,由上杉憲實帶出文庫外,後來上杉於一四六六年死於現在的山口縣,《毛詩正義》就藏在該地的國清寺(其遺址現在改為洞春寺),「香山常住」是國清寺使用的藏印。四百年來《毛詩正義》一直藏在山口縣境內的佛廟中,至明治初年出世,輾轉歸竹添井井所有。光緒二十九年 (1903),繆荃孫赴日考察時獲見此編,請竹添影抄,三十、三十一年間陸續收到影抄本(見《藝風老人日記》癸卯二月廿八日、甲辰十二月十一日、乙巳一月廿八日、乙巳八月廿九日)。至民國七年、八年,繆荃孫通校一遍,交由劉承幹刻入《嘉業堂叢書》(戊申四月校卷八,丁巳二月至次年七月校全書,並見《日記》)。

嘉業堂整理翻刻諸經單疏本問世後不久,諸經單疏宋版的影印本開始陸續出現。一九二二年有《爾雅疏》(《續古逸叢書》),一九二九年有《尚書正義》(大阪每日新聞社),一九三〇年有《禮記》正義(日本東方文化學院),一九三五年有《春秋公羊疏》(《續古逸叢書》)、《周易正義》(傅增湘),最後於一九三六年,日本東方文化學院以珂羅版影印了《毛詩正義》。全書分乾、坤兩帙,乾帙於三月,坤帙於十一月先後出版,闕葉部分皆以白紙代替。同年五月八日張元濟致傅增湘函:「內藤虎次郎之毛詩單疏前半部亦已出版,

精華日顯，吾輩眼福可傲古人。旬日前甫寄到，兄曾見之否？」可見當年張元濟他們都十分關注宋版單疏本。

宋刊單疏之外，敦煌所藏唐抄本以及日藏唐抄本（或日本轉抄唐抄本）也是二十世紀才重見天日，並被複製流傳的。

如今《毛詩正義》唐抄本寥寥數紙，南宋刊單疏本有缺卷，越刊八行本失傳，都是遺憾。儘管如此，與只能看到十行本末流的明清學者相比，我們已經擁有相當理想的資料條件。以往受十行本影響的學者看《毛詩正義》，始終視它為幫助理解經文的工具。擺脫這種功利的態度，虛心閱讀《毛詩正義》，學習其中的經學理論問題，讓它恢復昔日的光芒，是我們對這一影印本讀者的期望。

鄭學第一原理

一　本文撰作緣起

　　在經學還盛行的時代，每一學者都有自己遵奉履行的經學方法，據以評判古代學者的經學觀點。近代以來，經學衰亡而史學代興，學者幻想通過客觀科學的研究方法，能夠判定歷代學者解釋之準確與否。近二十年來，鄭玄學說的體系性開始逐漸為學界所認知，如池田秀三〈鄭學の特質〉（二〇〇六年汲古書院出版《兩漢における易と三禮》所收）綜合研究鄭學特點，即以體系性為討論問題的前提，並且說明凡是研究鄭學的人都會注意到這一鮮明的特點；刁小龍《鄭玄禮學及其時代》（清華大學歷史系二〇〇八年博士論文）重點討論鄭玄以「《周禮》為綱、調和《三禮》」的理論建構，是大陸學界最近的代表性成果。強調學說體系性，即可為鄭學保證判斷標準之獨立性，不必再受當代學術標準的干擾。筆者數年前編譯〈魏晉禮制與經學〉（見北京大學出版社二〇一〇年出版《儒家典籍與思想研究》第二輯），特發「鄭王不優不劣論」（二〇一三年補注：今見本書第八篇），旨在告別據一己標準評判古人是非的言論。同時，鄭學理論體系確實具有鮮明特色，饒有趣味，故筆者另撰〈論鄭王禮說異同〉（見北京大學出版社二〇〇八年出版《北大史學》第一三輯。二〇一三年補注：今見本書第十篇），試圖通過比較，探索鄭學之特色。既然承認有獨特體系，如果只觀察其體系，只能看出結構是否合理，有無矛盾。若欲討論鄭玄禮學體系的意義與特色，則必須與其他禮學體系進行比較，辨析何為諸家不得不同之理，何為鄭玄特殊之論。拙文通過比較鄭王兩家之禮說體系，指出：鄭玄細分概念來解釋經書記載的歧異，保存文獻語言的複雜性，與王肅忽略經書記載的小異，保證解釋的合理性，正好相反。（池田秀三〈鄭學の特質〉在拙

文之前，已經指出鄭玄的思路指向複合化，與許慎、何休、王肅傾向單一化不同。因此必需聲明最早發明拙文主要觀點的是池田秀三先生。）然此僅就已完成之理論體系觀察其不同特色，未及討論鄭玄所以形成這種理論體系之緣由，換言之，未知其所以然。後讀鄭注《論語》，發現鄭玄與何晏之間，也有正相反的鮮明特色，即鄭玄指向結構，何晏指向解構，而且兩者走得都很極端。拙文〈論鄭何注論語異趣〉（發表於二〇〇八年中研院文哲所召開之魏晉南北朝經學研討會。二〇一三年補注：今見本書第十一篇）較詳細地分析介紹相關具體情況，是清人做夢都沒想到的離奇景觀。那些離奇的解釋，筆者當時以為是鄭注《論語》的特殊情況，與注《三禮》的解釋方法有所不同，儘管鄭注《論語》在內容上遷合《三禮》理論之處比比皆是。直到二〇一一年秋學期，與研究生同學們校讀孫詒讓《周禮正義》，逐漸醒悟到「結構取義」才是鄭注《三禮》最基本的解經方法，鄭注《論語》與注《三禮》，在解釋方法上完全一致。也知道〈論鄭王禮說異同〉、〈論鄭何注論語異趣〉兩篇拙文應相結合，再按經學理論與經文解釋兩個層次，重新梳理，即可理解鄭玄解經的全體結構。

「結構取義」即鄭玄觀察上下文來推定經文詞句義意的解釋方法。這種解釋方法，在鄭注《三禮》中屢見不鮮，歷代學者也都知道這種現象，但通常只當作特殊情況，似乎未有人深入探討其原理。今觀《周禮正義》即知，鄭玄「結構取義」的結果，不僅為趙匡所譏，亦為宋代劉敞，清代金鶚、王引之、孫詒讓等學者所否定。王引之等人在先秦古籍中搜集大量書證，綜合分析用詞例，確定詞義。孫詒讓也非常重視用詞例，這一點只需隨手一翻《周禮正義》即可知。鄭玄「結構取義」與此相反，意味著「望文生訓」，自然為孫詒讓他們所不取。其實，鄭玄「隨文求義」、「即文為說」，絕非隨意亂說，而是鄭學真正奧妙所在。學者不知此義，不足與論鄭學。第二節先介紹此學期筆者閱讀〈天官〉正義所得若干事例，第三節將重新討論鄭學的結構。

二 「結構取義」之事例

（A）隨文求義之例

a 次敘

〈司市〉「以次敘分地而經市」，注：「次謂吏所治舍，思次、介次也，若今市亭然。敘，肆行列也。」

〈內宰〉「佐后立市，設其次，置其敘，正其肆」，注：「次，思次也。敘，介次也。」賈疏云：「案：〈司市〉注與此注不同者，鄭望文解之。彼經無『肆』文，故以『敘』為行列，并思次、介次共為一所解之；此文自有『肆』文，故分思次、介次別釋也。」

案：此即鄭玄隨文求義之法。「次」、「敘」皆單字，所指何物，本無明確界限。故鄭玄審度上下文，在上下文之關係結構中探索該字所指，斟酌為注。字詞無固定所指，所指何物，因語境而定，是鄭學之原則。

b 內命婦、內人

〈內宰〉「凡喪事，佐后使治外內命婦，正其服位」，注：「內命婦謂九嬪、世婦、女御」。孫疏云：「賈疏云『不言三夫人者，三夫人從后，不在「治」限，故不言也。』案：賈說是也。〈肆師〉『大喪，禁內外命男女之衰不中灋者』，彼注『內命女，王之三夫人以下』，與此注不同。據〈追師〉云『為九嬪及外內命婦之首服』，是內命婦不數九嬪，則三夫人更不數可知。〈喪大記〉注亦云『內命婦，君之世婦』。若然，經凡言內命婦、命女者，唯當數世婦、女御耳。三夫人、九嬪位尊，殆非內宰、肆師所治也。二注說並未塙。」

案：鄭玄於〈內宰〉云「內命婦謂九嬪、世婦、女御」，於〈肆師〉云「內命女，王之三夫人以下」，兩說不同。孫詒讓此處暗據金榜說（孫詒讓於〈內司服〉引錄金說），以〈追師〉經文為根據，確定內命婦指世婦、女御，不包含三夫人、九嬪，因謂鄭玄二注均不確。然「內命婦」之詞義，本謂「內宮之嬪御」（孫疏語），〈追師〉之「內命婦」不包含三夫人、九嬪，何以知其餘諸經亦必相同？鄭玄認為一詞所指範圍因具體經文而異，拒絕脫離具體經文預先確定詞義。「內命婦」似為禮學專門術語，但亦不例外，仍無固定所指範圍。大喪三夫人與焉，而后使人治「內命婦」則不當有三夫人，故注所言不同，此非前後矛盾，亦非遊移不定。孫詒讓則認為一經之內，用詞必有通例，〈內宰〉、〈肆師〉、〈追師〉皆見「內命婦」，所指範圍不當不同。探索全經通例，實乃孫詒讓研究之重點所在。是知鄭玄與孫詒讓之間，立論前提不同。

〈內宰〉「歲終則會內人之稍食」，注「內人，主謂九御」。沈彤云：「內人謂女酒、女饎之等，而上及女府、女史也。」江永云：「此即典婦功之內人與典絲之內工，是宮中專治女功者。」孫詒讓云：「經言內人者凡六。通校諸文，蓋內人所晐甚廣，當上關女御，下兼女府史及女酒、女饎、內工等。凡內宰會其稍食，稽其功緒，及寺人掌其戒令禁令，典婦功授其事齎者，並通上下言之。凡內小臣正其禮事，弔臨于外，寺人詔相之及內豎為之躋者，則專指女御而言。若止屬女府史以下，何得與祭祀、賓客、喪紀之禮事，且寺人為之詔相，內豎為之躋乎。若閽人幾其出入者，則又專指女府史以下而言。鄭及沈、江各舉一偏為釋，相兼乃備也。」

案：此孫詒讓知「內人」一詞所指，因經文而不同，不得一概而論。可見

孫詒讓為學確實精細審慎，探索全經通例，經過細心驗證，不輕易為概括之說。然孫詒讓之解經立場畢竟與鄭玄不同。首先，孫詒讓之審度經文，皆論經文所言之事，如寺人詔相、內豎躃之屬，與鄭玄觀察上下文之結構關係不同。鄭玄探索經文本身，而孫詒讓僅研究經文所言之事，此其不同。可以說鄭玄研究經文，孫詒讓研究制度，研究對象層次不同。另外，孫詒讓因襲王引之等解經習慣，先在一部《周禮》之內探索詞例，次及諸經或先秦群籍，以求一詞之定義。如「內人」，先求此名所指一定之範圍，求而不得，始言「所晐甚廣」。一個詞彙「所晐甚廣」，在鄭玄是探索經義之前提，在孫詒讓是經過討論之後，有時不得不接受的結果。

c 獻

〈玉府〉「凡王之獻金玉、兵器、文織、良貨賄之物，受而藏之」，注：「謂百工為王所作，可以獻遺諸侯。古者致物於人，尊之則曰獻，通行曰饋。《春秋》曰『齊侯來獻戎捷』，尊魯也。」賈疏云：「案下〈內府職〉『凡四方之幣獻之金玉』，彼是諸侯獻王，入內府藏之，不得在此，故知金玉是獻遺諸侯者也。若王肅之義，取《家語》曰『吾聞之，君取於臣曰取，與於臣曰賜；臣取於君曰假，與於君謂之獻』，以此難鄭君。鄭君弟子馬昭之等難王肅：『《禮記》曰「尸飲五，君洗玉爵獻卿」，況諸侯之中有二王之後，何得不云獻也。』」

案：鄭玄探下經〈內府〉「凡四方之幣獻之金玉」云云，為諸侯之獻，與此經王之獻，上下正相對，故不疑「王之獻」為王獻與諸侯。「獻」字常用於自下奉上，今謂王獻諸侯，故特為解釋，說尊敬對方則上於下亦可稱「獻」，并引《春秋》為證。王肅拘泥「獻」字詞例，以「獻」字自下奉

上為討論經義之前提，故非鄭說。後儒多從王義，王引之更論〈內府〉「凡四方之幣獻之金玉」與此經事同，孫詒讓謂「王之獻」為臣民獻之於王者。鄭玄不預先固定詞義，而據上下文調整詞義，是其解經之重要特色。

d 六宮

〈內宰〉「以陰禮教六宮」，注：「鄭司農云：六宮，後五前一，王之妃百二十人，后一人，夫人三人，嬪九人，世婦二十七人，女御八十一人。玄謂：六宮謂后也。教者不敢斥言之，謂之六宮。」孫詒讓云：「後鄭意，下文別出九嬪，則此六宮不得通晐嬪御。其三夫人，班秩雖在九嬪之上，究不可與后並言。明此六宮當專屬后，故不從先鄭說也。」

案：此經下文云「以陰禮教九嬪」，是並列同型句。鄭玄解經，凡遇同型並列句，例皆理解為尊卑等級排比。此經上下同句，下為「九嬪」，上云「六宮」，故知「六宮」必當據王后。孫詒讓謂「六宮」不得通晐九嬪，僅就其事為說。上云甲，下云乙，則甲中必不含乙，是邏輯必然。鄭玄讀此經，則不僅如此，而更認為上下兩句為尊卑等級關係，故知甲必高於乙。此實鄭玄解經之原理，而孫詒讓不贊同。

e 詔、相、正

〈內小臣〉「詔后之禮事，相九嬪之禮事，正內人之禮事」，注：「詔、相、正者，異尊卑也。」

案：此與〈內宰〉「以陰禮教六宮、九嬪」同，因是並列同型句，知其實同而有尊卑之差。

f **典、法、則，國、府、鄙**

〈大宰〉「掌建邦之六典，以佐王治邦國」，注：「大曰邦，小曰國，邦之所居亦曰國。典，常也，經也，法也。王謂之禮經，常所秉以治天下也；邦國、官府謂之禮法，常所守以為法式也。」

又「以八灋治官府」，注：「百官所居曰府。」

又「以八則治都鄙」，注：「都之所居曰鄙。則，亦法也。典、法、則，所用異，異其名也。」

案：此〈大宰〉六典、八法、八則，經文各列其目，經文字數不少，鄭注倍之，孫疏更富，以中華書局版言，則先後互十頁，讀者容易忽視對照。今省略其細目，僅存大目，乃知鄭玄仔細對較三段經文，始為之注。通常言「邦國」皆指諸侯，而此特釋云「邦之所居亦曰國」者，一因下經「官府」、「都鄙」與此「邦國」相應，故知下字皆「所居」。又謂「典」、「法」、「則」，實同而用異，故異其名。當知鄭玄解釋詞義，特重上下文之對應關係，不泥於常訓、常義、通例等。此可見鄭學「隨文求義」之精密。

g **道藝**

〈宮正〉「會其什伍而教之道藝」，注：「鄭司農云：道謂先王所以教道民者。藝謂禮樂射御書數。」孫疏云：「賈疏云：『謂若〈保氏〉云「掌養國子以道而教之六藝」，道則〈師氏〉三德三行也。「藝謂禮樂射御書數」者，亦〈保氏職〉文也。』案：〈少儀〉『問道藝』後鄭注云『道，三德三行也。藝，六藝。』賈據彼注義，故分道藝為二。凡經云德者，並指六德六行而言；云道者，並指六藝六儀而言。兼舉之，則曰德行，曰道藝。此『教之道藝』，道即是藝，與德行無涉。上文云『糾其德行』，乃是六德六行耳。〈大

司樂〉『凡有道有德者使教焉』，後鄭注云『道，多才藝者；德，
能躬行者』，是後鄭亦分釋甚明。〈少儀〉注蓋偶有不審，不為典
要。賈誤會先鄭之怡，強分為二，又引〈保氏〉『養國子以道』為
證，不知保氏所教之道亦即藝儀，與師氏教德行異職也。」

〈保氏〉：「養國子以道。乃教之六藝：一曰五禮，二曰六樂，三
曰五射，四曰五馭，五曰六書，六曰九數。乃教之六儀：一曰祭
祀之容，二曰賓客之容，三曰朝廷之容，四曰喪紀之容，五曰軍
旅之容，六曰車馬之容。」注：「養國子以道者，以師氏之德行審
諭之，而後教之以藝儀也。」孫疏：「案：鄭以經先言養，後言教，
故以養為審諭德行之事，非以道為德行也。實則養之與教，事本
相成。經言道，即指藝儀等，對師氏所掌三德三行為德。《太平御
覽・工藝部》引馬融注云『道，六藝』，最得其義，鄭意亦當與馬
同，故〈大司樂〉注云『道，多才藝者；德，能躬行者』，分別道
德甚析。賈疏謂此道即上三德三行，故鄭『以師氏之德審諭之乃
教之』，非經注義也。」

案：王引之據〈鄉大夫〉「以攷其德行，察其道藝」，知道藝與德行不同，
又廣引古典，論「道」即藝，非謂德行。孫詒讓從王說，確認「道」之定
義為藝儀，故以〈大司樂〉注為是，以〈少儀〉注為偶失審，又曲解〈保
氏〉注義，全不考慮鄭玄之用意。今謂鄭學以「隨文求義」為原則，絕不
同於王引之等一定詞義之解經方法。〈大司樂〉「凡有道有德者」，「道」與
「德」並列，故以道為才藝，德為躬行；〈宮正〉「教之道藝」，〈少儀〉「問
道藝」，則「道」與「藝」並列，故以道為德行，藝為六藝。一「道」也，
對「德」則為才藝，對「藝」則為德行，此鄭玄解經之必然，何「偶有不

審」之有。〈保氏〉「養國子以道，乃教之六藝，乃教之六儀」，結構鮮明，「乃」為緩詞，故鄭注云「以師氏之德行審論之，而後教之以藝儀」，是先「養國子以道」，然後「教之六藝，教之六儀」，則「道」非藝儀明矣，不容曲解謂「非以道為德行也」。至若〈鄉大夫〉「以攷其德行，察其道藝」，「攷其德行道藝」，則「道藝」與「德行」相對，雖無鄭注，必不得以「道」為德行可知矣。鄭玄解經，皆審度上下文為之，與王引之等廣泛搜集詞例，用少數服從多數之概率推論法不同。孫詒讓曲解注義，屈使鄭玄支持王引之之結論，不得不謂粗暴。

h 及執事

〈大宰〉「及執事，眂滌濯」，注：「執事，初為祭祀前祭日之夕。」

江永云：「及，與也，謂與諸執事官眂滌濯也。〈小宗伯〉言『及執事』者三，與此文正相類。彼三處，鄭皆以執事之官釋之。此獨云『執事，初為祭祀前祭日之夕』，非也。」

案：執事即有司，是常訓、常義，故此經上文「帥執事」，鄭注亦云「執事，宗伯、大卜之屬」，不煩遠引〈小宗伯〉。而此注獨不同者，下經「及納亨，贊王牲事；及祀之日，贊玉幣爵之事」，「及」皆言時節。「及執事」在其上，不得獨異，故鄭注不得不以「執事」為動詞。江永不接受「執事」獨於此處解釋為動詞，故謂「及，與也」，孫詒讓從之。平心觀上下文，此「及」言時節，無可疑義；而「執事」即有司，是常訓，亦無可疑。兩無可疑，合之則不通，於是鄭玄謂此「執事」非有司之謂，江永則謂此「及」非謂時節。可見鄭玄重視上下文，認為經文上下文之結構不可移易，而字詞所指未嘗有固定範圍，不可泥於常訓、常義。江永否定隨文求義，認為實詞當有常義，不容隨意變換解釋，而助詞輕微，上下文結構空虛，下兩

句「及」固謂時節，猶不妨此句「及」解釋為「與」。可見兩者思路正相反，此亦鄭學與清學之根本差異。後生者若不細心體察鄭玄探索上下文結構之奧義，則難免為清人誤導，以為鄭玄隨意變換解釋，頗不足據。其實，鄭學之靈活精妙，非清人所可知。

i 誅

〈大宰〉「以八柄詔王馭羣臣，五曰生以馭其福，八曰誅以馭其過」，注：「生猶養也。賢臣之老者，王有以養之。成王封伯禽於魯，曰『生以養周公，死以為周公後』是也。誅，責讓也，〈曲禮〉曰『齒路馬有誅』。」

案：〈大宰〉六典「六曰事典，以富邦國，以任百官，以生萬民」，注「生猶養也」，則此經「生」亦訓「養」，自不可疑。〈宰夫〉「凡失財、用、物、辟名者，以官刑詔冢宰而誅之；其足用、長財、善物者，賞之」，「誅」與「賞」對，則「誅」為責讓，又無疑義。鄭玄猶恐世人誤以「誅」為殺，故特引〈曲禮〉為證，正如上文介紹〈玉府〉注引《春秋》證「獻」字詞例。此經「生」與「誅」相對，鄭玄解釋為養，為責讓，上下正得對應。然宋人劉敞謂「生」為不殺，「誅」即誅殺，「過」讀為「禍」，後人多從之，孫詒讓亦然。此因八柄亦見〈內史〉，而彼云「五曰殺，六曰生」，故謂〈大宰〉之「誅」必當為殺。鄭玄非不知〈內史〉作「殺」，而拒絕據〈內史〉「殺」字釋此經「誅」字，又於〈內史〉無注。是知鄭玄解經重上下文之結構關係，而忽視不同經間之小小出入。蓋謂文字、詞彙所指，本無一定之明確範圍，故必須依賴語境，才能確定其內涵。據此認識，一方面當解釋具體經文時，必須仔細斟酌上下文之結構關係，虛心探討字詞所指，不得泥於常義、常訓；另一方面，不同經文間之對應關係，只得觀

其大概，不得據彼以論此，強合為一，因為語境已不同，不可直接拿來一併討論。〈大宰〉之「誅」為責讓，〈內史〉之「殺」即誅殺，兩經不同，存而不論，無需調和，此亦可見鄭學始終為經學，非典章制度之學。

j 喪荒

〈大宰〉「以九式均節財用，三曰喪荒之式」，注：「荒，凶年也。」

〈大府〉：「凡頒財，以式灋授之。山澤之賦，以待喪紀。」注：「此九賦之財，給九式者。喪紀即喪荒也。」

案：大府以大宰九賦之財分配給大宰九式之用，而其目有小異。〈大宰〉九式：祭祀、賓客、喪荒、羞服、工事、幣帛、芻秣、匪頒、好用。〈大府〉則謂：膳服、賓客、稍秣、匪頒、工事、幣帛、祭祀、喪紀、賜予。鄭注〈大府〉云「膳服即羞服也；稍秣即芻秣也；喪紀即喪荒也；賜予即好用也」，意謂〈大府〉所言即〈大宰〉九式。金榜謂〈大宰〉「喪荒」與〈大府〉「喪紀」當為一事，而凶荒事出非常，不可預為節度，則〈大宰〉「喪荒」非，當從〈大府〉「喪紀」為正。孫詒讓從金說。（孫書為疏體，不便明言經文之誤，故引金說刪省「當以彼為正」數字。）金榜考慮九式所言之事，認為不當包含凶荒。鄭玄考慮之重點不在制度而在經文，且〈大宰〉與〈大府〉語境不同，故隨文求義，不深究兩經之間小小差異，置而不論。兩經文字本不同，知其實大同即可，不必據彼改此，統一文字。此與〈大宰〉八柄之「誅」，〈內史〉作「殺」，鄭注置而不論，同出一揆。

k 王日一舉

〈膳夫〉：「王日一舉，鼎十有二，物皆有俎。」

〈玉藻〉：「天子日食少牢，朔月大牢；諸侯日食特牲，朔月少牢。」

案：十二鼎當為大牢，與〈玉藻〉日食少牢不合。金鶚謂〈玉藻〉降殺甚明，其制不可疑，則〈膳夫〉此經不當謂王日食十二鼎，孫詒讓從金說。然則〈膳夫〉當如何解？金鶚謂經文次序恐怕顛倒，疑當作「鼎十有二，物皆有俎。王日一舉」。「鼎十有二，物皆有俎」與上經「羞用百有二十品，珍用八物，醬用百有二十甕」正可相屬，「王日一舉」與下經「以樂侑食，膳夫授祭，品嘗食，王乃食」正可相屬。然顛倒經文，未免太過牽強，故孫詒讓不取，而謂「王日一舉」與「鼎十有二」為二事，「鼎十有二」非謂王日食之常數。孫詒讓為保證內容之合理，不惜割裂經文，分別取義，與鄭玄處處聯繫上下文，抽繹經義，方法、態度皆正相反。鄭玄不得不連讀「王日一舉，鼎十有二」，是王日食十二鼎，無可改移。故《鄭志》云「《禮記》後人所集，據時而言」，即謂〈玉藻〉為後世法。《禮記》為後人所集，後儒皆所認同，而金鶚、孫詒讓等必欲以〈玉藻〉之制解釋〈膳夫〉之文，是重信制度、輕視經文之研究方法，與鄭玄正相反。

官百二十

〈昏義〉：「古者天子后立六宮，三夫人、九嬪、二十七世婦、八十一御妻以聽天下之內治，以明章婦順，故天下內和而家理；天子立六官，三公、九卿、二十七大夫、八十一元士以聽天下之外治，以明章天下之男教，故外和而國治。故曰天子聽男教，后聽女順；天子理陽道，后治陰德；天子聽外治，后聽內職。教順成俗，外內和順，國家理治，此之謂盛德。」注：「三夫人以下百二十人，周制也。三公以下百二十人，似夏時也。合而言之，取其相應，有象天數也。」

案：〈明堂位〉云「有虞氏官五十，夏后氏官百，殷二百，周三百」。《周

禮》三百六十官，大體與「周三百」相合；〈王制〉「天子三公、九卿、二十七大夫、八十一元士」凡百二十，大體與「夏后氏官百」相當。《周禮》有九嬪，則周天子六宮當即三夫人、九嬪、二十七世婦、八十一御妻之數，又無可疑。故〈昏義〉注以三夫人以下百二十人為周制，三公以下百二十人為夏制。因無正文，言「似」以示不敢斷定，與〈明堂位〉注云「〈昏義〉天子立六官凡百二十，蓋謂夏時」正同。金鶚云：「〈昏義〉以天子立六官，三公、九卿、二十七大夫、八十一元士，與后立六宮，三夫人、九嬪、二十七世婦、八十一御妻，兩相比擬，其同為周制可知。（案：此段金鶚攻鄭說之謬，非真謂周制如此。）若以三公以下百二十人為夏制，三夫人以下百二十人為周制，則比擬不倫矣。」今案：鄭玄以三夫人以下為周制，三公以下為夏制，不嫌比擬不倫者，鄭玄斟酌上下文，審度記人論述之旨，知此章主旨在論陽道陰德、外內和順之盛德，其言六宮、六官之數，非所以述制度，而在論證男女內外相應之理，且明其數合天數，故不嫌取周六宮之數與夏六官之數相對。此乃鄭注末句「合而言之，取其相應，有象天數也」之深意，前儒往往以為煩冗瑣議而忽視之。反觀金鶚，自〈昏義〉原文中，單獨截取三夫人以下與三公以下之數，不僅全然不顧後半段「天子聽男教，后聽女順」云云，即在三夫人、三公一段中，亦將「明章婦順」、「外和而國治」等置之不論，可見其急於論制度，忽視讀經文，治學特色與鄭玄正相反。張文虎評金氏書謂「大都考據典章制度，以經文為主，不屑屑經注」，蓋得其實。金氏為典章制度之學，經文不過是研究材料，故為考上古制度之實，隨意割裂經文，在所不惜。〈膳夫〉「王日一舉」可疑順序顛倒，此〈昏義〉單論其三九二十七之數，不顧經文之全體。鄭學為真正經學，重視經文之完整性，仔細琢磨上下文之結構關係，虛心探索經文主旨，此乃鄭學「隨文求義」之法。兩者本質截然不同，豈得以「漢學」一詞目為一類。

（B）建構禮學理論

a 大射、賓射、燕射

鄭玄謂大射、賓射、燕射三射，所用侯不同，皆有詳說。然鄭說與先鄭、賈逵、馬融諸家不同，後人又多異說，而幾無贊同鄭玄者，可見鄭說出於其創見，極具特色。今案鄭玄立說之關鍵，實在其探索經文上下結構關係之法。

> 《考工記·梓人》：「梓人為侯。廣與崇方，參分其廣而鵠居一焉；上兩个與其身三，下兩个半之；上綱與下綱出舌尋，絹寸焉。張皮侯而棲鵠，則春以功；張五采之侯，則遠國屬；張獸侯，則王以息燕。」注：「〈射人職〉曰『以射法治射儀，王以六耦射三侯，三獲三容，樂以騶虞九節，五正』，下曰『若王大射，則以狸步張三侯』，明此五正之侯，非大射之侯明矣。」

鄭玄見此記並列皮侯、五采侯、獸侯，「息燕」為燕射，「遠國屬」為賓射，則皮侯當為大射之侯。經文依次言大射、賓射、燕射之侯，正合尊卑重輕之序。賈疏云「賈、馬以此『五采』與上『春以功』為一物」，然經文既然三侯並列，則鄭玄不得不解為三等次序，正如上文筆者云「鄭玄解經，遇同型並列句，例當上下等級排比為解」。此注鄭玄又論〈射人〉，亦鄭玄三侯說之關鍵。〈射人〉原文如下：

> 王以六耦射三侯，三獲三容，樂以騶虞，九節五正；諸侯以四耦射二侯，二獲二容，樂以狸首，七節三正；孤卿大夫以三耦射一侯，一獲一容，樂以采蘋，五節二正；士以三耦射豻侯，一獲一

　　容，樂以采蘩，五節二正。若王大射，則以貍步張三侯。

鄭玄見經言「若王大射」，知其上文所言非大射之法，如〈梓人〉注云。
鄭玄據此推論賓射之侯有正，而〈梓人〉獨於皮侯云「棲鵠」，於是創造
大射皮侯有鵠無正、賓射采侯有正無鵠之說，備受後儒非議。金榜、金鶚、
朱大韶、孫詒讓等，皆以〈射人〉「王以六耦射三侯，三獲三容」云云為
大射之法，故云「若王大射」之「若」非轉語，以此譏鄭玄。此可見經學
與典章制度學之不同。鄭學為經學，研究經文，故仔細琢磨經文之結構，
據「若王大射」知上文所言非大射之事，進而與〈梓人〉等諸經反復推勘，
論定「王以六耦射三侯，三獲三容」云云為賓射之法。孫詒讓等先考訂制
度，認定「王以六耦射三侯，三獲三容」云云為大射之事，因而解釋「若
王大射」之「若」非轉語，以此否定鄭說。如何理解「若」字上下之文本
結構，在鄭玄為研究禮學理論體系之前提，而在孫詒讓等人不過是研究典
章制度之結果。上節介紹〈保氏〉「養國子以道，乃教之六藝」，鄭玄以「乃」
字為「而後」，故以「道」為德行，與六藝不同；而王引之考訂「道」為
六藝，非德行，孫詒讓遵從王說，故稱「養之與教，事本相成」，忽視「乃」
字。王引之研究先秦詞例，與金鶚等研究典章制度不同，而其非經學則無
異。孫詒讓推崇王引之、金鶚，則知其非經學之徒。

　　又，鄭玄以鄉射用五采布侯，與賓射同，而後儒多謂當用獸侯，與燕
射同。究其不同之緣由，亦在理解經文結構之不同。〈鄉射記〉云「凡侯，
天子熊侯白質」云云，是獸侯。然〈鄉射記〉下文乃云「鄉侯，上个五尋」
云云，故鄭玄知「凡侯，天子熊侯白質」云云，非言鄉射之侯，換言之，
鄉射所用非獸侯。這一邏輯，與據〈射人〉「若王大射」，知其上所言為賓
射之制，如出一轍。鄭玄往往從經文上下之結構，在經文文字表面所述內
容之外，讀取更重要的信息，是專門注意經文所言之事的學者永遠想不到

的。這是鄭學亦即經學之重大特點，治鄭學者不得不知。

b　大祭、中祭、小祭

〈酒正〉「大祭三貳，中祭再貳，小祭壹貳」，注：「鄭司農云『大祭天地，中祭宗廟，小祭五祀』。玄謂大祭者，王服大裘、袞冕所祭也。中祭者，王服鷩冕、毳冕所祭也。小祭者，王服希冕、玄冕所祭也。」

案：大中小祭，鄭玄一以〈司服〉為說，亦鄭玄獨特之論。〈司服〉云：「王之吉服，祀昊天上帝則服大裘而冕，祀五帝亦如之；享先王則袞冕；享先公、饗射則鷩冕；祀四望、山川則毳冕；祭社稷、五祀則希冕；祭羣小祀則玄冕。」此經所言，何祭服何服而已，但經文依次為言，故鄭知其間有尊卑等級次序，遂據此為大中小祭之標準。是鄭玄於經文上下結構之間抽繹出祭祀等級，當知其義在字裡行間，不在文字之中。

c　旅上帝、禘

〈掌次〉「王大旅上帝，則張氈案，設皇邸」，注：「大旅上帝，祭天於圜丘。」孫詒讓云：「依此注，則『上帝』指昊天而言；〈大宗伯〉及〈典瑞〉皆云『旅上帝』，注並云『上帝，五帝也』，二說不同。效〈禮器〉云『大旅具矣，不足以饗帝』，注云『大旅，祭五帝也；饗帝，祭天』。彼云『大旅不足以饗帝』，『饗帝』即圜丘之祭，『大旅』既次於饗帝，則此注以『大旅上帝』為祭天於圜丘者非也。然此職下文別出『祀五帝』，明『上帝』與五帝異，則以上帝為通晐五帝者亦非也。蓋帝之與天，雖可互稱，而此經則塙有區別。通校全經，凡云『昊天』者，並指圜丘所祭之天；凡云『上帝』者，並指南郊所祭受命帝，二文絕不相通。」

案：鄭玄以為字詞所指，未嘗固定，不過提示大致概念範圍而已，只有參考上下文始得確定，故每就具體經文語境做探討。因此鄭玄不以同名異解為嫌，此非模稜兩可，亦非游移其說，而是鄭玄望文求義之精義。此與孫詒讓通校全經，確定所指，據以解釋具體經文，基本研究態度截然不同。再者，鄭玄望文求義，必求上下文之結構關係，若有同型句並列，例以為尊卑上下之別。〈掌次〉下經云「朝日、祀五帝，則張大次小次，設重帟重案」，故鄭玄必知「上帝」尊於「五帝」，此所以此經「上帝」必當為昊天上帝。孫詒讓固知下經有「五帝」，但不承認上下之間必有尊卑次序，不願讀字裡行間，而僅就文字內容討論制度，故謂下文別有「五帝」，則「上帝」不得為五帝。上節已見〈內宰〉「六宮」，因其下有「九嬪」，故鄭玄知「六宮」尊於九嬪，是為王后；孫詒讓不取上下文尊卑次序之說，僅謂既有「九嬪」，則「六宮」不得泛稱六宮嬪御，否則為重複。鄭玄與孫詒讓解經方法之不同，與此一例。

趙匡批評鄭玄「解此禘禮，輒有四種」，是鄭玄禮學理論之重點，後人議論紛紜，不從鄭說者居多。鄭玄認為「禘」即大祭，故諸經所言「禘」，或為祭昊天，或為宗廟，或為祀地，所指之事容有不同。然鄭玄解釋「禘」之所以多歧，仍以上下尊卑之解經法為重要因素。〈祭法〉「有虞氏禘黃帝而郊嚳」，「禘」在「郊」上，即尊於郊，故必當為圜丘祭昊天上帝。若如孫詒讓，僅論是否重複，不取上下尊卑之法，則此「禘」亦可解為宗廟祭先王。當知上下尊卑之法，實乃鄭玄建構禮學理論不可或缺之重要基礎。

d 二十七月

鄭玄以三年之喪，二十五月大祥，二十七月禫，亦其獨特理論，後儒往往不從其說。拙文〈論鄭王禮學異同〉，以為鄭說之關鍵在〈雜記〉。今案〈雜記〉原文如此：

期之喪，十一月而練，十三月而祥，十五月而禫。三年之喪，雖功衰不弔，自諸侯達諸士。如有服而將往哭之，則服其服而往。練則弔。

此經既言「雖功衰不弔」，而下云「練則弔」，似為矛盾；且先言期喪，後言三年之喪，不合上下尊卑次序之理。於是鄭玄仔細琢磨，認為有錯簡，當調整如下：

三年之喪，雖功衰不弔，自諸侯達諸士；如有服而將往哭之，則服其服而往。期之喪，十一月而練，十三月而祥，十五月而禫；練則弔。

鄭玄又注云：「功衰，既練之服也。期之喪云云，謂父在為母也。父在為母功衰可以弔人者，以父在故輕於出也。」若如此說，上言三年之喪雖既練之後亦不弔人，下言齊衰之喪十一月之後可以弔人，上下正相對。然則，三年之喪之練、祥、禫，必當與齊衰之練、祥、禫相仿，於是知三年之喪，祥與禫之間亦當間月，不得祥之月即為禫可知。

　　或問鄭玄如此調整經文順序，與金鶚顛倒〈膳夫〉「王日一舉」一句有何不同？答曰：鄭玄先研究經文之結構，據此而討論三年之喪二十七月之制度；金鶚先研究王日舉少牢、月朔舉大牢之制度，據此知〈膳夫〉經文內容不合制度，需要顛倒。換言之，鄭玄討論經文結構，為討論禮學理論之前提；金鶚討論經文結構，為討論禮學理論之結果：此其不同。上文介紹〈射人〉「若王大射」，鄭玄據此知其上文非大射之法，而孫詒讓等先認定其上文內容為大射之法，因而解釋「若」非轉語，正與此同。要之，鄭學以虛心研究經文上下結構，據此上下結構推論經文字詞之義意，因而

建構禮學理論體系。是故筆者以「結構取義」為鄭學第一原理，而其以〈周禮〉為綱之禮學理論體系化為第二原理。然此所謂「結構取義」，細言之，則又包含研究經文上下結構關係，據此結構關係解釋經文內容，解釋字詞不預設一定之常訓、常義，而必須因上下語境斟酌定詞義，同型句並列則例當理解為尊卑次序，等等諸義，如上文所見。

三　經學理論與經文解釋

　　唐人對鄭玄留下兩個特色鮮明的評語：一曰「禮是鄭學」，一曰「隨文求義」。俗儒陳澧等僅以「禮是鄭學」為唐代鄭學流行之證，其實《禮記正義》及唐人歸崇敬等言「禮是鄭學」之本意，即在強調《三禮》鄭學的體系性（詳參拙著《義疏學衰亡史論》（新版）第三章）。唐人趙匡批評鄭玄，屢用「隨文求義」、「即文為說」等評語，如拙文〈論鄭王禮說異同〉已介紹。然則鄭學既以龐大精密的理論體系著稱，而又「隨文求義」、「即文為說」，體系性與隨意性，豈非正相衝突？

　　當筆者撰寫〈論鄭王禮說異同〉時，因未見鄭注《論語》，不知鄭玄「結構取義」之法，故只能在理論體系的層面上討論問題，指出鄭玄的理論體系有細分概念的重要特色，且以「隨文求義」為其結果。後撰〈論鄭何注《論語》異趣〉，知鄭玄解《論語》非常注重上下文間之關聯，結合其禮學理論之體系性，得出鄭玄「指向結構性」的結論。今讀〈天官〉正義，知鄭玄「結構取義」之法，則得以調整前說，說明鄭學之全體結構。

　　清人讀經，往往走典章制度的路子，大都遵從「有文字而後有訓詁，有訓詁而後有義理」的方法論，認為先知詞義，才知道文義，而且以討論內容為目的。因此清人先確認實詞詞義，據以調整對經文結構及虛詞的解釋，結果往往割裂經文，隨意曲解虛詞。鄭玄不認為一個詞有固定所指，而認為一個詞只能提示大致範圍，至於到底所指何義，必須依賴上下文才

能確定。因此鄭玄先確認經文上下結構以及顯示經文結構的虛詞,據以調整實詞詞義。鄭玄在解釋經文的層面上,採用「結構取義」之法,用來保證經文的完整性。讀書必須讀字裡行間,只有語境才能產生義意,是上下文決定詞義,並非堆砌詞義即可得句義。清人歸納分析詞義之法,將詞語從經文語境中抽離開來,單獨研究,這種方法適合看報紙,不適合讀經書。應該說鄭玄對文本、詞彙的理論認識,比清人更深刻而複雜。鄭學為經學,並非典章制度之學,亦非依賴概率的語言學,故以經書、經文為出發點,亦以理解經書、經文為終點。筆者願以鄭玄「結構取義」的解經方法,目為鄭學第一原理。

然而,解釋文本都需要一套理論體系為參照框架,所以鄭玄在「結構取義」解釋經文的基礎上,建立龐大精密的經學理論體系。筆者願以「《周禮》為綱、調和《三禮》」的理論體系化為鄭學第二原理。過去學界討論的重點即在此理論體系的層面,今且不詳論。需要注意的是,具體經文的解釋與經學理論的體系化之間,存在一種循環。不僅「結構取義」的解經為經學理論提供材料,經學理論也為解經提出限制或要求。換言之,屬於具體經文層面的第一原理與屬於經學理論層面的第二原理之間,存在循環互動的關係。包括分別屬於兩個層面的兩個原理以及這兩層面之間循環互動的全體,才是鄭學的本質結構。

四 後話

最近偶然獲得一本刊物(北京大學出版社二〇一〇年出版《北京大學中國古文獻研究中心集刊》第十輯),見到徐剛學兄〈論禮記孔子少孤章為信史〉一文。徐兄所引〈檀弓〉原文如下:

　　孔子少孤,不知其墓,殯於五父之衢。人之見之者,皆以為葬也。

其慎也，蓋殯也。問於郰曼父之母，然後得合葬於防。

徐兄云：「鄭玄說『五父，衢名，蓋郰曼父之鄰』，一個『蓋』字，表明了這是他的推測，他錯誤地把『五父』看成了『郰曼父』的鄰居。」又云：「這裡的『五父之衢』，就是魯國曲阜城外的一個著名的地方。鄭玄說為『蓋郰曼父之鄰』，是不對的。」徐兄研究上古史，故其判斷標準與經學、鄭學截然不同。筆者不解上古史，而獨好經學，尤好鄭學。從經學、鄭學的角度看，鄭玄為何而云「蓋郰曼父之鄰」，才是問題。「合葬於防」下，鄭玄更云「曼父之母与徵在為鄰，相善」，不知鄭玄何以知之？因為鄭玄絕不是憑空推測、胡亂解釋的人，即便加一「蓋」字，定當有他的理由。筆者於是猜想，在上下文之間可能有線索。立即放下刊物，翻看《禮記》，在徐兄所引〈檀弓〉原文之下，果然看到如下一段文字：

鄰有喪，舂不相；里有殯，不巷歌。（鄭注：皆所以助哀也。）

見此，頗有渙然冰釋之感。鄭玄必將此段與上段結合為解，故知「曼父之母与徵在為鄰，相善」，因而推論五父之衢「蓋郰曼父之鄰」。「鄰有喪」云云已見〈曲禮〉，而〈檀弓〉重出，鄭玄必定思考重出之意義，乃知此段當與「孔子少孤」為一章。記人重出此段，即謂郰曼父之母與徵在為鄰。後人不知，孔穎達《正義》於「鄰有喪」無說；余仁仲、十行注疏諸本，於「鄰有喪」上標一圓圈，分為兩章；孫希旦《集解》於「鄰有喪」下僅言「說見〈曲禮上〉」，意謂完全重複，無需解釋。若如此，則「鄰有喪」實為可有可無之衍文，毫無意義。鄭玄研究經文，虛心，細心，又盡心，想盡辦法考慮經文上下之結構關係，追求讓經文每一個字都充分發揮其意義，寧可深求穿鑿，毋以輕心放過。因為文字、詞彙是社會共有之材料，

只有在其上下組織結構之間，才可見經文之奧義。若不探索上下文理，有何經學可言，有何經義可明。今經鄭玄發明，曼父之母可知是徵在之鄰，「鄰有喪」一段重獲意義，一章內部有邏輯結構，整章經文增添了多一份生命力。讀者不信筆者如此理解，請參看拙作〈論鄭何注《論語》異趣〉。鄭注《論語》中，非常怪異之解釋層出不窮，皆鄭玄讀字裡行間，探索上下組織之成果。綜合觀察，鄭玄以「孔子少孤」與「鄰有喪」為一章，不容置疑。

徐兄大作，筆者偶然得見，暗中猜測鄭玄據上下文，幸而得其實，竟得鄭玄本意。據此經驗，筆者愈信自己對鄭學之理解為不誤。今後以鄭玄解經之法讀鄭玄之注，應當能夠繼續發明鄭注之奧旨，衷心希望能夠如此。本文所述鄭玄解經之法，失傳已久。孫詒讓集清代禮學之大成，至今學者奉為圭臬，其實是王引之、金鶚之流，不過是史學，不足以為經學。當今學界所謂經學史，所講內容不為不豐富，哲學、政治思想、史學、考據學等多方面內容都有，而偏偏看不到經學本身。數年前撰〈《周禮正義》之非經學性質〉一文（見百花洲文藝出版社二〇〇七年出版《孫詒讓研究論文集》。二〇一二年補注：今見本書第三篇），略知孫詒讓不得謂經學，而未能明知何為經學。王引之研究上古詞例，金鶚研究上古典章制度，只有利用經書，並非研究經書、經文本身，是皆經學之末流，唯獨鄭玄堪稱經學正宗。經學尚待研究，鄭注可讀，不亦樂乎！

圖書館古籍的永恆與瞬間

——北京大學圖書館110 周年館慶
「圖書館的瞬間與永恆」徵文活動命題作文

　　北大圖書館最大的優勢在於收藏豐富的清代及民國時期版本。不管別人有何評價，在我看來，這一點毫無疑問。諸如善本書、電子數據庫之類的，只要有權、有錢都可以得到，不如清代、民國版本收藏來得寶貴。一百一十年的悠久歷史，積累不少資料固然不足為奇，但北大的收藏畢竟有其獨特之處。這些清代、民國版本，在一百年前是普通書，是師生隨時借來看的，因此當初即準備了些複本，再加上後來北大、燕大合併等歷史，致使現在我們的圖書館不僅收藏種類豐富的清代、民國版本，而且複本藏量相當大，這一點十分難得。

　　在此介紹我最近個人的經驗。《禮書通故》只有一種光緒十九年（1893）刻成的家刊本，後來這套版片歸浙江圖書館管理，繼續印製發行，所以至今傳本甚多。二十世紀七十年代臺灣華世出版社的影印本及九十年代《續修四庫全書》所據都是這種版本。我曾見過十幾套線裝原書，大部份都附黃氏後人編寫的《校文》，有的缺失。《續修四庫全書》的影印底本缺少《校文》，所以用北大藏本配補。據說八十年代業師王文錦先生開始校點《禮書通故》，著名史學家楊寬先生聞訊特意抄一份《校文》寄給出版社，也是因為楊先生怕王老師沒看到《校文》。《校文》提到原稿本、初印本、重訂本、後定本，其中原稿本和後定本是手抄的，刊本只有一套，而有初印、重訂之別。然而現在我們能看到的版本絕大部份都是所謂重訂本，不附《校

文》並不代表是初印本，只是丟失而已。

《校文》有十幾條校記提示重訂本文字，下注僅言「重訂本如此」。這些地方，在看不到初印本的條件下，不知初印本與重訂本有何異同，只好忽視，王老師校點本也沒有出校。直到最近，我才找時間重新調閱圖書館古籍部所藏五套刊本。記得很久以前，我要看某一部書的兩套印本，櫃檯的老師不樂意多提書，跟我說「看書號就知道是複本，同一個版本，沒必要都看」，我也沒有強求。最近古籍部的老師們素質比過去高，知道每一套印本都會有不同的個性，於是同一版本的五套印本都順利看到了。結果在這五套之中，終於看到一部初印本。核對通行本，發現確實有文字出入，甚至有些地方所述觀點，在初印本與通行本之間截然相反了。這一套初印本，讓我們觀察、體會這位清末經學大師在討論具體問題上改變所持觀點的過程，不得不令人興奮。

必須承認初印本與通行本之間的差異並不涉及學術史的大問題，沒看到初印本也不影響我們對黃以周學術的理解。修改後的觀點，有那麼多印本流傳，影印本、校點本不知印過多少套，明明白白，有目共睹。然而初印本上那些後來被修改掉的文字，的確保留著黃以周當初的想法，通過比較，我們也可以瞭解他改變想法的過程。問題雖小，畢竟是一種動態，最能體現其中一種生命力。這些地方，好像是黃以周富麗堂皇的學術體系上開著的一個小缺口，讓我們看到他思想的血液在流動。在這裡，黃以周確實在轉動著他的腦筋。

孫詒讓的《周禮正義》稍後於《禮書通故》，家印鉛版有光緒三十一年乙巳（1905）的刊記，通稱「乙巳本」。我先後也看過十幾套，只有學校古籍部所藏四部中的兩部是早印本，其餘都是後印本，不僅印面不清晰，也有四葉補版。兩部早印本之中，有一部末尾有版權頁，寫「光緒三十三年十月初印發行」，「鑄版處　上海澄衷學堂」，「印刷處　溫州陳日新印刷

所」等，都是在別處看不到的重要信息。更有趣的是，那兩部早印本都是用油墨印製，與常見後印本用水墨刷印不同。考慮到後印本的四葉補版都是木版，我懷疑此書當初是鉛版油印，後來經補版之後，改用水墨印法。如果這種推測得以成立，乙巳本《周禮正義》也算反映清末印刷技術轉變過程的實例，從印刷史的角度也很有意思。

《周禮正義》也好，《禮書通故》也好，都已經有多種影印本、排印本，要瞭解內容都非常容易，根本無需利用圖書館。我去圖書館看書，是要看不同印本，要瞭解不同印本具有何等不同特點。這些不是通常研究內容的學者所關心，也不是版本學家研究的對象。我去看望那些複本，它們在那裡幾十年，最近很少有人找它們，時間是漫長的。一套一套地見面，大部份都是熟悉的面孔，除了寒暄之外沒很多話好說。但他們是寡言的大眾，平常多接觸它們，才能體會什麼叫平凡，什麼叫普通，否則無法認識特殊的、突出的。然而我們也會遇到像《禮書通故》初印本、《周禮正義》初印本那種很了不起的英雄，混跡在書堆中。我找它們，和它們交流，驚愕地聽它們講述「想當年」的故事，那瞬間心中湧起一股興奮，而我按住興奮，繼續交談，做記錄。

文獻工作成立在瞬間與永恆交匯的地方。圖書館一定要好好保存貌似重複而沒用的大量複本，不能因為利用率低而處理掉。必須用非凡的毅力堅持承受這種死氣沉沉、時間靜止的感覺。我們讀者一定要經常訪問那些複本，反復調閱不同印本，不要嫌麻煩，也不要怕麻煩櫃檯的老師。只要堅持不懈地追求，我們的好圖書館一定會給我們提供命運的邂逅。當你發現它的瞬間，那套塵埋幾十年的書忽然變成耀眼的明星，而在明星照耀之下，老百姓也開始講自己的故事。

文獻學的具體與概念

記得胡適有一篇小文章，說中國是「名教」的國家。通常說名教是古代封建道德，胡適則針對近現代社會到處貼標語、喊口號的現象，戲稱「名」教。上世紀七八十年代，文史研究也少不了貼標籤，對古人首先要定性，要麼是政治集團，要麼是學派，儒家法家、唯物唯心，名目繁多，即便不突出特點，至少也要追封「封建學者」等頭銜，以免失禮。孔夫子早已強調「必也正名」，「名」無疑很重要，但重視「名」的結果勢必陷入「名」「實」乖離的問題。

編纂古籍目錄的關鍵也在妥善調整名實關係。試問古籍目錄為何堅持四部分類？圖書館的線上目錄都提供書名、作者、關鍵詞檢索，但我們對古籍部分還要求有獨立的分類目錄，這又為何？古籍與當代著作不同，不少古籍無法確定作者，同一部書會有不同的名稱，書名往往不直接體現內容，也就是名實之間有一定的距離，所以僅憑書名、作者名，經常查不到想要看到的書。於是有必要設計一套依據內容的分類體系，使每一種古籍按內容歸類。分類體系首先需要合理，能夠給每一部古籍相對精確地指定一個歸類，而且這種規則必須為讀者容易接受。所以古籍目錄的編者都要利用傳統分類法的大框架，在細節上各自進行調整。

版本學的研究對象是非常具體的版本實物，給人印象似乎是扎實客觀的研究。其實在研究的過程中，學者的思慮不斷地穿梭在名實之間，甚至可以說版本學真正研究的是版本相關的各級概念。例如《儀禮經傳通解》有宋南康軍刊本，有清代呂氏寶誥堂本，有梁萬方重編本。梁萬方重編本儘管同樣遵照朱熹原意編纂，書名仍用《儀禮經傳通解》，但我們認為是

不同的書；宋刊本與寶誥堂本之間，即使存在不少文字異同，但我們認定
為同一部書。陸心源獲得元刊《續卷祭禮》殘本，即拿寶誥堂本對校，謾
罵呂留良竄亂文字。多年之後才認識到元刊《續卷祭禮》是楊復重編本，
與宋刊本、寶誥堂本的《續卷祭禮》部分又是不同的書，不能直接拿來對
校。又如《北堂書鈔》有陳禹謨刻本，也有清末孔氏刻本。陳禹謨刻本經
過徹底校改，面目全非，學者認為盡失原書之文獻價值，但還不至於認為
是另外一部書。文字內容有所差異，我們有時認定為同一部書，有時認為
是兩部不同的書，兩種情況之間並不存在客觀標準。

　　一套版片使用幾十年幾百年，版面磨損，或有抽換版片的補版，或經
局部修補，都有大大小小的變化。補版文字往往包含大量訛誤，有時也會
經過校改，文字內容與原版不同。我們概括這些不同時期的印本，認為是
一種版本。一種版本概念下面可以再分某次修本、某時印本等概念。例如
宋刊元修本、宋刊宋元明遞修本，或者更詳細到某年代修本之類，都是細
分同一種版本的概念。然而，就在同一種版本的同一次修本之間，也還有
不小差異。仍以《儀禮經傳通解》為例，大約十年前，《經籍訪古志》著
錄的《儀禮經傳通解》宋版殘卷重出人間，筆者當初翻開首兩葉與傅增湘
舊藏本仔細對比，確定所用木版不同，誤以為不同版。後來才認識到那只
是原版與補版之差異，兩部是同版不同修本，並非不同版本。傅增湘舊藏
本與張鈞衡舊藏本則不僅同版，補修情況也基本一致，印製時間相差不
遠。其第一卷第一葉確實用同一張元代補版印製，而首行標題卻截然不
同，前者作「儀禮經傳通解卷第一」，後者作「儀禮卷第一」。

　　版本的世界千變萬化，沒有兩部完全一樣的印本，客觀的具體世界就
是如此。我們面對這種變化無窮的具體世界，為便理解，經過一定的分析，
進行概念化整理。兩部印本，符合一定條件則認為是同一次修印本。兩種
不同次修印本，符合一定條件則認定為同一種版本。兩種不同版本，符合

一定條件則視為同一部書。版本鑑定就是確定這種歸屬關係的行為。在這過程中，最關鍵的是如何認定同一次修印本、同一種版本、同一部書的界限。所以版本學家一方面調查盡可能多的傳本，另一方面也要考證刊刻、補修的歷史經過，積累多年的研究，建立某一部書、某一版種、某一次修印的概念。鑑定一部印本是宋版還是元版，是宋版元修還是元覆宋版等問題，並非單獨分析那一部印本即可解決的問題。正如某一部書在內容分類上屬於哪一類，并非該書本身固有的屬性，而要取決於目錄學家如何建立分類概念。

劉向、劉歆他們搜集當時傳存朝廷內外的大量文獻資料，進行歸類，校訂目錄與文本。或將以不同名稱、不同形態流傳的各種文本，歸納為一部書，整理編訂為一部書，如《戰國策》。或對同一部書的各種文本進行分析，歸納為幾種類型，分別校訂為同一部書的幾種不同文本，如《論語》。他們在自己觀察研究那些材料的基礎上，建立每一部古籍以及不同類型文本的概念，編輯出該書、該種的文本，再用目錄來說明他們對這些書、文本類型的概括性認識。他們同時創造出經過整理的古籍文本與認識古籍的整套概念體系，一手確定古籍的名與實，簡直像上帝創造世界一般，是空前絕後的奇跡。不難想像，他們在這樣大膽整理古籍的過程中，忽視、淘汰掉太多太多東西，無數亂七八糟的文獻、同類文獻無數的異文都被消滅掉。不過上帝既然無所不能，我們也怪不得他們。

對鄭玄來說，經書文本已經相當固定，古文今本，齊魯韓毛，都是社會公認的既定事實，由不得鄭玄再次創造。鄭玄創造的是解釋經書的體系性理解。清代學者雖然推崇鄭玄，他們也經常不認同鄭玄的具體解釋。筆者最近閱讀《周禮正義》，發現江永、金鶚、王引之、黃以周、孫詒讓等清代學者經過自己的研究，對周代制度、經書語言等內容形成一套體系性理解，往往據以否定鄭玄的解釋。反觀鄭玄的解釋，固然也有體系性理論，

但他的理論以對經書文本具體細節的密切關注為基礎。體系性理論認識與具體文本的解釋之間，自然存在循環互證的過程，不可能是單方向的，但就重點而言，清人以抽象形成的理論認識為出發點，據以解釋具體文本，方向是從上而下；鄭玄以具體文本的微觀解釋為出發點，據以形成理論，方向是從下而上。

　　文獻學始終離不開抽象化、概念化，拿最簡單的文字來說，兩個字跡是否同一個字的判斷，是很複雜的認識過程，必須對一個字形成明確的概念，才能夠判斷是異體字還是不同的字。文字、文本、修印、版本、書，一層一層都要經過廣泛觀察，建立概念。在這些文獻學、版本目錄學範疇之上，又有內容相關的各種理論概念，涉及歷史、制度、語言、思想等諸多領域。層次越高，抽象化的程度越高。例如當代很多史學家，閱讀正史只看中華書局的校點本，不關注其他版本的具體情況，好像認為有分工，文獻的問題可以交給文獻學家，史學家無需親自過問。他們很少考慮自己引以為據的句子在具體世界中存在多少種異文，變化的幅度有多大。又如孫詒讓等清人與鄭玄觀點相左的問題，當代學者大體上傾向於認同清人。依筆者鄙見，清人的推論畢竟是積累多層抽象化、概念化形成的觀念，絕不能等同於事實。但他們利用經書研究周代制度，迷入歷史觀念的抽象世界，流連忘返，結果忽視了經書文本的具體世界豐饒複雜，不像抽象世界的平滑單純。學者常以學界通行的概念、觀念為出發點，據以閱讀歷史文獻，尋找相關材料，建立新的論述。這好比根據各種示意圖討論現實問題，研究越深入，離實際情況越遠。

　　文獻學唯一的現實基礎就是具體書本，我們的研究再發達，也不能乖離這個現實基礎。我們需要時刻返回到具體書本，反復不斷地檢驗我們建立的一層層概念，看看哪些地方合適，哪些地方有問題。筆者心中浮現鄭玄學術的印象，是從經書具體文本出發，探索解釋，建立壯麗無比的經學

理論體系，最後仍以經書文本的完美理解為終究目標。由經文始，至經文終，這才是經學，而且是實學。希望我們也能夠迴避概念的實體化，腳踏實地立足於具體書本，從這具體世界一層一層建立自己的學術理論，最後再回到更好的理解具體書本這一終究目標。

如何理解晉代廟制爭議

　　包曉悅、張曉慧、鄭憲三位學者最近撰文討論晉代廟制。文章尚未定稿，筆者有幸先睹，知道他們綜合梳理相關文獻記載，也較全面的分析近二十年來的研究成果，借此一文可以瞭解大致情況，並且看到他們提出自己的觀點，受益匪淺。後來直接閱讀相關文獻記載，發現自己的感受與其他學者的論述之間有較大差距。本文介紹筆者鄙見，同時提出分析歷代禮制的視角問題，至於歷史背景及當代學者諸觀點的詳細情況，可待包、張、鄭三位的文章正式發表，此不贅述。

　　筆者反思自己的感受與當代學者的研究之間產生這種差距的緣由，大概可以歸結為筆者未嘗學歷史。具體而言，當代史學家容易關注並且拘泥的問題如下：

　　（一）史書上常見的廟制相關概念。其中兄弟昭穆異同、太祖虛位等問題，似乎避不開。

　　（二）經學學派的消長。學者往往試圖從鄭玄學說、王肅學說對抗消長的角度理解問題。

　　（三）政治派系的思想傾向。學者往往試圖在制度背後尋找相關集團、人物的政治傾向。

　　筆者閱讀相關記載之後，認為（一）兄弟昭穆異同、太祖虛位等可以說是假問題，通觀相關記載，當時人從來沒有以這些問題為爭論點；（二）經學學派對相關問題沒有直接影響，而且當代史學家使用的經學史概念大都不過人云亦云，以訛傳訛，經不起檢驗；至於（三）則筆者缺乏瞭解，不敢評論。依筆者淺見，西晉廟制的問題集中表現在東晉元帝即位前刁協

與賀循之間的爭論，而這是一場堅持因襲舊例的禮官與有理論思考能力的學者之間進行的技術性爭議，其中並不存在禮學理論上針鋒相對的兩派觀點，更沒必要套上經學史、政治史等因素演繹發揮。

《宋書》、《晉書》〈禮志〉敘述晉武帝時七廟之制，最後加一句評語云「其禮則據王肅說也」。《通典》卷四十七有同樣內容，以「其禮據王肅說」為小字注。讀到此句，筆者感到十分突兀，因為所述七廟制度距離王肅學說相當遠，無法認為當時人據王肅學說設計這套實際制度。既然如此，這句評語從何而來？筆者認為這一句是後人據賀循奏議附加的評價，其實賀循并不認為武帝朝依據王肅學說設計廟制。或說晉武帝為王肅外孫，因此晉制皆遵王肅說。這種說法不過是想當然的單純概括，具體情況需要具體分析，故黃以周亦云「《宋書·禮志》言晉郊祀一如肅議，亦未考」(《郊禮通故》第四條)。

下面簡述筆者對刁協與賀循之爭論的理解。武帝時創設太廟，立七主：

征西 ── 豫章 ── 穎川 ── 京兆 ── 宣帝 ┬ 景帝
                                                              └ 文帝

依王肅禮說，太祖一廟、三昭三穆乃為七廟。今無太祖（太祖虛位），而不廢景帝，故仍巧合「事七」之數。宗法，兄弟不相為後，文帝繼宣帝，則景帝當改為旁系。武帝不能為景帝另立別廟，仍與先公、先帝並列。對此制度，容有兩種不同的理解。

① 《宋書》、《晉書》、《通典》等言「所以祠六代，與景帝為七廟」，是根據傳統理論的理解。無太祖，六親廟，本來應該六廟，但變禮加景帝，故七廟。(「七廟」其實是太廟中有七室七主而已。)

②另一種更單純的理解是，認為依次排先公、先帝共七主，是「事七」。

隨後，武帝祔廟，惠帝祔廟，都依次上遷而已，沒有任何問題。只有到愍帝祔懷帝，問題才出現，因為懷帝是惠帝之弟。依宗法，懷帝替惠帝繼武帝為後，惠帝不當在廟中。刁協因襲武帝祔廟、惠帝祔廟的先例，不考慮宗法，即依照上述②的理解，主張遷潁川，廟中列七帝之主。（經學家或謂宗法不及天子，天子無所謂大宗、小宗。本文仍用「宗法」、「大宗」等概念，從說明之便。）

```
京兆 —— 宣帝 ┬ 景帝
              └ 文帝 —— 武帝 ┬ 惠帝
                              └ 懷帝
```

賀循注意到照此做法，雖有七主，其實僅存五代，將來類似情況再發生，則皇帝只能祭三代祖、兩代祖的情況也會發生，顯然不合理。因此要回歸到「事七」的本義，依宗法祭六代祖先。

```
潁川 —— 京兆 —— 宣帝 ┬ （景帝）
                      └ 文帝 —— 武帝 ┬ （惠帝）
                                      └ 懷帝
```

宣帝未就太祖位，六代本當祠六主。景帝、惠帝既非大宗所在，本當另立別廟。依照傳統宗法，自然得到如此結論。但景帝祔廟已久，不可能排除在太廟之外，惠帝也不便冒然排除，只好作為權宜之法，在原本只有七室的廟中特闢一間，共存八主。這種思路，其實與上述①的理解相合。

賀循之法，以宗法定六代，若有先帝已非大宗所在者（如景帝、惠帝之屬），

則仍存其主於廟中。元帝即位後，華恒所議，即本賀循之法。因元帝繼武帝為後，故豫章至武帝為六代親廟，又存景帝、惠帝、懷帝、愍帝曾為帝者之主。

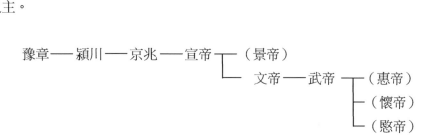

賀循曾議為景帝、惠帝另立廟，華恒不取其說。其實賀循已知其說不可行，故謂當存八主。賀循時，七室而立八主，故云當另闢一位。如今有十主，非闢一位之比，故華恒謂「以容主為限」，其意仍與賀循一致。

我們閱讀《晉書・賀循傳》，不難理解賀循此議明確針對刁協等反對派意見進行辨駁。刁協的議論不見史書記載，所以有些學者猜測刁協的禮學思想，以為刁協主張兄弟異昭穆。（在唐代以前，「兄弟異昭穆」意味著邏輯矛盾，只會在批評錯誤時才使用。意思是說，假設如某人所言，則會導致兄弟異昭穆的結果，故知其說謬誤。）今據賀循議可以推知，刁協只是堅持遵從西晉禮官的傳統操作方式，即祔一主則遷出一主，始終保持一廟七主的單純制度，所以主張若不遷出潁川府君，則廟數「盈八」，違背「事七」之數。賀循對此辨析說，從經學理論的角度考慮，七廟制是王肅的學說。然而王肅的學說是太祖一與三昭三穆為七廟，三昭三穆必須是六代親廟，并非單純湊七主即可。刁協只知道「事七」這個詞，卻不瞭解「事七」的學術理論，故其說必需糾正。賀循又說，西晉已經有廟中八主的先例，廟主「盈八」這種表面現象并非本質問題。可見賀循之意，不僅沒說西晉廟制是照王肅學說設計，而且明確指摘西晉末年刁協等禮官的理解完全違背王肅學說。《宋書》、《晉書》、《通

典》附加「其禮據王肅說」這一句，很容易令人誤會。

　　圍繞刁協與賀循的爭論，學者或設想有「兄弟異昭穆」的理論，或討論其與王肅學說的關聯，又有學者推論不同廟制主張反映尊崇司馬懿和尊崇司馬昭的不同立場，或者考慮元帝與王氏之間的政治緊張影響到廟制爭論。種種觀點，或許各有其道理，但他們都沒考慮當事人可能甚麼都沒想的可能性。依筆者淺見，刁協的主張不過因循西晉故事，用純粹機械的方式保持七主常數而已。賀循批評刁協的主張從理論上不成立，反過來可以知道刁協的主張根本沒有理論依據。這樣看來，刁協與賀循之間，并不存在針鋒相對的兩個理論或兩個立場，刁協只是主張用傳統習慣，賀循只是要求理論上合理，如此而已。

　　南宋寧宗朝諸臣主張遷禧祖以正太祖東向之位，朱熹反對此舉，批評他們「所謂東向，又那曾考得古時是如何？東向都不曾識，只從少時讀書時，見奏議中有說甚東向，依稀聽得。」（見《語錄》第一百七卷）唐宋時期的禮制議論，很容易看出其中多數言論都不過因襲前朝奏議，并沒有直接參考經書或經學理論。禮官的主張因襲性很大，保護傳統往往是他們最重視的考慮因素，而經學理論、政治情況等因素則被忽視。當今史學家討論禮制，意欲在禮制主張的背後探索經學思想、政治立場等因素，以能夠發明其政治史意義為高明。但假設當事人沒有這方面考慮，拿古人上綱上線，有何意義？筆者願以刁協為例，指出有些禮議恐怕與理論、政治背景毫無關係，並且介紹在評論歷史意義之前，有不少分析文本的工作可以做。

嘉定南康軍刊本
《儀禮經傳通解》之補修情況

一 引言

嘉定南康軍刊本《儀禮經傳通解》，傳本不少，而多殘卷。筆者所見有如下四部：

A 無修殘本，存一卷（第十七卷），《經籍訪古志》著錄，今藏東京大學東洋文化研究所。（下文簡稱市橋本）

B 元修殘本，存三十三卷（第一至第七卷、第十一至第二十二卷、卷二十四至三十七卷），丁丙舊藏，今藏南京圖書館。（簡稱丁本）

C 元明遞修足本，傅增湘舊藏，今藏東京大學東洋文化研究所。（簡稱傅本）

D 元明遞修本，缺第二十七、第二十八卷，張鈞衡舊藏，今藏台灣中央圖書館。（簡稱張本）

又，北京圖書館藏三部元明遞修殘本，其一存十一卷者（書號四一九七），鐵琴銅劍樓舊藏；其一存二卷者（書號七二八〇），涵芬樓舊藏，存卷恰為張本所缺，疑從張本分出；其一存一卷者（書號七二八一），亦涵芬樓舊藏。

北京大學出版社 2012 年出版《影印宋刊元明遞修本儀禮經傳通解正

續編》，即據市橋本、傅本、張本三本影印，三本中所存所有不同印版，即同一葉之原版及不同補版，均兼收並錄。丁本有《再造善本》影印本。北京大學出版社影印本書後附錄〈編後記〉，對版本的基本情況已經有所討論。今在已有認識的基礎上，重點放在補修情況，進行更深入的探討。〈正編〉與〈續編〉之間，情況有所不同，不僅原刻時間不同，即元代補版之情形亦不相同。本文討論僅限〈正編〉，不涉及〈續編〉部份。

二　前人之刻工分析

最早嘗試分析此版刻工的是阿部吉雄。一九三六年二月出版《東方學報（東京）》第六冊載其〈東方文化學院東京研究所經部禮類善本解題稿〉（《中國文哲研究通訊》第二十卷第二期有漢譯文本，可從文哲所網頁下載），詳論傅本，并錄「儀禮經傳通解刻工名表稿」。表前阿部有說明，抄錄如下：

> 《雙鑑樓善本書目》謂本書「宋刊本，無補版」，然如前所述，既有元統之刊記，顯然當有元代補版。且依版式與闕筆之有無等推定，可知黑口葉均為元代補版，而白口葉中亦有補版。此尚需以刻工名之調查證明之。饒有趣味者，本書黑口葉及白口葉中確為補版者，多剜去刻工名，掩飾其補版之跡象。雖然，時亦見若干剜而未盡之遺存。即秦淳、廖賓、戴彝、孫欽、留成、陳浚、鄧志昂、蔡育等名是也。而此等刻工名大多亦見於白口葉中。是知白口葉中亦有補版矣。近來，長澤規矩也氏強調板本鑑定之際，刻工姓名之調查頗為重要，且已陸續發表其相關研究。今則先揭本書之刻工姓名，再借長澤氏之研究，區別宋元刻工，又略作若干補足，製作一表如下。（若記錄各卷每葉之刻工名，則可詳知擔任刻板之實情，

便於比較其它宋版《儀禮經傳通解》，然頗費紙幅之故，茲暫不從此法。）要之，讀者可借此表，大致推知何葉為宋版抑或元版。結合版式與字體考量，即無刻工名之葉，亦可作大致推測耳。然下表中所示元代刻工較少，此乃因元之補葉中刻工名多為剜去之故。換言之，所見多為宋代刻工。

據此可知，當時長澤規矩也強調分析刻工之重要性，阿部在其影響下，進行初步的探索。阿部結合版式與刻工綜合分析，表中用符號標注每一位刻工有無避宋諱以及是否見於長澤〈刻工表〉、靜嘉堂所藏《祭禮》等情況。在當時有限的條件下，他可以說已經竭盡所能。雖因「頗費紙幅之故」，未能案每卷每葉逐一列表，然在表中還分〈正編〉與〈續編〉為不同欄位。後來的阿部隆一等學者分析刻工，都不分別〈正〉〈續編〉。今按此版刻工，除了明代監生參與〈正〉〈續編〉整部的補修（監生非刻工，他們可能的參與方式是捐錢、寫版、校對等，不知具體情況如何）之外，宋元刻工並見〈正〉〈續編〉者屬少數，大都僅見〈正編〉或僅見〈續編〉，不僅原版，即元代補版亦如此。從這一點足以看出，阿部吉雄的分析工作十分精細，令人敬佩。唯因未能核查其他傳本，進行對比，加上當時版本學界積累的刻工信息也非常有限，所以從現在看來，阿部的結論還需要調整。阿部認為「黑口葉均為元代補版，而白口葉中亦有補版」，今核查張本，知秦淳、廖賓等名上往往冠「監生」，是阿部認為元代補版者，其實明代補版。雖然誤以明為元，但阿部的劃分仍然精確，而且在黑口版心皆被截去的情況下，根據推論，舉列所有監生姓名，難能可貴。要之，阿部已明確區分明代補版，而其餘宋元刻版未及細分。

繼阿部吉雄之後四十年，乃有阿部隆一的分析研究。阿部隆一於一九七六年發表〈國立中央圖書館藏宋金元版解題〉，分析張本刻工，分「原

刻」、「元修」、「明修」三類詳列其名；一九八二年發表〈日本國見在宋元版本志經部〉，分析傳本刻工，表列「宋刻」、「元修」，另附記明代監生諸名（兩篇解題漢譯文本俱見北京大學出版社影印本卷首）。兩篇解題皆不言有宋修，則「原刻」與「宋刻」無異。然而在兩篇解題之間，有不少刻工於此列宋，於彼列元，同一刻工是宋是元，頗有出入。兩篇相較，傳本解題在後，論述也更詳細，自當視為阿部定論。但傳本解題亦云「元修的字體大致上接近原刻的覆刻，可是其中也有優劣的差別，有的幾乎可以亂真，有的則相當走樣」，是認為有些元修與原版十分接近，不易鑑別。

此版元代在西湖書院，故元代補版刻工皆見西湖書院所藏其他南宋官版之補版。對此，趙萬里等學者皆有較全面的瞭解，《中國版刻圖錄》常見其說。後來尾崎康先生研究正史宋元版本，經過同版先後印本之對比，分析元代補版刻工之時間先後。如南宋前期兩淮江東轉運司刊《後漢書》，《百衲本》所據涵芬樓舊藏本有少數元代補版，靜嘉堂藏本有較多元代補版，逐葉對校，發現涵芬樓舊藏本之宋版或元代葉，在靜嘉堂藏本往往為不同元代補版取代。然則涵芬樓舊藏本之元代刻工屬於較早時期，靜嘉堂藏本新出現之元代刻工屬於較晚時期。尾崎康先生又發現宮內廳藏《大德重校聖濟總錄》之刻工，有不少亦見於涵芬樓舊藏本之元代補版。《大德重校聖濟總錄》當為大德四年刊本，於是可以大致確定元代較早時期補修之時間。尾崎康先生投入大量時間、精力研究正史宋元版本，努力調查同一種版本每一部傳本，仔細對校，分析出元代刻工之不同時間，是一項難得的重要發明。

三　原版之認定

我們在編輯影印本之過程中，已經發現市橋本雖僅存一卷，但卷中并無補版，版式、字體都非常統一（本文言「版式」，包括版框大小、行格、框線及版心設

計)。版心對魚尾，魚尾中間題「仪礼卷幾」用簡體字，是其版式特點。唯獨「吳元」所刻，魚尾呈括弧形，上下魚尾之間距較長，版心稍異於其他刻工。(卷一共六十一葉，其中三十六葉有原版，其中除三葉刻工名不可辨識、兩葉為「吳元」所刻外，其餘皆「馬忠」所刻。然則可以考慮卷一整卷當初均由馬忠承擔的可能性，是不能完全排除「吳元」為宋代補版之可能性。) 字體皆工整內斂，夾行小字頗小。據此特點，辨認原版并不困難。丁本所存原版較多，丁本與傅本、張本一一對照，發現大量丁本為原版、傅本張本為元代補版之處，亦有不少相反之情況。經過對比，原版之特點十分明確。

現在推論阿部認識產生偏差的原因，可以概括為兩方面。一方面是調查的條件有限。他只看到張本、傅本，沒能機會看到丁本、市橋本，就是張本、傅本也沒能一葉一葉仔細檢查。張本、傅本是遞修明印本，原版與大量元明補版混雜在一起，在剔除容易識別的明代補版之後，剩下原版、元代補版也不少而且很雜。版心設計、字體風格，變化幅度都很大，因而認為原版也容有多種版式、字體。我們見到市橋本和丁本，所以才知道原版的版式、字體原來是統一的。另一方面是阿部已經積累了大量宋元刻工的信息，反而影響了原版與補版之判斷。

舉例來說，如卷二十二第五十二葉，張本本身就包含兩葉，其一刻工「翁遂」，其一刻工「彭達」。「翁遂」是原版刻工，版式、字體亦符合原版特點，然則「彭達」必非原版刻工無疑。「彭達」所刻，版式、字體與虞吉父、蕭漢傑等所刻同屬一類，可以確定是元代補版。然而阿部列「彭達」為「宋刻」，並且指出亦見淳熙九年江西漕臺刊《呂氏家塾讀詩記》等宋版書。今檢江西漕臺刊《讀詩記》，確有刻工彭達，而且是該書原版刻工，則是淳熙九年前後之刻工。現在看來，兩版之「彭達」只能認為是同名異人。阿部當年認定《儀禮經傳通解》之「彭達」為宋刻工，應該就是因為他事先知道彭達是南宋刻工，判斷受影響。

今得原版刻工如下：

弓万　王文（文）　余千　吳元　阮才（才）　范宗海　邵德昭　胡
杲（杲）　胡桂　孫再？　翁定（定）　翁遂（遂）　馬忠（忠）
陳生　陳正　陳全（全）　陳昌　陳達　楊春　虞全　蔡延　劉
伸（伸）
中　正　圭　范　桂　翁　國　蔡

四　元代補版之認定

　　傅本、張本中的明代補版，因為字體特點明顯，加上張本保留版心「監
生」姓名，極易辨別。得見市橋本之後，原版之版式、字體特點也清楚，
在〈正編〉中指出原版，大致沒有問題。拿丁本與傅本、張本對照，因為
往往是同一葉在丁本是原版，傅本、張本是補版，或者相反，很容易辨別
明代以前的補版。看多了之後，也很容易注意到，在這些補版中有多數書
葉具有明顯的共同特點，即版心雙順魚尾，魚尾之間題「儀禮卷幾」是繁
體字，字體剛健粗放。由於特點明顯，可以認定大量同一期元代補版，其
中包括王啟、李成、吳輔、范生、章信、彭達、蔡祥等阿部隆一目為「宋
刻」之刻工。
　　今列此類元代刻工如下：

于辛（于、辛）　子信　子晟　王啟（王、啟）　毛輝（毛、輝）
余才（才）　吳仁（仁）　吳宜（宜）　吳輔（吳、輔）　李成
（成）　李盛（盛）　李興（李、興）　范生　范寅（范、寅）　忠
友　胡文宗（胡宗、文宗、宗）　胡明之（胡、明之）　胡興　袁

仲珍（袁、袁珍、珍）　章明遠（明遠）　章信（信）　華秀發（秀發）　彭達　黃允中（允中、中）　虞吉父（吉父）　虞成父（成父）　熊子　蔡祥（祥）　劉炤（炤）　劉森（森）　蕭漢杰（蕭杰、杰）　蕭漢賢（蕭賢、賢）

仁　友　父　仲　生　宗　明　秀　采　亮　英　彬　案　渚？
章　陳　琇　達　虞　熊

蕭漢杰、虞吉父各有一處冠地名稱「新吳蕭杰」、「建安虞吉父」，值得注意。

　　此類元代補版數量不少，而且經過積極的校訂，很容易令人懷疑是〈續編〉目錄末尾余謙等題識所云「元統三年刊補完成」者。但〈續編〉反而不見此類補版，看不到雙順魚尾，也看不到上列諸刻工名。既然如此，不得冒然認為是元統補版。至於到底何時補版以及〈正〉〈續編〉在元代是否分開管理等問題，暫時無法推論。

五　原版與元代補版之內容差異

　　原版與元代補版之間，有少數文字異同是補版失誤。如卷一第四葉第二行「今時卒史」，元代補版誤「史」作「吏」，以後諸本均作「吏」，阮元《儀禮校勘記》遂稱「《通解》作吏」。此類異同，可以謂無意之失誤，每刻一版皆所不免。然總體而言，元代補版訛誤較少，絕非明代補版之比。

　　元代補版更重要的是有意的改動。元代補版往往有自己核查注疏、音義，改訂原版文字之情況。如卷三第三十九葉引〈內則〉疏，原版作「《記》曰『麋鹿為菹，野豕為軒，皆腥而不切；麕為辟雞，兔為宛脾，皆腥而切之』，是菹大而齏小也。不云魚，記者異聞也。」元代補版「記」作「少

儀」，「不云魚」上補「少儀」，下補「此云魚者」。補版文字與孔疏原文合，而原版文字亦可通。是原版引錄孔疏，略為刪節，以省字數，元代補版全照孔疏改回。又如引錄《釋文》，本書體例當分經注，分別注音，而原版偶有失誤，元代補版審定是經文之音還是注文之音，校訂文本。可見元代補版之前，曾有校勘之舉，用經注、《釋文》、《正義》，逐一核對。元代補版也注意引書體例上的統一，如引疏要標「○」稱「疏曰」之類，原版沒有嚴格遵守，元代補版一一改正。又有一種常見情形是，原版初刻有脫字，後為增補，局部修版，若數字則當行擠補，多至數十字則一行（夾行小字則兩行）擠刻四行；至元代補版則照正常行格，重新寫版刻之。總而言之，元代補版帶著非常明確的規範化意識進行校對，修訂原版。這種修訂，消滅了不少原版無意的失誤，糾正了不少原版體例上的不統一，但同時也失去了大量原版上有意義的信息。像上文介紹原版卷三第三十九葉的〈內則〉疏引文，是原作者有意識的改動，並非失誤。元代補版不管原作者的意思，單純拿手頭的注疏版本來校改，讓文本失去獨特性。無論什麼時代，即使現在都會有些人喜歡體例、文本的統一，拿一種自認為是的標準版本來竄改歷史文獻的真面目，令人慨歎不已。

　　無論是原版後來之增補，還是元代補版時之增補，元代補版均照正常行格重新寫版，結果版面變動，在原版與補版之間，相應文本之位置有所不同。尤其目錄及前四卷，每葉起止文字往往不同。然而丁本及傅本、張本皆原版與元代補版錯見，於是在原版葉與補版葉之間，出現或重或脫的現象。例如丁本卷四第八葉是元代補版，第九葉是原版，第十葉是元代補版，結果第八葉與第九葉之間，脫大字三十六、小字十七；第九葉與第十葉之間，重大字二十一、小字五十。傅本、張本第八、九、十葉皆元代補版，上下葉之銜接正常，中間無重複或脫文。這說明元代補版必須連續使用，不能中間夾雜原版。照常理考慮，既然有元代補版，應該用來取代原

版。或者說，原版有問題不能使用，才有元代補版。但實際情況是，丁本與傅本、張本之間，大量出現同一葉的原版與元代補版並存的現象，而且其中大約三分之二是丁本原版，傅本、張本補版；三分之一是傅本、張本原版，丁本補版。這種混配情況，令人十分迷惑。

這一問題，暫時無法解釋。在此先否定這批元代刻版原本是一套獨立版本的可能性。如果是另一種獨立的版本，不知何時版片與宋版放一起，產生混配，如此可以解釋原版、補版互見的現象。但這批元代刻版，雖然往往重新寫版，一葉起止與原版不同，但仍然可以看出以原版為基礎，試圖調整字數，以配合原版的跡象。如卷二第六十七葉第五行「不以天子尊乘諸侯」，原版誤奪「尊」字；第六十八葉左第一行「夫婦之際」下小字注，原版無篇名「列女傳」，「○白虎通」下無「義」字。第六十七、第六十八葉元代補版皆劉森所刻，補「尊」字及小字「列女傳」、「義」四字，較原版多占三字格（小字四字相當於大字二字）。今檢每行字數，此兩葉當皆一行十五字，而劉森所刻第六十七葉第七行、左第二行及第六十八葉首行皆十六字。是補版雖然在增補「尊」、「列女傳」、「義」等字處皆照正常大小寫版，但在不顯眼處調整一行字數，以吸收增字造成的文字移動，以便前後部份可照原版覆刻。如果是獨立版本，則沒有必要如此調整。於是可以確定這批元代刻版，就是這套原版的補版，並非混用其他版本之版片。

尾崎康《正史宋元版研究》曾論南監本《隋書》是元大德饒州路本與元末覆刻大德本兩套版片之混配本。如果認為《儀禮經傳通解》元代補版是一種覆刻版，則情況與《隋書》類似。記此存疑。

六　另一批補版

原版、元代補版、明代補版分別都有非常明顯的版式、字體特點，已

經不難辨識。然而，仍然有不少不屬於這三種類型的補版。最能說明問題的例子是第十七卷第二十五葉，此葉市橋本是「胡桂」所刻原版，丁本是「啟（王啟）」所刻元代補版，而傅本是「王榮」所刻另外一種補版，也不是明代補版。既非原版，又不是典型的元代、明代補版，到底是何時補版？

這類補版的特點是，版式與原版同，對魚尾，中間用簡體題「仪礼卷幾」，字體風格或接近原版而夾行字稍大，或與元代補版相類，或更潦草。從保留原版版式這一點來看，似乎是較早時期的補版。但明代補版偶爾也用類似版式，此類補版也有少數書葉字體接近明代補版，則明代補版的可能性也不能完全排除。在這裡，文字內容可以為我們提供重要線索。

如上所述，此版目錄及首四卷，在原版與元代補版之間，由於增補文字，同一文本之位置往往不同。如卷一第四十九葉，「馬忠」所刻原版自小字「末上下相亂」起，至大字「六合」止。在「信（章信）」所刻元代補版上，小字「末上下相亂」在第四十九葉第七行，是元代補版因上文增補文字，同一內容較原版往後移六行餘。第五十葉今未見元代補版，而有明代補版，行格正常，上可接第四十九葉元代補版，下可接第五十一葉「蔡祥」所刻元代補版，可以確定第五十葉元代補版之起止當如明代補版。然而丁本第五十葉刻工「郁仁」的補版，觀其文字，上可接原版第四十九葉，下可接原版第五十一葉。再往下看，則丁本第五十五葉至五十九葉連續五葉，都屬於這類補版。傅本、張本這五葉都是元代補版，刻工有章信、劉森等，而與丁本相較，每葉起止皆相差六行多。檢查與上下部份之銜接，則丁本之補版，上可接「吳元」所刻第五十四葉原版，下可接「馬忠」所刻第六十葉原版；傅本、張本之元代補版，上可接「亮」所刻第五十四葉元代補版，下可接「劉森」所刻第六十葉補版。可見，這類補版的文字內容，與原版符合，與元代補版不合。因此可以得出的結論是，這類補版的

時間在「蔡祥」「章信」「劉森」等元代補版之前。

　　「蔡祥」「章信」「劉森」等之前，是宋末還是元初？在這裡，尾崎康先生分析刻工的成果正好可以利用。先列舉此類補版之刻工如下：

☆弓華　△王百九　☆王榮　△務陳秀　△何通　均佐　△吳祥

☆沈一　沈允　杜良臣　△阮明　☆周鼎　△芦垚　☆茅化龍

☆茅文龍（茅文）　郁仁　△張三　☆章文　△章文一　章文郁

△章著　△盛久　△陳日裕　陳明二　△陳琇　△惠新　△惠榮

☆黃亨　△楊十三　△萬佛一　潘估？　△蔣佛老　☆繆珍

元　尤　永　蔡

在這些刻工中，標△或☆者皆見南宋前期兩淮江東轉運司刊《後漢書》元代第一期補版（《百衲本》影印），其中標☆者亦見大德四年刊《大德重校聖濟總錄》殘本（宮內廳藏）。其餘沈允、杜良臣、章文郁等亦見眉山七史元代補版。詳情請參尾崎康《正史宋元版研究》綜論編第四章、第五章（日文版第八六頁、一一二頁）。因此可以推論這類補版是在元代前期，大約是大德年間或前後，在西湖書院刊刻的。

　　案〈西湖書院重修大成殿碑〉云：「至元三十一年東平徐公琰為肅政廉訪使，乃即殿宇之舊改建書院，置山長員主之。」（見《六藝之一錄》、《兩浙金石志》）黃溍〈西湖書院田記〉云：「至元二十有八年故翰林學士承旨徐文貞公持部使者節，泝治于杭，……郡人朱慶宗以二子嘗肄業其中，念無以報稱，乃捐宜興州泊陽村圩田二百七十有五畝歸於書院，……凡書板之刓缺者補治之，舛誤者刊正之，有所未備者增益之。……」則至元末年始建西湖書院，隨後即有整修南宋書版之舉，與此類補版刻工多見大德四年刻本，情況相符。又案此類補版，除版式一仍原版外，文字內容亦仍其舊，

未嘗積極校訂文本，亦未改動文字位置，基本上可以視為單純的覆刻，補修性質屬於維護性的。

七　原版補版之混配與明代補版

　　傳本、張本與丁本之間，原版與補版互見，是元代補版刻就之後，原版仍未被廢棄，兩套印版並存，後之印本混雜用之。丁本用原版較傳本、張本多，而亦有不少丁本用元代補版，傳本、張本仍用原版之處，混配似無規律。然傳本、張本的混配情況基本一致，再仔細觀察明代補版，也能確定傳本、張本的混配情況是明代補版時已經固定下來的。說明問題的仍然是文本位置的先後移動。如卷一第三十六葉，丁本元代補版之末行文字即傳本、張本原版之倒數第二行文字，文本位置相差一行。至第三十九葉，丁本原版與傳本、張本元代補版之文本位置相差六行。在這中間，第三十七、第三十八兩葉，丁本缺，傳本、張本的明代補版，上接第三十六葉原版，下接第三十九葉元代補版。是知此兩葉明代補版，即以第三十六葉為原版、第三十九葉為元代補版的情況為前提，重新寫版刊刻的。假設上下都要與元代補版銜接的話，中間兩葉也應該與元代補版一樣，可以完全照正常行格編排。但他們要上接第三十六葉原版，與元代補版之間有正好一行（十五個字）的錯位。為了吸收這十五個字的移位，明代補版第三十八葉十四行都低一格（按內容應該頂格），第三十七葉第四行小字注末多留一字空白，總共留出十五個字的空白。

　　從這些現象來猜測明人的整理，應該是這樣：明人當整理這套印版時，注意到原版及元代第一期補版與元代第二期補版之間往往有數十字的文本位置差距，結果在上下葉銜接之處，往往出現大量重字或脫字的現象，如上第五節介紹。明人調整所用版片，儘量迴避這種情況。重字或脫字實在不可避免，則自己重新寫版刊刻，調整字數，如上文介紹卷一第三

十七、第三十八葉。

在明代補版之前，原版與元代補版並存，混配印製經常出現脫字、重字問題，如丁本。經過明人整理，這些問題基本被消除，這套版本由原版，元代第一期、第二期補版，明代補版組成，文本上下連貫，形成一個相對固定的狀態。所以不僅傅本與張本的混配情況基本一致，呂氏寶誥堂刊本所據底本也與傅本、張本基本一致。《四庫全書》（今僅據文淵閣本電子版為說）文本基本上與呂氏寶誥堂刊本一致，應該以寶誥堂本為底本。

明人的整理其實并不徹底，所以也保留了一些或脫或重的問題。如傅本、張本卷二第六十葉為「伸（劉伸）」所刻原版，第六十一葉為「亮」所刻元代補版，兩者之間重複「者謂」二字；卷四第十六葉為「森（劉森）」所刻元代第二期補版，第十七葉為元代第一期補版（無刻工名），兩者之間脫「睢所」二字。這些誤重、誤脫，皆較明顯，故呂氏刊本、四庫本皆得校正，不因襲其誤。然而有些地方，問題不易察覺，如卷六第三十六葉為「啟（王啟）」所刻元代補版，第三十七葉為「阮才」所刻原版，兩者之間脫一「□」，結果「魯鼓○□○○□□○○」變成「魯鼓○○○□□○○」。此一「□」，原版在第三十六葉末，元代補版在第三十七葉首。明人整理，第三十六葉選用元代補版，第三十七葉選用原版，因而丟失一「□」。呂氏刊本、四庫本皆失察，因襲其誤。

八　朝鮮活字本與日本刻本

在此，順便介紹朝鮮活字本以及日本刻本的情況。北京大學圖書館收藏一部朝鮮活字本，有「宣賜之記」印，只有〈正編〉，無〈續編〉。據說是沈乃文老師主管圖書館古籍部時所購，是近二十年新購進的書。筆者不瞭解朝鮮活字的情況，無法判斷排印時間，只能大致認為相當於明代。索閱翻葉，看到目錄「昏義第四」下云「白虎通義說昏禮之義」，「內則第五」

下云「宜以次於說苑所說昏禮之義及其變節合之以為此篇」，不禁跳躍狂喜。正如影印本〈編後記〉所述，此處宋版第十葉為胡桂所刻，第二行「昏義第四」目錄至「白虎通義」止，第三行自「說昏禮之義」始，其間脫「說苑所」三字。校者擬改第三行作「說苑所說昏禮之義及其變節合之」，第四行當作「以為此篇」，誰料修補刻工將此第三行、第四行修訂木條誤入左半業第三行、第四行。因此「昏義」目錄仍脫「說苑所」三字，「內則」目錄誤入「昏義」目錄之末十八字。這是原版修訂失誤之結果，如見丁本；元代補版已經糾正，如傅本、張本。現在朝鮮本文字包含原版的修訂失誤，說明其底本必定是此南康宋版，而且是未經明代修補的較早印本。核查其他文字異同，知朝鮮本文字往往與原版同，與元代補版不同。如上文介紹卷一宋版第四葉第二行「今時卒史」，原版作「史」，元代補版譌作「吏」，朝鮮本作「史」，與原版合。朝鮮本文字亦有與原版不同、與元補相同之處。顯例如上文介紹卷三「內則第五」「飲食」節末段，宋版第三十九葉，丁本原版作「記曰『麋鹿為菹，野豕為軒，皆聶而不切；麕為辟雞，兔為宛脾，皆聶而切之』，是菹大而齏小也。不云魚，記者異聞也。」傅本、張本元代補版照孔疏原文校改，朝鮮本文字一如元補，是其底本已經元代第二期補版，而且原版與元補之混配情況與丁本不同。又如卷五「五宗」引〈文王世子〉「喪紀以服之輕重為序不奪人親也」下，宋版第三十二葉，傅本、張本元代第一期補版「紀猶事也○」擠刻於四字格，當是原版初刻脫「○」，後為補入；丁本元代第二期補版「○」下更補「疏曰」二字。朝鮮本同元代第一期補版，不同於第二期補版。據此可知，原版（包括元代第一期補版）與元代第二期補版之間的混配情況，朝鮮本底本與丁本之間也有差異。

　　朝鮮本也有少數與原版、元補皆不一致的情況。如宋版卷六第十五葉，元補第七行小字有「今按」，左第二行小字及左第五行皆有「○疏曰」，

皆原版所無。朝鮮本有第七行「今按」、左第二行「〇疏曰」,而無左第五行「〇疏曰」。又如宋版卷四第三十葉,引《左傳》「守曰監國」下,丁本原版及傅本、張本元補,皆無「監古衛反」四字,獨朝鮮本有之。另外,我們也應該注意朝鮮本挖改及留空的情況。如卷一第五十七、五十八葉,丁本元代第一期補版錯字較多,傅本、張本元代第二期補版已經改正。核朝鮮本,如「以喪冠者雖三年之喪可也」下引疏中「節」「月」「待」「女」諸字皆挖紙補字,當是朝鮮本初印因襲元代第一期補版之誤,後為改正。又如卷三十七宋版第三十葉引《孔叢子》,傅本、張本元代第二期補版下端多漫漶。「古之聽訟者惡其意不惡其人」下小字「惡烏路反下同〇非喜怒其人但疾其意之有險害」,傅本、張本「非喜怒」「有險害」筆劃模糊,朝鮮本皆留空白。總之,朝鮮本所據底本印製時間較早,未經明代修補,原版與元代第二期補版之混配情況與丁本不同,排字基本忠實於底本,只有少數挖紙校改。

　　日本刻本刊於一六六二年即康熙元年,只有〈正編〉(〈續編〉另刻於百年之後),流傳頗廣,清末版送上海,故中國國內收藏亦甚多,有「上海四馬路樂善堂藏板」刊記者即此。有一九八〇年日本汲古書院影印本,書尾附戶川芳郎先生〈解題〉云「日本刻本應該是據某種明代刻本翻刻,但今未知其底本究竟是何本」。今據朝鮮本對校,知日本刻本實以朝鮮本為底本,文字特點幾乎全同,惟因經過校改,有少數出入之處而已。如上列朝鮮本諸例,「目錄」「昏義」末十八字入「內則」之失,日本刻本已改正;卷三十七引《孔叢子》注,朝鮮本空六字處,日本刻本補入「言不疾」「所由起」,與宋咸注原文不同,蓋出日人妄補。又如卷三十宋版第十四葉載成王「削桐葉為珪以與叔虞」之故事,傅本、張本原版未注出處,留二字墨丁,寶誥堂本亦作墨丁,朝鮮本留空(活字本無墨丁,僅留空白)。丁本元代補版補「史記」二字,日本刻本亦然,而《四庫全書》補「通鑑」

二字。此事固不見《通鑑》，而《通鑑外紀》、《通鑑輯覽》等有之。要之，此類空白，後人填補，未必恰當。

九　結論

此版原版已經有多處明顯的校補痕跡。這些都是在原版上進行局部修補，增補字數少則當行擠補，多至數十字則有一行擠刻小字四行之處。

此版尚未看到宋代末期的修補情況。

元代前期，大約在大德年間，經過一次修補。補版內容基本上與原版一致，版式相同，一葉起訖的文本位置也沒有改動，所以用這期補版替換原版，與上下葉之間的銜接密合無間。大部份字體還算工整，但也有較潦草的。被補版取代的原版版片，應該被廢棄了。

元代中後期，有過一次較大規模的修補。這次修補，經過對原版文本進行積極校訂，統一體例，注疏、《釋文》都核對原書，照原書校改。有些是原書編者無心的失誤，經校改得到糾正；有些是原書編者有意的刪節，經校改變成直接抄錄原文。原版上擠刻增補的文字，都照正常行格重新寫版刊刻，所以一葉起訖的文本位置有不少移動。

這次補版刻好之後，相應內容的原版及元代前期補版的版片沒有被遺棄，原版與補版開始產生混配。丁本就是這樣形成的印本。因為元代中後期補版的文本位置往往與原版不同，經與原版（及元代前期補版）混配，上下葉之間經常產生銜接不起來，或誤重或誤脫的現象。

由監生參與的明代補版，在刊刻補版之前，對原版、補版混配的情況進行了調整，儘量迴避上下葉銜接不起來的問題。實在迴避不了的地方，調整字數重新寫版，刻成補版。經過這樣整理，形成一套由原版、元代兩期補版、明代補版組成的印版，上下連貫，沒有大段誤重誤脫的問題，所以這種狀態相對穩定，傅本、張本以及呂氏寶誥堂刻本的底本都是用這套

印版來印製的。

　　朝鮮活字本的底本是未經明代補版的較早印本，日本刻本據朝鮮本翻刻。

　　如今影印傅本、張本已出版，是寶誥堂本、《四庫》本所由出，可以作為一個基礎。若欲進一步探索文本變化之跡，可以核對《再造善本》影印丁本及影印日本刻本。日本刻本若有較有意義的異文，則不妨再核查朝鮮本。依目前資料條件來說，南康宋版的利用方法應當如此。

編後記

　　二十多年前，筆者的入門印象仍然深受梁啟超影響，認為清代≒近三百年，近三百年學術的精華≒漢學≒樸學≒考據學≒科學。在帝國主義的侵蝕壓力面前，想要保護民族文化，必需振興科學，同時也不能全盤西化。於是有必要說明，科學并非西方特有的學術方法，其實我們的前輩們也在用科學方法發展學術，我們理應繼續發展科學。筆者當時有一個很單純的疑問：既然用的是科學方法，經書的解釋經過乾嘉大學者們的精闢研究之後，為什麼仍然言人人殊，新說新解源源不斷？同時也得到了一點很單純的認識：經學史不應該理解為先人追求經書原義，逐漸接近準確理解的歷史，因為我們的先人不可能愚蠢到研究同一課題研究兩千年，不僅達不到正確答案，還不斷地推出新的答案，越說越亂。

　　博士畢業之後，筆者走運得到東京大學東洋文化研究所的職位，但由於各種原因，除了幫助丘山新教授建設古籍目錄數據庫外，無所成就，學業荒廢，怕自己今生只有一部博士論文，學術上不能再有進一步發展。此時遇到貴人陳蘇鎮老師，與牛大勇老師合作，千辛萬苦，幫我安排在北京大學歷史學系工作的機會。二〇〇四年來到北京，第一次與陌生的聽眾講話的機會，卻是北京圖書館的史睿先生（史老師如今為北京大學中國古代史研究中心研究員）提供的。本書第一篇是當時的演講稿，內容比較幼稚，但代表筆者新的出發點。這篇提出對文獻的動態理解，七八年之後才有具體成果，見本書第十二篇《毛詩正義》前言。又，這篇也簡單提到筆者對清代經學史的看法，認為清代經學以段玉裁為一個高峰，段玉裁的弟子輩王引之、顧千里、陳壽祺、陳奐等，開始偏向歷史分析，實際上與經學分道揚鑣。

　　經學到底做什麼？經學的本質是什麼？這是多年來一直困擾筆者的疑問。第三篇談《周禮正義》，第六篇評汪老師書，都是思考這一問題的嘗試。問題逐漸清楚，但當時尚不能釋然。這一問題，到撰寫第十三篇論「鄭學原理」、第十五篇論「概念與具體」，才算有一定的結論。第六篇是二〇〇六年應文韜學姐要求，為《中國學術》寫的命題作文。後來刊物有一段時間的停刊，至二〇一一年才刊登。文韜學姐是汪老師高足，為拙文始終負責盡力，令人感念。

　　第五篇述《禮記》版本，是二〇〇六年開課與研究生同學們讀《禮記》的成果。課程目標只是瞭解《禮記》大致內容而已，但筆者通過一個學期的備課，發現余本與十行本一脈相承，岳本其實是余本與撫本（監本）的混成品，是意外的驚喜。

　　第七篇談古籍整理，是二〇〇七年與陳蘇鎮老師一同訪問中國文哲研究所時，奉林慶彰老師命所做報告。主要根據自己幫王文錦老師參與整理《儀禮正義》、《禮書通故》等工作的經驗，提出鄙見。文中舉例，有些與第一篇重複。校讀經說需要很長時間，筆者目前只有中華書局版《禮書通故》後附〈覆校記〉，可以算拿得出手的成果，請與本文並觀。二〇〇九年文哲所準備刊登此稿於《中國文哲研究通訊》上，而同時沈乃文老師創辦《版本目錄學研究》已經收錄，只好向文哲所申請撤稿。記此表示筆者對林老師及《通訊》編輯陳彥穎先生的歉意。

　　二〇〇七年，筆者開設一個學期的「經學史散論」課。第八、第九、第十共三篇，都是那次開課的成果。每週發給同學們的講義，標題作「閒聊經學史第幾回」，今第九篇保留「閒聊」一詞，以資紀念。第十篇論鄭、王異同，筆者首次較明確的意識到組成「經學」的不同因素。

　　二〇〇七年至二〇一〇年，筆者兼任東京大學東洋文化研究所準教授。就任之初，丘山教授表示希望筆者為他主編岩波書店《書物誕生》叢

書，撰寫一部日文《論語》入門讀物。於是開始與東京大學研究生同學們讀《論語》，不久為鄭玄注的特色所吸引，又驚異地發現何晏《集解》否定「經學」的本質特點。第十一篇論鄭、何異同，一方面首次發明鄭注的邏輯，另一方面揭示何注的歷史意義，是筆者得意之作。第十篇比較鄭、王，第十一篇比較鄭、何，從不同的層面觀察了鄭玄的特點。但等到第十三篇，比較鄭玄與清人，問題才更清楚。

第十二篇《毛詩正義》的歷程，是筆者寫得最愉快的一篇。筆者與宋紅老師合作由人民文學出版社出版《日本足利學校藏宋刊明州本六臣注文選》、《舊京書影、北平圖書館善本書目》、《南宋刊單疏本毛詩正義》三部書。其中《毛詩正義》自二〇〇八年開始策劃，因李霖先生研究《詩》學，遂請協助編輯。李霖先生先撰〈影印南宋刊單疏本毛詩正義敘說〉一文，今見《版本目錄學研究》第三輯（中國國家圖書館出版社 2012 年出版），筆者在其基礎上，發揮想像力，將《毛詩正義》比擬為一個人，綜述其版本演變的過程。具體版本編纂體例的分析，全是李霖先生的貢獻，而筆者發揮第一篇提倡的「動態理解」以及第五篇有關十行本的發現，輕鬆愉快，還很滿意。讀者想暸解相關版本方面情況，請參考北京大學出版社即將出版的張麗娟先生《宋代經書注疏刊刻研究》及李霖先生論文〈南宋越刊八行本注疏編纂考〉（《文史》二〇一二年第四輯）。

北京大學編輯《儒藏精華編》，擬收王文錦先生曾經校點整理的《周禮正義》、《禮書通故》二書，於是由筆者負責通校整理。因《儒藏》項目有時間要求，二〇一一年與研究生同學們校讀《周禮正義》，權充一門課程。在校讀的過程中，逐漸發現清人與鄭玄解經方法之本質不同。雖然一學期僅讀〈天官〉，但鄭學之突出特點已經留下深刻印象，清人乖戾經學的問題也十分明顯。二十多年前曾以為「漢學≒樸學≒考據學」以鄭玄為祖宗，十多年前知道「實事求是」與「鄭學」必定衝突，如今始悟清人考

據與鄭學竟背道而馳。第十三篇討論鄭學原理，其實也在討論清人考據的局限性、偏頗性。近代以來，清人考據經學換招牌為先秦文化史，但基本研究方法一脈相承，不過多加些出土材料而已。我們必需擺脫清人經學及今人先秦史的研究習慣，才能理解鄭玄。筆者至此始知鄭玄才是最純粹的經學家，也明白清人乖戾經學的實情，前疑盡釋，心中豁然開朗。第十五篇即述此意。

第十三篇鄭學原理，代表筆者目前的認識水準，同時也是一個起點。例如，最近閱讀廖明飛先生討論《儀禮注疏》版本與《儀禮經傳通解》之關聯的文章，不少例證很有意思。如〈昏禮〉「下達，納采用鴈」，鄭注：「達，通也。將欲與彼合昏姻，必先使媒氏下通其言，女氏許之，乃後使人納其采擇之禮。用鴈為摯者，取其陰陽往來。《詩》云『取妻如之何、匪媒不得』。昏必由媒，交接設紹介，皆所以養廉恥。」《通解》以為此注上下都在解釋經文「下達」，只有「用鴈」一句解釋經文「納采用鴈」，所以依據經文順序，將「用鴈」一句移置「皆所以養廉恥」之後。《通解》的改動，提醒我們注意鄭注的邏輯。其實此注要分前後兩段來看，「達，通也」到「用鴈為摯者，取其陰陽往來」是前段，依次解釋經文「下達，納采用鴈」。「《詩》云」以下是後段，闡釋這段儀節的意義。《通解》以及明代《儀禮》版本改動鄭注的地方，往往是《通解》編者及明人不太理解的地方，也就是鄭注有特色的地方，值得關注。另外，就筆者所知，清人只有顧千里理解鄭玄最深。今後也想多學習顧千里的讀書成果。總之，正如第十三篇最後所言，「鄭注可讀」，今後讀鄭注，會有很多發現，令人興奮。

北京大學規劃部、人事部、國際合作部及歷史學系諸多老師之關心照顧，圖書館、餐飲中心老師、師傅們的辛勤工作，使筆者能有讀書、編書之條件，筆者對此感激不盡。陳蘇鎮老師十年來對我的關懷、提攜，恩同

父母，無以為報。陳老師研究漢代政治文化，因而關注經學。陳老師對我的照顧，其實出於對發展經學史研究的學術熱忱。希望能夠讀好自己的書，不要誤導年輕人，以免辜負陳老師的期望。幾位同學不嫌無聊，願意在課堂上共度時光，筆者才能堅持備課，發現問題。依我之愚鈍懶惰，尚能有所發明，全靠你們的支持，大恩不言謝了。不少拙稿曾請宋紅老師修改潤色，中山大學黃仕忠老師也曾細心修訂數篇拙稿，記此致謝。其餘諸多師友之厚誼，學界先輩之學恩，不得縷述，銘記在心。感謝多年指導我的林慶彰老師，這本論文集能夠與博士論文同時出版，全靠林老師的大力支持。最後感謝耐心閱讀筆者拙文的讀者各位。感恩！

喬秀岩識

2013 年 3 月 16 日

經學研究叢書・經學史研究叢刊 0501010

北京讀經說記

作　　　者	喬秀岩
編　　　輯	吳家嘉
編　　　輯	游依玲
發 行 人	林慶彰
總 經 理	梁錦興
總 編 輯	張晏瑞
編 輯 所	萬卷樓圖書股份有限公司

臺北市羅斯福路二段 41 號 6 樓之 3

電話 (02)23216565

傳真 (02)23218698

發　　　行　萬卷樓圖書股份有限公司

臺北市羅斯福路二段 41 號 6 樓之 3

電話 (02)23216565

傳真 (02)23218698

電郵 SERVICE@WANJUAN.COM.TW

香港經銷　香港聯合書刊物流有限公司

電話 (852)21502100

傳真 (852)23560735

ISBN 978-957-739-802-4

2021年12月 初版六刷

2013年5月 初版一刷

定價：新臺幣400元

如何購買本書：

1. 劃撥購書，請透過以下郵政劃撥帳號：

　帳號：15624015

　戶名：萬卷樓圖書股份有限公司

2. 轉帳購書，請透過以下帳戶

　　合作金庫銀行 古亭分行

　戶名：萬卷樓圖書股份有限公司

　帳號：0877717092596

3. 網路購書，請透過萬卷樓網站

　網址 WWW.WANJUAN.COM.TW

大量購書，請直接聯繫我們，將有專人為

您服務。客服：(02)23216565 分機 610

如有缺頁、破損或裝訂錯誤，請寄回更換

國家圖書館出版品預行編目資料

北京讀經說記/ 喬秀岩著. -- 初版. -- 臺北市：

萬卷樓, 2013.04

　面；　公分. -- (經學研究叢書)

ISBN 978-957-739-802-4(平裝)

1.經學　2.研究考訂

090　　　　　　　　　　　　　　102008442